KB206780

메디컬 스킨케어

머리말

Preface

건강하고 아름다움에 대한 추구는 인류와 더불어 그 역사를 같이 해왔다. 조화롭고 균형 있는 인체는 최고의 예술품이며 이러한 아름다움을 가꾸는 방법 또한 하루가 다르게 변화, 발전해 나가고 있다. 오늘날 개개인의 미적 욕구의 증가는 소득 수준의 향상과 여성들의 사회진출 및 웰빙에 대한 관심 등으로 단순한 관리 차원에서 벗어나 전문적인 관리의 필요성을 갖게 되었다. 1990년 후반에 도입되기 시작한 메디컬 스킨케어가 현재 피부과를 비롯한 성형외과, 한의원, 산부인과 등 대부분의 모든 관련 병 · 의원 메디컬파트에 적용되고 있는 것을 볼 때, 에스테틱 차원의 전문적인 관리에 대한 욕구를 반영한다고 생각한다.

메디컬 스킨케어란 메디컬에서의 의학적 치료와 스킨케어를 함께하는 것을 말하며 전문의의 정확한 피부 진단에 따라 개개인의 피부 성질에 맞추어 스킨케어를 하는 것으로, 메디컬치료나 스킨케어 단독으로는 만족스럽지 못한 경우 이를 병행함으로써 치료효과를 극대화하고 피부를 빨리 정상화시킬 수 있는 전문적인 관리라 할 수 있다. 이렇듯 메디컬 처치와 에스테틱의 만남은 상호 보완이라는 불가분의 관계를 가지고 인간이 추구하는 기본적인 욕구인 아름다움을 극대화시킬 수 있는 전문화된 영역이라 하겠다.

따라서 메디컬 스킨케어를 수행하기 위해서는 차별화된 전문적 교육이 요구되고 있으며 이를 바탕으로 메디컬 스킨케어가 새로운 미용산업으로 발전해 나가도록 연구를 지속해야 할 것이다.

이에 본서는 피부과학에 근거를 두고 문제성 피부타입에 따른 전문 지식과 접근방법, 활성성분 및 관리 프로그램에 대해 연계하여 설명하고 피부과에서 다양하게 시술되고 있는 스킨 스케일링과 화학박피, 각종 레이저 처치에 대한 소개와 시술방법, 관리 프로그램 등을 다루어 메디컬 치료의 전 · 후 과정에서 스킨케어의 중요성 및 필요성을 설명하였다.

또한 메디컬 스킨케어 실무종사자들이 메디컬 스킨케어를 수행하기 위하여 에스테틱 정보를 기본으로 최소한의 피부병변을 이해하여야 하고, 메디컬과 스킨케어실 간의 병원운영 메커니즘을 숙지하고, 피부미용과 피부의학이 분리될 수 없는 분야라는 인식을 가지고 끊임없이 탐구해야 하는 당위성에 대해서도 부연 설명하였다.

끝으로 책을 발간하는 데 아낌없는 지도와 감수를 맡아주신 이순복 원장님, 파워북의 김재원 전무님께 진심으로 감사드리며, 메디컬 스킨케어 분야에서 병원전문화장품 cosmeceuticals으로 각광받는 DMS INTERNATIONAL 교육홍보부의 전폭적인 지원에 고객 숙여 감사드립니다.

저자 일동

차 례

Contents

chapter 1_피부관리

chapter 2_민감 피부

chapter 3_아토피 피부

chapter 4_여드름 피부

chapter_5 색소 피부

chapter_7 화학박피

chapter_8 스킨 스케일링

chapter_9 림프 드레나쥐

chapter_10 레이저와 메디컬 스킨케어

chapter 11_비만 관리

chapter 12_호르몬과 메조테라피

chapter 13_메디컬 에스테틱을 위한 실무

chapter 1 피부관리

1 피부 미용 관리 목적
2 메디컬 스킨케어의 목적
3 피부의 기능 · 작용 · 구조

01 피부 미용 관리 목적(순수 피부 미용)

Medical Skincare

고객의 얼굴과 전신을 대상으로 질병치료 차원이 아닌 피부를 관찰, 분석하여 인체에 친화성이 있는 활성성분(화장품)과 피부미용기기 또는 미용기법 manual therapy 등을 통하여 피부가 지닌 본래의 기능을 도와 피부를 개선하고 피부 고유의 기능을 되살려 건강하고 아름답게 유지 관리하는 것이다.

02 메디컬 스킨케어의 목적

Medical Skincare

메디컬 스킨케어란 피부과 전문의가 문제성 피부를 가진 고객을 전문적이고 상세한 상담을 통해 화학적 · 물리적 자극에 대한 반응을 테스트한 후 정확한 피부 타입 진단을 내리고 전문의와 에스테티션이 의료기기와 전문적인 화장품을 이용하여 피부 치료를 효과적으로 하는 과학적인 피부 관리 프로그램이다. 따라서 피부질환의 치료뿐만 아니라 치료 후의 피부 관리나 피부질환의 예방에도 관심을 두어 치료효과를 극대화하려는 데 목적이 있다.

03 피부의 기능 · 작용 · 구조

Medical Skincare

1. 피부의 기능

피부는 신체의 건강과 아름다움에 필요한 여러 가지 중요한 기능을 수행한다. 건강한 피부는 유연성이 뛰어나고, 촉촉하고 부드러우며, 약산성(pH 4.5~6.5)을 띠고, 육안으로 보기에도 윤기가 흐른다.

피부는 신체 건강상태를 잘 표현해 주는 기관이다. 피부가 제일 얇은 곳은 눈꺼풀이고 독립피지선으로 이루어졌으며, 피부가 제일 두꺼운 곳은 손바닥과 발바닥이다. 피부의 면적은 약 1.8.m^2가량 되며, 무게는 약 2.75kg이다. 피부는 탄력과 저항력이 강하며, 건강한 상태에서는 스스로 재생 복구 능력이 뛰어나다. 피부는 중요한 체온조절 기관으로서 신경종말, 혈관, 한선과 공동으로 체온조절 및 미생물과 기타 유해물질의 침입을 막는 인체 보호막의 역할을 한다. 피부의 구성 성분은 수분 72%, 단백질 25%, 지방산과 미네랄 및 기타 성분이 3%를 차지한다. 수분은 피부 미용학상 중요한 부분을 차지한다.

2. 피부의 작용

1) 보호작용

- **세균으로부터** : 피지막이 약산성(pH 4.5~6.5)이므로 살균 및 세균의 발육 또는 침입을 억제하는 정화 작용을 한다.
- **광선으로부터** : 자외선이 닿을 때 각질층을 두껍게 하고 산란을 시킨다. 자외선을 흡수하여 멜라닌 색소를 만들어 피부를 보호하는 필터의 역할을 한다.

2) 지각 및 반사작용

감각신경 말단을 통하여 촉각(더듬 감각), 통각(주사바늘), 냉각(찬 감각), 온각(자외선), 압각(눌림 감각)의 피부반사작용을 한다.

3) 분비작용(배설작용)

- **피지** : 피지선에서 분비된 피지는 피부표면에 피부막을 형성하여 피부건조를 막고 부드러움을 느끼게 한다.
- **땀** : 기온과 습도에 따라 하루에 0.5~2ℓ 이상 분비가 가능하다.

4) 체온조절작용

건강한 신체는 항상 36.5℃를 유지한다. 땀의 분비나 피부혈관 확장 · 수축으로 열의 발산을 조절하여 일정한 체온을 유지시킨다.

5) 호흡작용

피부를 통한 호흡은 폐호흡의 1% 정도를 차지한다.

6) 흡수작용

피부는 외부 물질에 대해 반투과성 기능을 갖고 있지만 피부와 유사한 활성 성분이나 지질은 모공이나 세포간극을 통해 흡수된다.

7) 표정작용

얼굴에는 표정근육이 있어 감정에 따라 달라진다.

8) 생성작용

자외선에 의해 멜라닌 또는 체내에 있는 프로비타민 D가 자외선으로 인하여 비타민 D로 생성된다.

9) 저장작용

피부 전체(표피, 진피, 피하조직)에 72% 정도의 수분함유를 하고 있다. 각질층의 수분함유량은 15~20% 정도이다. 모공을 통해서 흡수된 수분을 통과시키지 않고 저장이 가능하고, 당분이 지방으로 전환되어 피하조직에 저장된다.

10) 재생작용

기저층에서 피부세포를 계속 재생성함으로써 피부상처가 회복 가능하다. 단 기저층이 결손되면 변형 세포가 그 자리를 메우게 되어 흉터가 남게 된다.

3. 피부의 구조

피부는 인체의 최외각을 감싸고 있는 얇은 막과 같은 구조의 조직으로서, 성인의 경우 총 면적은 약 1.6-1.8㎡이며, 무게는 인체에서 2.5~3.5kg으로 뇌의 2배 정도이며, 몸무게의 약 7%를 차지한다. 피부의 두께는 부위 · 성별 · 연령에 따라 차이가 있으며, 가장 두꺼운 부위인 손과 발의 경우 약 6㎜이며, 평균 약 1.2㎜의 두께를 지니고 있다. 피부는 표피 · 진피 · 피하지방층의 3층으로 구성되어 있으며, 피부장벽은 표피의 각질층이 담당한다. 이와 같은 특징의 피부는 인종에 따라 다른 피부색을 가지고 있으며 손바닥과 발바닥을 제외한 전신을 체모가 덮고 있다.

1) 표피(epidermis)

표피는 혈관이 없고 신경말단이 분포되어 있다. 피부 미용학에서 매우 중요한 부분을 차지한다.

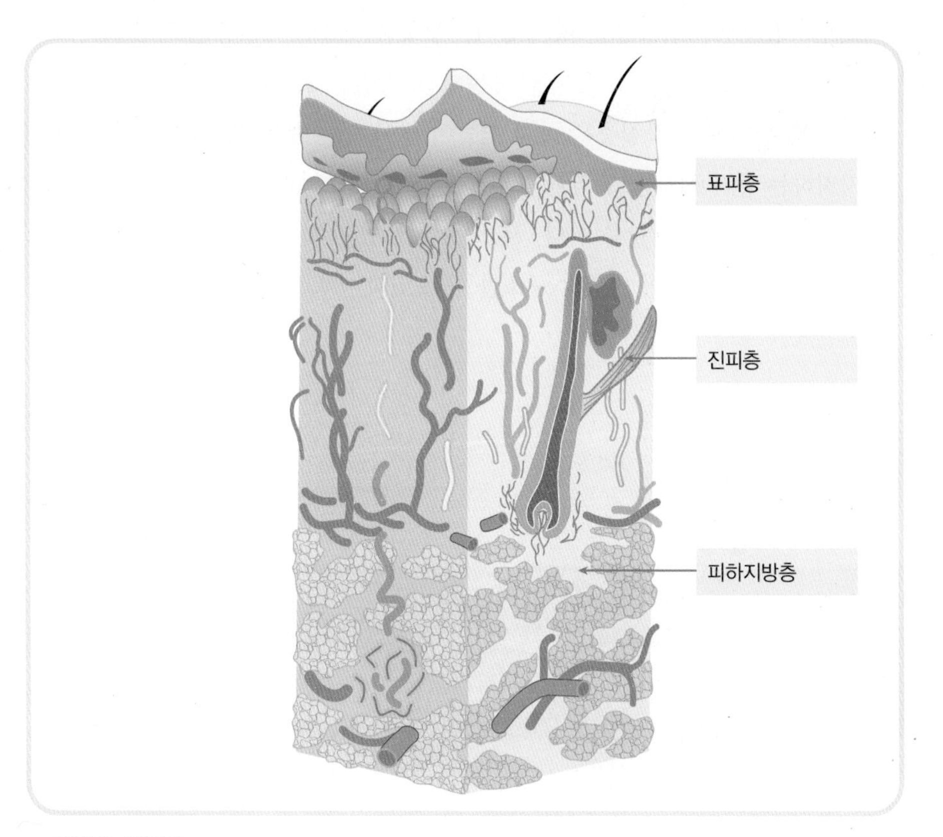

▲피부의 단면도

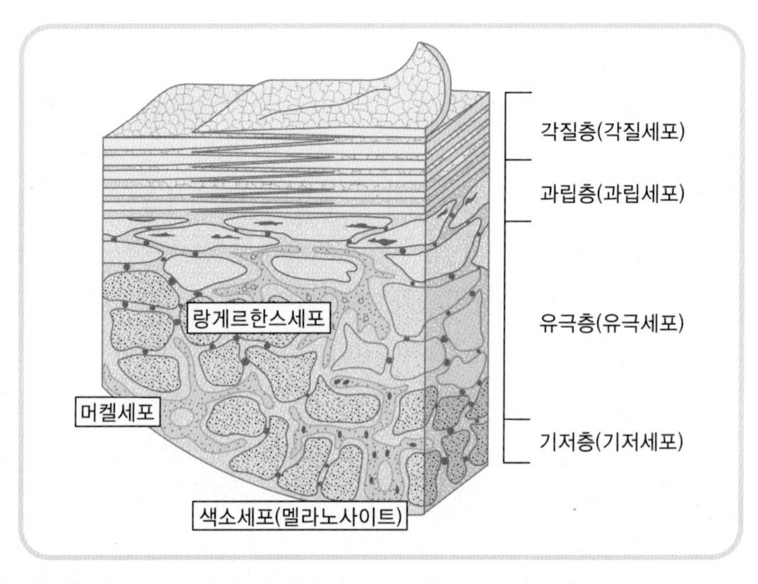

표피의 구조▶

① 각질층(horny layer, stratum corneum)

표피의 상층부인 각질층은 핵이 없다. 즉 죽은 세포인 각질층은 외부 자극으로부터 피부를 보호하는 담장 역할을 하는데 이 각질층의 상태가 피부 건강을 좌우한다. 그림에서 보면 각질층은 마치 벽돌이 쌓여 있는 듯한 모양이다. 이때 벽돌을 지지하는 몰타르(시멘트) 역할을 하는 물질은 세포벽과 유사한 이중막 구조이며 효율적인 방어벽 역할을 한다. 세포 사이에 있는 지질이 방어막 기능을 하고 있으며 이것은 전형적인 이중막 구조를 하고 있다.

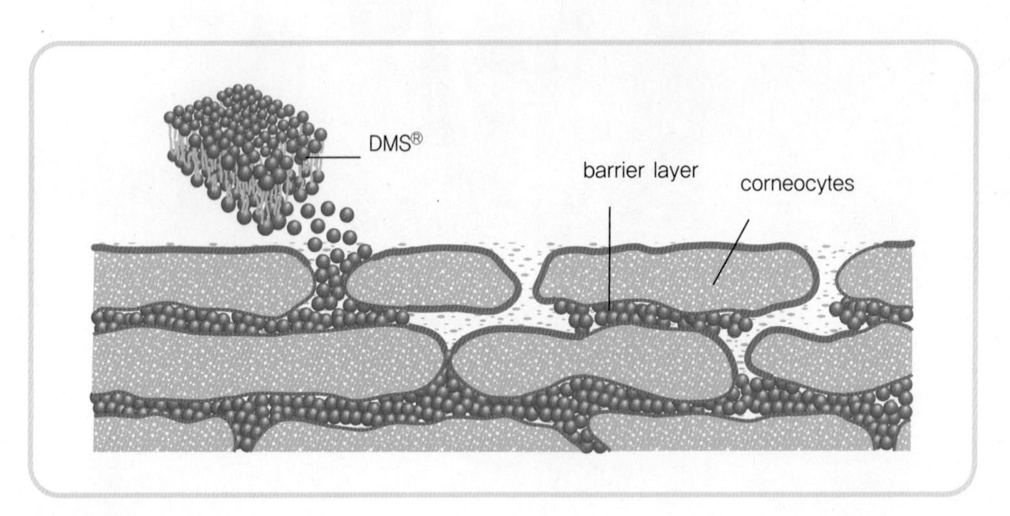

▲적용과정

이를 이중지질층 bilayer이라 부른다. 주성분은 케라틴이고 겹쳐진 벽돌 모양으로 10~20층으로 형성되어 있다. 각질층이 10층 이하이면 민감피부로 본다. 각질세포의 수명은 28+5일이며 부위에 따라 약간 다르나 하루에 수백만 개씩 떨어져나가고 새로운 세포에는 자연 보습인자 NMF: Natural Moisturizing Factors가 함유되어 있어 수분 보유 능력이 뛰어나다. 수분량은 15~20% 정도 있으며 외부의 습도에 따라 변화하여 수분함유량이 10% 이하로 떨어지면 건조한 피부가 된다.

② 투명층(transitional layer, stratum lucidum)

손바닥, 발바닥 같이 각질층이 두터운 곳에 존재한다. 빛이 통과할 수 있는 투명한 무색,무핵 세포로 2~3층으로 구성되어 있다. 엘라이딘 elaidin이라는 반유동성 물질이 함유되어 투명하게 보이며 수분이 흡수되는 것을 막아 물속에 오랫동안 있게 되면 손바닥이 쭈글쭈글하게 되는 현상을 볼 수 있다.

③ 과립층(granular layer, stratum granulosome)

수분을 잃고 점점 세포들이 각질화되어 가면서 황을 많이 포함한 단백질인 케라토하이알린 과립 keratohyaline granule이 축적되면서 핵이 소실되어 세포 생성 능력이 없는 죽은 세포로 가는 과정이다. 유극세포에서 이동해온 과립층은 편평 또는 방추형의 세포로 3~5층으로 구성되어 있다. 리소좀 효소들이 많아 자가 용해작용이 일어나고 알칼리성으로서 피부의 중요한 방어층 역할을 한다. 물의 침투에 대한 저지막 barrier zone이 있어 외부의 수분을 투과하는 과정을 저해하는 방벽대 역할을 하고 피부 내부로부터의 수분증발을 저지해 피부를 보호하게 된다.

④ 유극층(stratum spinosum, spinous layer)

표피의 대부분을 차지하는 유극층은 표피에서 가장 두꺼운 층(5~10층)으로 세포 모양은 다각형 polygonal, diamond shape으로 구성되어 있다. 세포 사이에는 림프액이 흐르고 영양 공급을 한다. 세포간에는 데스모좀 desmosome이라는 특수 구조가 있어서 세포들을 밀접하게 결합시키고 있다. 유극층은 살아 있는 세포로 구성되어 있고 세포핵이 있어 일부의 세포분열이 일어나 손상을 복구할 수 있다. 또한 면역 기능을 하는 랑게르한스 세포가 존재하며 각화의 시작과 진행이 일어나고, 층판소체 odland body가 보이기 시작한다.

⑤ 기저층(basal layer, stratum germinativum)

표피의 가장 아래층으로 진피와 접하고 있으며 물결모양의 경계를 이루고 있다. 진피의 영향을 받아 혈관이 운반하는 산소와 영양분에 따라 세포를 생성해 내는 단백질인 케라틴 양이 조절된다. 기저층은 유일하게 세포분열을 하고 매일 수백만 개의 세포가 상부로 향해 밀려 올라가 표피의 성장에 관여하고 있다. 피부색을 결정짓는 색소형성 세포인 멜라닌 세포가 분포되어 있고 이 세포의 작용은 자외선으로부터 피부를 보호하는 중요한 역할을 담당하고 있다(각질형성세포와 멜라닌 세포의 비율은 4:1~10:1).

기저층은 단층의 원추형 또는 입방형의 세포로 구성되어 있다.

▣ 각화현상(turn over)

기저층에서 세포분열이 일어나 세포가 연속적으로 변화해 가면서 위로 밀려 올라감에 따라 모양과 작용이 단계적으로 바뀌어, 마지막 단계에서는 여러 층의 각질층이 쌓여져 두꺼워지면서 그 사이의 결합력이 약해져 때로 떨어져 나간다.

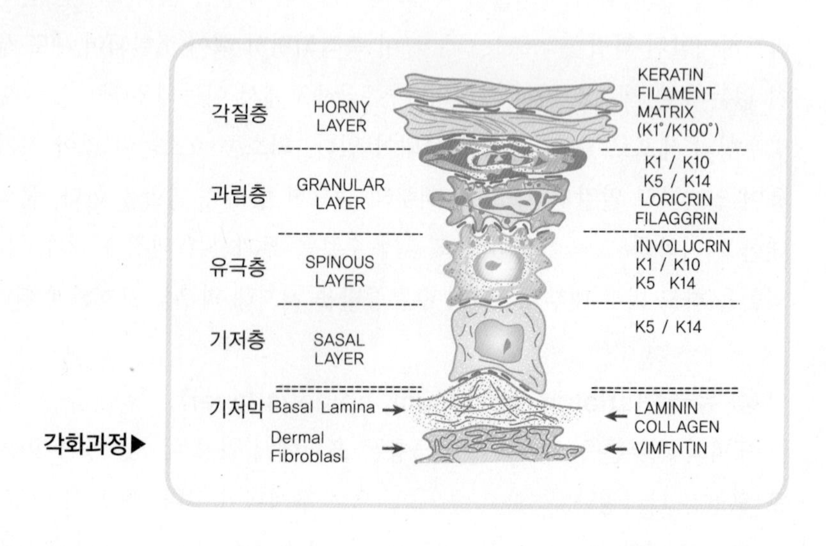

각화과정▶

▶ Keratinosome(케라티노좀 lamellar granule, membrane coating granule, odland body, 층판소체) : 유극층과 과립층에서 합성된 후 세포질로 이동하여 세포막과 융합하여 지질(glycosphingolipid, 인지질, 콜레스테롤, hydrolase 가수분해효소 함유)을 세포 틈으로 분비한다. 분비된 glycosphingolipid와 인지질이 대사효소에 의해 세

라마이드와 유리지방산으로 변화된다.

▶ Keratohyalin 케라토하이알린 : 각질초자질상, 케라틴 단백질이 뭉친 것으로 황을 많이 함유하고 주성분은 단백질, 황산, 지질 및 당분이다.

▶ barrier zone : 장벽

▶ desmosome : 세포간교(두 세포간의 유착부로서 상대하는 접착 구조)

참/고/사/항 표피의 구성세포 4가지를 살펴보자.

▣ **각질형성세포(keratinocyte)** : 케라틴을 생성하는 표피세포로, keratonyaline과립을 만들고 Cytokine분비, 면역기능에 관여하고 표피세포의 95%를 차지하는 구성물질이다.

▣ **멜라닌세포(melanocyte)** : 멜라닌 세포의 수는 모든 인간에게 일정하게 존재한다. 다만, 피부색을 결정짓는 것은 멜라닌 소체의 양, 크기, 분포, 분해과정 그리고 카로틴, 헤모글로빈에 의해 결정된다.

▣ **랑게르한스 세포(langerhans cell)** : 피부에 강력한 항원 전달 세포이고, 외부 항원을 잡아서 처리한 뒤 T림프구에 전달하여 알레르기성 접촉 피부염, 아토피 피부염, 감염성 질환 등 면역성 치료에 효과적이다. 표피에서는 기저세포층 위에 존재한다.

▣ **머켈세포(merkel cell)** : 피부에 기계적 수용기(slowly adapting mechanoreceptor)의 역할을 한다. 촉감을 감지하여 신경섬유 자극을 뇌하수체에 전달하므로 기억세포라고도 한다. 기저층에서 발생하여 진피층에 소량 존재한다.

2) 진피(dermis)

피부조직의 95%를 차지하고 있으며, 기능형태학적으로 유두층과 망상층으로 이루어져 있다. 표피층처럼 명확히 구분되어 있지는 않고 피부의 단단함, 장력, 탄력은 진피 내의 점탄성을 갖는 탄력적인 조직인 무정형의 기질과 교원섬유, 탄력섬유에 의해 이루어지고 부수적으로 단백질, 당질, 무코다당류, 무기염류 등으로 구성된 결합조직 형태이다. 또한 혈관계나 신경계, 림프계 등이 복잡하게 얽혀 있는 형태를 띠며 표피에 영양을 공급하여 표피를 지지하고 강인성에 의해 피부의 다른 조직들을 유지하고 보호해 주는 역할을 한다.

- 세포성분 : 섬유아세포
- 섬유성분 : 교원섬유 collagen fiber, 탄력섬유 elastic fiber
- 기질(간질) : 히아루론산, 무코다당류

① 유두층(papillary layer)

표피와 수평적인 경계가 아닌 둥글고 작은 물결 모양의 탄력조직인 돌기가 돌출된 형태의 유두로 이루어져 있고, 미세한 교원질과 섬유 사이의 빈 공간으로 세포성분과 기질성분이 많이 채워져 있다. 또한 모세혈관이 있어 혈관이 없는 표피에 영양을 공급하고 촉각소체와 같은 신경말단이 분포되어 있으며 망상층보다 부드럽고 탄력이 있다.

② 망상층(reticular layer)

피부표면과 평행하게 존재하는 교원섬유 collagen fiber의 그물망 network 사이에 탄력섬유 elastic fiber 다발이 치밀하게 그물모양으로 짜여져 구성되어 있다. 망상 진피의 섬유질은 일정한 방향성을 가지고 배열되어 있는데 신체 부위에 따라 달라진다. 이 선상으로 갈라진 선을 피부 할선이라 하며 외과 수술시 피부를 절개할 때 중요하다. 혈관, 림프관, 피지선 sebaceous glands, 한선 sweat glands, 모낭 hair follicles, 기모근 arrector pili muscles 등이 분포되어 있다.

- **교원섬유** collagen fiber : 진피의 약 90%를 차지하는 단백질로 결합섬유라고도 한다. 피부에 장력을 제공하여 모든 물체에서 오는 힘과 화학적 자극에 대한 저항력을 갖고 있으며, 지방을 제외한 피부 전체 건조중량의 77%가 된다.

교원질 분자는 섬유아 세포에서 만들어지며 교원섬유와 탄력섬유가 그물모양으로 서로 짜여져 있어 피부에 탄력성과 신축성을 부여한다. 나이가 들어감에 따라 기능이 저하되어 주름이 발생한다.

▲collagen network

- **탄력섬유** elastic fiber : 섬유질로서 섬유아세포에서 만들어지며 신축성과 탄력성이 있어 피부를 당긴 후 놓으면 원래의 상태로 돌아가게 탄력성을 제공해 준다. 진피의 2~5%를 차지하며 나이가 들어감에 따라 감소되어 노화의 원인이 된다. 엘라스틴의 파괴를 방지하기 위해서는 자외선으로부터 피부를 보호하고 피부에 일정한 수분을 유지시켜 주어야 한다.

3) 피하조직(subcutaneous tissue)

섬유조직이 엉성하게 엮어진 사이에 벌집모양의 수많은 지방세포들이 영양을 저장하고 있는 층이다.

개인의 나이, 성별, 건강상태에 따라서 두께가 다르며 신체의 유연성과 곡선미를 만들어 주고 외부의 충격으로부터 내부기관을 보호하는 쿠션역할을 한다. 여성의 경우 엉덩이 · 복부 · 허리 · 유방에 많고, 지방이 적은 부위는 눈 주위 · 코 · 귀 · 입술 등이며, 손바닥 · 발바닥에도 항상 일정량이 존재한다.

4) 피부의 부속기관

① 피지선(sebaceous gland)

피지선은 모낭이 없는 손바닥 · 발바닥을 제외한 전신에 분포되어 있으며, 머리 · 얼굴 · 가슴 · 등 · 팔 · 다리의 순으로 발달되었고, 외곽지대보다는 중심부에 더 많이 발달되었다. 거의 대부분이 모낭과 연결되어 있으며 모낭과 관계없이 점막 표면에 직접 열려있는 독립 피지선이 존재한다.

> ✻ 독립피지선
> - 눈꺼풀 meibomian gland
> - 표피의 안쪽면 tyson's gland
> - 입안점막, 입술의 경계부 fordyce's gland
> - 여성의 유륜부 montgomery tubercles

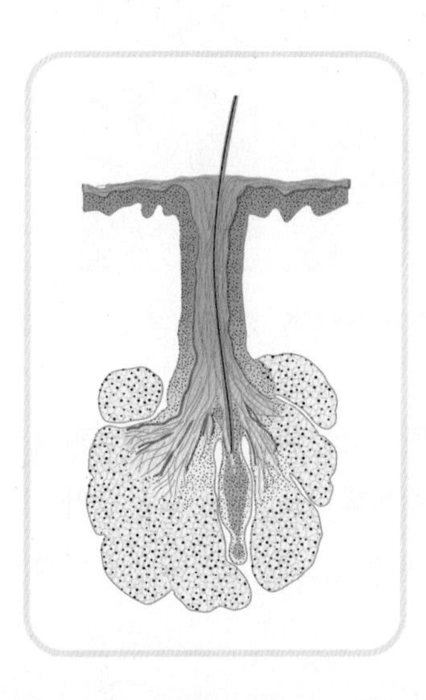

피지선 발달에 영향을 주는 것은 남성호르몬인 안드로겐이다. 하루에 분비량은 환경에 따라 차이가 있으나 평균 피지분비량은 약 1~2g 정도이다. 청소년기에 절정에 달하고 나이가 들어감에 따라 점점 감소된다. 피지는 땀과 같이 얇은 보호막을 형성하여 외부로부터 세균, 독성물질을 방어할 수 있는 살균작용을 한다(pH 4,5~6,5). 세안이나 기타의 원인으로 피지막이 손상된 후에는 회복되는 시간이 1시간 정도 소요된다. 그러므로 약산성인 세안제의 사용을 권한다.

> ✻ 피지분비와 마사지
> 피지분비는 기온에 의해 영향을 받는다. 기온이 올라가는 여름철에는 피지 분비량이 증가하고, 반대로 기온이 내려가는 겨울철에는 피지 분비량이 줄어든다. 그래서 겨울철에는 피부가 땅기고 거칠어지기 쉬운 계절이라고 할 수 있다. 마사지를 통하여 혈액순환을 촉진시켜 피부 온도를 높이면 피지의 생산량이 증가하고 분비가 활발하여 피부를 윤택하고 부드럽게 유지시켜 줄 수 있다.

② 한선(sweat gland)

한선은 염분을 분비하는 소한선 eccrine gland과 점액 다당류를 분비하는 대한선 apocrine gland으로 구분된다.

- **소한선** eccrine sweat gland : 소한선은 모든 피부에 분포되어 있다. 손바닥, 발바닥, 이마, 서혜부 순으로 많다. 소한선은 팔 · 다리에는 적게 분포되어 있으며, 눈꺼풀 · 손톱 · 귓바퀴 · 입술가장자리에는 없다. 체온조절의 기능을 하고 피부표면의 습도와 산성도를 유지시키고 노폐물을 체외로 배설시킨다. 혈액 중에 수분이 많으며 분비가 늘어나고 염류가 많으면 분비가 감소된다. 땀은 무색 · 무취이며 하루 평균 분비되는 양은 700~900cc이다. 분비 시에는 염화나

트륨이 빠져나가고 1ℓ 분비하는 데 약 540cal가 소모되므로 과도한 땀의 분비는 탈진 상태를 초래하게 된다. 땀은 저장성 액체 hypotonic solution이며 에크린 한선은 신경계 nervous system의 지배를 받는다.

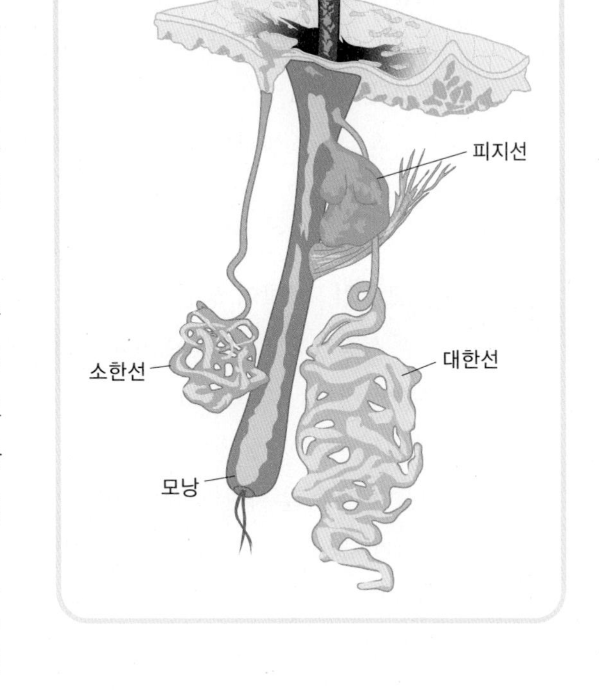

- **대한선** apocrine sweat gland : 청소년 시기에 기능이 발달되어 갱년기에 위축된다. 대한선은 모낭에서 분화된 선으로 겨드랑이, 유륜, 외음부, 항문, 안검의 순으로 분포되어 있다.
  끈적끈적한 유백색 이고 무취, 무균이나 피부표면에서 박테리아의 분해작용으로 냄새가 난다. 아포크린선은 아드레날린 신경의 지배를 받는다.

③ 모발(hair)

모발은 장식으로서의 의미와 두뇌를 외부환경으로부터 보호하는 역할을 한다.

모발의 구조

- 모간 hair shaft : 모발이 피부 밖으로 나온 부분
- 모근 hair root : 모발이 피부 안에 있음
- 모낭 hair follicle : 모발이 심어져 있는 주머니
- 모유두 hair papilla : 모낭 밑부분. 배아세포가 모여 있는 부분
- 피지선 sebaceous gland : 기모근 위에 있는 기름샘
- 기모근 arrector pili : 모발을 받쳐주고 긴장 시 털을 일으켜 세우는 근육(속눈썹, 눈썹, 코털, 겨드랑이)에는 없다.
- 배아세포 germinative cell : 모유두에 모여 있는 모세혈관으로 영양을 공급받아 세포분열, 모발성장

모발의 단면

- 수질 medulla : 원형세포, 기포를 갖고 있는 모발의 힘대 역할.
- 피질 cortex : 멜라닌 색소와 공기함유, 모발의 색을 결정, 뻣뻣한 털은 피질이 두껍다.
- 모표피 cuticle : 생선비닐이 겹겹이 겹쳐져 있는 모양, 가장 얇은 각화한 세포이다.

모주기 : 모발이 생겼다 빠지고 다시 생길 때까지의 기간을 말한다.

- 두발 성장기 : 1일 0.2~0.5mm
- 수염 성장기 : 1일 0.4mm
- 일 년 중에서 가장 잘 성장하는 시기는 봄 · 여름이고, 연령층은 16~25세의 여성이 가장 잘 자란다. 60세 이상이 되면 자라는 속도도 느려진다
- 생장기 anagen : growing phase : 두피모발 3~10년 85~90%
- 퇴행기 canagen : transitional : 두피모발 2~3주
- 휴지기 telogen : resting phase : 3~4개월

모발의 색에 따른 밀도

- 개인의 멜라닌 색소 양과 머리카락 수량에 의해 결정된다.
  - 검정모발 : 약 100,000개
  - 갈색모발 : 약 110,000개
  - 적색모발 : 약 90,000개
  - 금발모발 : 약 140,000개
- 정상적인 사람이 하루에 빠지는 머리카락 수는 50~100개 정도이다.
- 백발은 영양결핍으로 멜라닌 색소의 합성이 이루어지지 않는다.

모발의 탄력성

- 정상모발이 물에 젖으면 1~1.5배 늘어나고, 건성모발은 탄력성이 적어 1~2.5배 늘어난다.
- 탄력성은 태양, 환경, 건조와 열기 또는 화학적인 처리에 의해 영향을 받는다. 모발의 수분 보유율은 10~15%일 때 이상적이다. pH10 이상이면 알카

리성으로 모발을 부풀게 하며 벌어진 기공 사이로 염색제, 퍼머넌트제가 모발 표피층에 쉽게 침투되어 모발 손상을 초래하게 된다.

모발의 질환

- 원형탈모증 : 자율신경의 실조로 인한 탈모증으로 신경과민, 스트레스, 영양장애 등으로 발생한다. 두피의 원형으로 2~3군데씩 생기며 악성이 되면 눈썹, 속눈썹, 수염 등으로 전신에 퍼지기도 한다.
- 남성탈모증 : 비듬과 호르몬의 작용에 따라 성장이 억제되어 모발이 가늘어지고 약하게 되면서 탈모가 된다. 주로 유전적인 요인이 크다.
- 결절성 열모증 : 여성의 출산으로 인한 탈모 또는 한센병, 당뇨병, 결핵, 매독, 급성 전염병 등 질환으로 인해 나타나는 탈모 현상이다. 모발의 흰색 결절이 생기고 갈라지기도 한다.

두피 트리트먼트를 위해 선행되어야 할 체크 포인트

- 반흔성탈모 : 모낭과 조직파괴로 영구히 모발이 재생될 수 없는 상태
- 비반흔성 탈모 : 모낭이 존재하고 있어 모발이 다시 생길 수 있는 상태
- 가족병력(유전적 요인)에 대해서
- 탈모가 시작된 시기
- 약물 복용 여부(당뇨병, 항암치료, 결핵 기타 등)
- 직업 또는 개인적 성격 특성에 따라 스트레스 받는 정도
- 출산 시기
- 파마나 염색 또는 샴푸 방법

두피 마사지방법

- 경찰법 : 손바닥, 네 손가락, 엄지 등을 이용하여 가볍게 문지른다.
- 강찰법 : 피부를 누르면서 강하게 문지른다.
- 유연법 : 손바닥을 전체적으로 사용하고 약지와 검지를 이용하여 근육을 주물러서 풀어준다.
- 진동법 : 피부와 하부조직에 진동을 전달한다.
- 고타법

- 탑핑 : 손바닥의 바닥부분을 이용하여 지두로 두드린다.
- 슬랩핑 : 손바닥으로 두드린다.
- 컵핑 : 손바닥으로 컵 상태를 만들고 구부리고 두드린다.
- 해킹 : 벌린 손바닥으로 새끼손가락 측면으로 가볍게 두드린다.
- 비팅 : 주먹으로 두드린다.

두피 트리트먼트 종류

두피 상태에 따라서 달라진다.

- 플레인 스캘프 트리트먼트 plain scalp treatment : 두피가 건강한 상태일 때에 행하는 방법
- 건조한 두피 트리트먼트 : 지방 부족으로 두피나 모발이 건조되어 있음. 자극적인 샴푸, 헤어토닉, 헤어로션을 사용한 데서 생기는 경우도 있다.
- 기름기 많은 두피 트리트먼트 : 두피에 피지분비과잉으로 지방분이 많은 경우에 하는 처리 방법이다.
- 비듬이 있는 두피 트리트먼트 : 과각화증으로 인설이 많고 가려운 상태이다.

✲ 두피 트리트먼트

■ 준비물

브러시, 빗, 샴푸제, 탈지면, 자외선 등, 적외선, 헤어스티머, 향유류, 샴푸보, 고주파 전류기, 스팀타월 2~5장, 비듬 제거용 토너(쥬스문 로션P)

■ 시술 순서

1. 샴푸보를 두르고 의자에 깊게 앉도록 한 후 머리 장식품을 뺀다.
2. 브러싱한다.
3. 두피, 모발 상태를 조사한다.
4. 두피, 모발 상태에 맞는 샴푸를 하고 모발을 말린다.
5. 두피, 모발 상태에 맞는 토너, 로션, 연고를 탈지면으로 펴서 바른다.
6. 헤어스티머를 사용하여 5단계에서 발랐던 제품이 잘 흡수되도록 한다.
7. 자외선 등 또는 적외선을 선택하여 4~5분간 쬐어준다.
8. 고주파 전류를 2~3분간 사용한다,
9. 두피 마사지를 한다(이때 손톱을 세우지 않도록 주의한다. 5분).
10. 모발을 말려서 원하는 헤어스타일로 만든다.

④ 손발톱(nail)

손톱과 발톱은 표피의 각질층과 투명층이 변하여 혈관, 신경이 분포되어 있지 않은 죽은 조직이다. 톱 밑에는 모세혈관과 신경말초가 많이 분포되어 있다.

- 손톱은 1일에 0.1mm 자라고 손톱 전체가 새로 자라는 데는 4~5개월 정도 걸린다. 발톱은 손톱에 비해 1/3 정도 걸린다.
- 손톱 수분량 7~12%이다.
- 손톱 지방량은 0.15~0.75%, 어린아이는 1.38%이다.
- 아세톤은 손톱에 있는 수분을 빼앗아 거칠고 약해지게 하므로 네일컬러를 지울 때는 반드시 영양제가 함유된 리무버를 사용해야 한다.

손톱의 구조

- 조근 nail root : 조곽 밑에 숨겨진 근위단
- 조곽 nail wall : 손톱과 조근을 보호해주는 조구 위에 있는 손톱 양측면의 피부
- 조반월 nail lunula : 자라나온 조갑 중 반달모양으로 희게 보이는 부분
- 조구 nail groove : 조곽과 손톱 사이의 홈 부분
- 조체 nail body : 손톱 자체
- 조기질 nail matrix : 톱을 만드는 부분(세포분열)

손톱, 발톱은 영양상태에 따라 색과 모양이 달라진다.

- 핑크색 nail : 건강하고 윤기가 있으며 반월부분도 희고 일정하다.
- 얇은 nail : 정신적 스트레스, 영양결핍 등으로 잘 갈라지고 부러진다.
- 검붉고 푸른빛을 띤 nail : 심장질환이나 말초 혈액 순환의 기능이 약하여 빈혈 증세가 있을 때 생긴다.
- 흰 반점이 있는 nail : 철분, 칼슘 부족 시에 생긴다.
- 손톱의 세로줄, 가로줄 : 일종의 노화현상 또는 영양부족으로 발육이 늦을 때 생긴다.
- 누런 nail : 무좀 또는 조갑박리증이 생기기 쉽다.

※ 손거스러미가 일어나는 것은 각질층에 수분과 지방이 부족하여 생긴다.

chapter 2 민감 피부

Sensitivity는 '감수성(感受性), 민감성(敏感性), 감도(感度)가 있는 상태 또는 성질로서 자극에 대하여 비정상적으로 반응하거나 또는 빠르고 예민하게 반응하는 상태를 나타내는 데 종종 사용된다.'

01 문제성 피부의 증가

요즘 들어 민감성 피부를 비롯한 문제성 피부를 호소하는 사람의 수가 계속 증가하고 있다. 원인은 여러 가지로 생각할 수 있으나, 환경오염과 공업용품의 사용 증가, 그리고 면역력의 약화 등으로 추측된다. 환경오염은 생활전반에 걸쳐서 과거에 비해 더욱 인체에 해를 주어 심각하게 다루어지고 있다. 일상생활에서 사용되는 공산품의 종류들도 매우 다양해지고 있어 이에 따라 인체에 해로운 화학약품이나 공업용품의 사용이 법적으로 엄중히 규제되고 있으나 화학적 성분들의 안정성에는 아직도 논란의 여지가 많고 안정성의 입증은 미비한 실정이다.

대부분의 사람들은 자극을 주는 화학 물질이 단지 금속 가공이나 공업용 제품에 사용되는 윤활제와 같은 물질이라고만 생각하며 이를 제외한 다른 물질에 대해서는 안심하는 경우가 많다. 따라서 일상에서 오염된 제품을 자연스럽게 사용하며 늘 접하고 있다는 점에서 공업용품의 사용에 신중할 필요성이 있다.

50년 전만 하여도 주1회 정도 욕조에 몸을 담그는 것이 청결을 위해 할 수 있는 최상의 목욕법이었다. 하지만 오늘날은 어떠한가? 피로회복을 위한 욕조 목욕은 물론 매일 바디용품을 이용한 샤워와 샴푸를 이용한 두피관리는 청결을 위한 기본이 되어 버렸다. 또한 다양한 바디크림이나 바디로션, 향수 및 데오도란트 등도 사용해야만 한다. 왜냐하면 샤워나 목욕 후 이러한 관리 제품이나 향수 등을 사용해야만 만족감이나 심리적 안정감을 얻을 수 있기 때문이다.

사람들의 심리는 자신의 관리를 위해 광고된 제품을 다양하게 사용하여야만 만족감을 얻게 된다. 즉 자신의 일상생활 공간에서 좋은 향기 속에 아름다움을 치장하여 남보다 더 나아 보일 때에만 심리적 안정감을 느끼게 되는 것이다. 다시 말하면 피부에 늘 사용하는 물이나 비누, 관리 제품들이 당연히 좋은 영향을 줄 것이라는 생각이 잠재의식 속에 존재한다.

물론 사용되는 모든 화장품이나 세안제 등은 피부 테스트를 거친 무해한 제품이다. 과거에는 동물 실험으로 테스트를 하는 경우가 많았으나 오늘날은 반드시 임상을 거친 후 판매가 된다. 그러므로 판매되는 피부 관리 제품들은 대부분 사람들에게 특별한 피부 트러블은 일으키지 않으면서 사용할 때의 느낌 또한 좋다. 하지만 몇몇 사람들에게는 피부염이나 부작용이 유발되고 있으며 오늘날 문제성 피부로 호소하는 사람들의 수가 과거에 비해 증가하고 있는 추세이다.

02 각질층의 중요성

Medical Skincare

수백만 년 전부터 생명체는 바다에서 육지로 이동하면서 진화를 계속해 왔으며 진화의 과정에서 그 생명체들의 피부는 완전히 새로운 환경에서 생화학적이고도 생리학적 문제를 겪게 되었다. 그 문제는 어떻게 그들 몸속의 수분증발과 거친 외부 생태환경 사이에서 생태학적 균형을 유지하는가 하는 것이었다. 생체 메커니즘은 외부의 이물질異物質이 몸속으로 침투하는 것을 충분히 막아내면서도 수분 교환의 균형을 조절할 수 있도록 발전되어야만 하였다.

거듭된 진화 속에 인간의 피부는 바깥 공기와 혈관이 불과 몇 mm밖에 떨어져 있지 않을 정도로 매우 얇지만 원치 않는 외부 물질의 침투를 거의 완벽하게 막아낼 수 있게 되었다. 이 보호기능을 하게 된 기관이 몸의 가장 표면에 있는 표피의 상층부인 각질층이다. 생명력이 없는 죽은 세포인 표피의 각질층은 외부자극으로부터 피부를 보호하는 담장 역할을 하는데 이 각질층의 상태가 피부 건강을 좌우한다.

각질층은 크게 2부분으로 구성되어 단백질이 풍부한 각질세포와 세라마이드 · 자유지방산 · 콜레스테롤과 같은 다양한 성분의 지질로 이루어져 있다. 즉 각질세포와 다중층상 구조를 나타내는 각질세포간 지질이 연속적인 층으로 구성되어 있다. 또한 지질이 이중막 구조로 되어 있다는 것은 매우 중요한 의미가 있는데, 같은 지질이 두터운 단일막 구조로 되어 있는 경우보다 이중막 구조일 경우 방어벽 기능이 1,000배까지 향상된다는 사실이 실험 결과 드러났으며, 이는 곧 지질

원형의 막 구조가 방어벽 기능에 있어 매우 중요하다는 사실을 의미한다.

만약 이러한 이중막 구조에 이상이 생기면 우선 피부가 건조해지며 심할 경우 수분 부족으로 갈라지는 현상이 나타나게 된다. 이러한 건조 상태가 지속되면 '민감성피부'로 바뀌게 되어 오염물질이 쉽게 침투하게 되고 심할 경우 감염될 수도 있다. 최근의 연구 결과에 의하면 피부관리 제품으로 인한 물리 · 화학적 요인은 각질층의 유지와 형성 그리고 피부 재생을 담당하는 표피 세포 전체에까지 큰 영향을 미치는 것으로 밝혀졌다. 즉 세포 방어벽의 자연적인 기능을 유지시키는 것이 문제성 피부를 예방할 수 있는 가장 좋은 처방이라 할 수 있다.

03 민감피부의 원인

Medical Skincare

민감성 피부는 체질적인 면, 정신적인 면 등 여러 요인에 의해 나타나지만 최근 들어서는 환경적 요인에 크게 좌우되는 경향이 있다. 특히 복잡한 환경 속에서 오는 심리적 스트레스와 각종 공해 물질, 오존층의 파괴로 인한 자외선 노출 횟수의 증가 등이 요인이 되어 피부는 쉽게 예민한 반응을 나타내며 그 상태가 지속되는 경우가 많다. 질병에 노출되거나 임신 · 갱년기와 같은 호르몬 이상 시, 수면부족, 스트레스 등의 경우 피부균형에 문제가 생기고 불안정한 상태가 되어 민감해지는 경우도 있다.

민감에 대표적인 안면 홍조증은 피부혈관 이상으로 생기는 피부 트러블의 가장 대표적인 예이다. 원래 피부에 있는 혈관은 우리가 긴장하거나 흥분하면 혈관 내 자율신경이 자극을 받아 혈관이 늘어나게 되고 늘어난 혈관을 통해 따뜻한 혈액이 피부에 많이 가게 되므로 얼굴이 화끈거리고 붉어지게 되는 것이다,

이렇듯 민감 피부의 원인은 아직 정확히 규명되진 않았지만 민감으로 불리고 있는 질환들은 다양하게 나타나며 각각의 원인 인자를 규명하고 치료한다면 피

부는 최적의 건강을 유지할 수 있을 것이다.

1. 유전적 요인

- Alipic skin : 모공이 작은 건성피부, 피지 분비가 잘 이루어지지 않는다.
- Light skin : 흰 피부(멜라닌 색소 부족으로 피부보호 기능 저하)
- Atopy skin : 아토피(완치가 어렵다. 바이러스 감염이 쉽다. 면역력 저하)
- Allergy skin : 알러지(발진) 관리 시 꼭 체크가 필요하다.

2. 후천적 요인

1) 자외선, 공해(질소화합물), 클렌징 습관, 목욕
   - 온도, 바람차 중요, 지역적 차이가 있음
   - 지역적 차이에 의해 마케팅 전략을 잘 세워야 함.

   ex) 인천: 민감환자, 원주:기미환자, 강남: 피부보습, 외곽지역: 박피선호

2) 반복적인 박피술(수개월 이상 박피술 적용 시),
   약물 · 독물 등 강한 자극(농약, 옻 나무, 박피술의 과용)

3) 도포약(스테로이드 제제, 레틴A 과다사용, 하이드로퀴논+AHA)

4) 화장품(유화제, 방부제가 많이 들어간 제품)

5) 혈관운동이상 항진

자율신경계 자동조절 작용	
부교감신경 가을 ~ 겨울	교감신경 봄 ~ 여름
부교감 신경 강 : 피부 혈관 수축, 스스로 진정되는 계절	교감 신경 강 : 피부 혈관 확장, 열이 많이 발생 접촉성 피부염에 걸리기 쉬운 상태, 발한 교감신경의 강화는 알레르기 증상 유도
호르몬계 자동조절 작용	
가을 ~ 겨울	봄 ~ 여름
부신 피질 당질 호르몬 多 (인체 하이드로 코티손 분비 多) 당질 호르몬의 당(탄수화물)의 효력 강화는 염증을 억제하는 작용 민감 피부 진정	부신 피질 광질 호르몬 多 (알도스테론, 데스옥시콜지스코론의 분비가 多) 광질 호르몬은 인체의 염류대사를 촉진하기 때문에 염증 촉진하는 작용

1. 각질 들뜸(각질 제거하는 경우 부종과 소양증이 자주 생김)

특 징

- 피부 건조증의 시작
- 보호막의 손상으로 세균(병원균)의 침입 용이
- 소양감과 따가움을 호소함
- 지나친 각질의 제거가 예민피부 초래

⊙ 치 료

- 에스테틱에서도 어느 정도 관리 가능
- 계절적인 영향이 가장 큰 원인
- 가벼운 각질 제거와 유수분의 동시 공급
  (오히려 수분만의 공급은 피부를 더욱 건조하게 함)
- 피부가 건조해지면 소양감(가려움증)을 유발하므로 유의

2. 붉음증(reddening)

⊙ 특 징

- 얼굴에 나타나는 충혈상태
- 눈의 충혈처럼 시간이 지나면 되돌아온다.
- 갑자기 예상치 못한 혈액량의 증가
- 급격한 온도차에 의한 혈관이상 운동
- 주로 light skin, alipic skin
- 온도상승 → 혈액량 증가 → 혈류속도 빨라짐
- 얼굴의 체온이 낮기 때문에 제일 먼저 붉어진다.

⊙ 치 료

- 얼굴의 충혈을 완화하기 위해선 클렌징의 자극도 금지(해면, 온습포, 스티머)
- 정상피부라 해도 크리스탈, 쿰스필링, 여드름 치료술 등의 자극을 통해 얼굴의 붉음증이 올 수 있다.

3. 홍반(erythema)

⊙ 특 징

- 충혈상태가 계속 지속되면서 확장된 모세혈관이 다시 수축되는 능력이 퇴보된 상태(군대 동상)

- 대부분의 사람이 작열감을 호소
- 주로 연고 중독증과 장기적 물리적 자극과도 관련성

치 료

- 혈관강화 성분 공급 : D-판테놀, 에키나세아 익스트랙트, 부처스브룸 나노 파티클스, 비타민P, 플라보노이드계

편평한 홍반

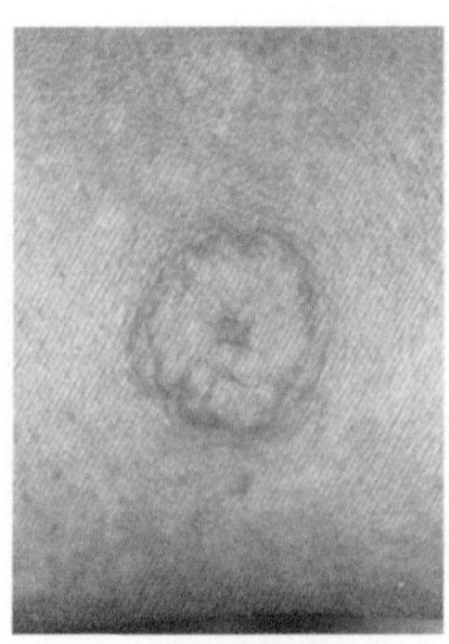
삼출성 홍반

환상 홍반

4. 모세혈관 확장증(talangiectasis)

특 징

- 모세혈관 확장증은 피부의 혈관 즉 세정맥, 모세혈관, 또는 세동맥이 사람의 육안으로 쉽게 볼 수 있을 정도로 확장된 것을 말한다.
- 모세혈관이 점진적으로 탄력을 잃어가고, 영구적인 확장상태에 도달하는 것을 모세혈관 주위의 진피조직 탄력성이 감소되기 때문이다.
- 동맥벽의 약화로 인한 영구적인 동맥확장과 만성적인 태양광선 노출로 주변 조직 내의 탄력섬유의 약화나 변화에 의해 발생한다(코 주변).

모세혈관 확장증의 원인

- 산소 결핍 상태
- 호르몬(임신이나 경구 피임제, 부신피질 호르몬제, 에스트로겐)
- 화학물질 감염증
- 물리적 인자

치 료

- 예전에는 전기소작술에 의한 방법, 현재는 레이저 이용(IPL레이저, Dye레이저)

분 류

- Type 1 모세혈관 확장증 talangiectasis 0.1~1mm red
- Type 2 세정맥확장증 venulectasia 1~2mm red and/or blue
- Type 3 망상정맥 peticular veins 2~4mm blue

- 넓은 부위 : 모세혈관 이완, 볼
- 좁은 부위 : 모세혈관 파열, 코 옆

- 세동맥 : 붉은색, 작고 도드라져 보이지 않는다.
- 세정맥 : 푸른색, 크고(세동맥에 비해) 도드라져 보임.

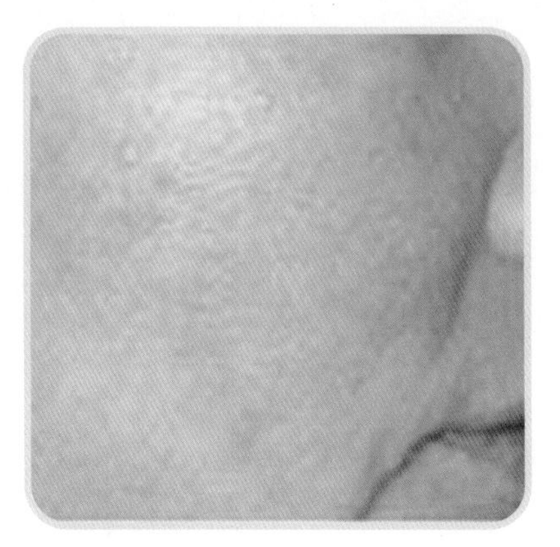

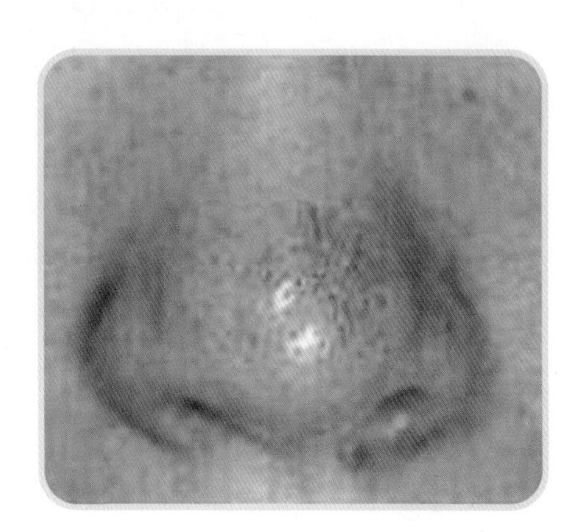

▲모세혈관 확장

5. 쿠퍼로제(couperose)

특 징

- 확산된 홍반과 모세혈관 확장증이 함께 발생한 경우
- 쿠퍼로제 현상은 남성보다는 여성에게 더 많이 나타나며, 특히 악조건의 환경에 있는 섬세하고 건성인 피부에 발생된다.

쿠퍼로제가 생기기 쉬운 대상

- 40~50세의 여성에게 많다 : 혈관조직(피하연결조직)의 탄력과 강화력이 부족한 나이이므로 갱년기 증상
- 흰 피부
- 피지 부족 피부 : 보호막의 결핍
- 유전적 : 혈관자체 결함, 진피 결체 조직 약화
- 연고 장기남용자 : 모세혈관 확장 유도, 혈관벽 탄력기능 저하로 혈액 내 수분이 밖으로 배출되므로 피부가 붓는다.

쿠퍼로제 악화인자

- 빠른 온도변화, 햇빛. 부적절한 세정제, 에어컨, 난방, 추위, 먼지
- 식습관 : 너무 빨리 먹거나, 자극적인(맵고, 짠) 음식

바우카스텐 시스템 Baukasten system 적용(로사시아, 연고 중독증, couperose, 동상)

① DMS® 베이스크림 하이클래식 44ml → 3개월 이상 사용
② DMS® 베이스크림 하이클래식 44ml + (조조바 오일, 부처스브룸 나노파티클스) → 3개월 이상 사용
③ DMS® 베이스크림 하이클래식 44ml + (D-판테놀, 에키나세아 익스트랙트) → 3개월 이상 사용

민감피부의 분류

05

Medical Skincare

종 류	특 징	사용 화장품
sensitive	▶ reddening (붉음증 정도) - 관리실에서도 어느 정도 회복이 가능하다 - 해면 사용이라든가 간단한 필링으로도 유발될 수 있으므로 관리 시 주의를 요한다.	DMS® 베이스크림 하이클래식 + 알로에베라 익스트랙트 켈프 리포좀 콘센트레이트
very sensitive	▶ erythema (홍반) - 환절기만 되면 혈관운동 이상 항진으로 병원 방문 - 피부장벽 복구가 중요 - 일시적인 필링으로 생성되는 붉음증이 여기에 속한다. - 크리스탈 필링이나 다이아몬드 필링 후 생성	DMS® 베이스크림 하이클래식 + 조조바 오일 D-판테놀 하마멜리스 익스트랙트
hyper sensitive	▶ couperose, talangiectasis, rosacea (연고 중독증, 동상 걸린 피부, 아토피 피부 등) - 이 경우의 피부는 정상적인 피부보다 각질층이 얇으며 전체적인 피부세포면역의 저하로 세균이나 바이러스의 감염도 쉽다. - 피부 필링과 물리적인 자극도 금하며 너무 많은 영양분의 침투보다는 피부의 면역력을 강화시켜 주는 관리가 필요하다.	DMS® 베이스크림 하이클래식 + 부처스 브룸 나노파티클스 에키나세아 익스트랙트 프라임 로즈 나노파티클스

06 민감피부 관리 시 주의사항

Medical Skincare

종 류	특 징
열을 피한다	• 온도가 상승되면 혈액량이 증가되므로 주의 • 스티머 사용 제한 (사용 시 5분 이내 사용) • 온습포의 사용 제한 (홍반 유발 우려) • 심한 피부근육의 자극도 열 방출
최대한 자극을 줄인다	• 물리적 · 화학적 자극 배제 • 해면 사용횟수 감소 (해면도 물리적 자극) • 티슈 사용 감소 • 온습포 · 냉습포 사용 시 주의 • massage 동작 시 강한 압력을 이용한 동작은 금물 • 닦아내는 팩은 절대금물 (wash off type, peel off, 특히 머드 타입의 팩)
침투력이 우수한 성분	• 분자량이 작아 침투가 빠르다. • 예민 피부 관리는 장벽의 복구가 가장 중요 • 침투력이 우수한 제품의 사용은 단계별로 적응력을 높여가며 적용
진정시킨다는 제품 또한 자극	• 너무 오랜 시간 마스크의 사용은 예민 유발 (특수마스크, 석고, 벨벳의 장시간 적용, 해초, 고무마스크, peel off 타입 사용불가)
관리 시간은 가능한 짧게 시행	• 1시간 이상 관리가 피부에 부담줄 수 있다. 예) 특수고객, 단골 고객의 경우 서비스의 항목추가가 관리시간을 연장함 • 간단한 관리항목의 적용과 림프 드레나쥐를 적용하여 면역력 강화
각질 탈락은 절대 금물	• deep cleansing, 필링, 스케일링 등을 적용 시 주의

07 민감완화 성분

Medical Skincare

- **ceramide** : 피부 방어벽 유지와 재생에 매우 탁월한 효능이 있는 성분
- **phosphatidylcholine** : 활성인자들의 피부 침투를 돕는 운송인자로도 알려져 있으며 각질층에 저장소를 형성, 보급을 조절하며 오랫동안 그 효과를 지속
- **aloe vera - extract** : 자외선노출로 인한 지친 피부를 원기 회복시키고 건조하면서, 예민한 피부에 대해 진정작용과 보습효과
- **avocado oil** : 붉고 건조하면서 각질이 일어나는 피부
- **echinacea extract** : 홍반증, 모세혈관 확장, 알러지 피부 진정작용
- **부처스 브룸 나노파티클스** : 피부의 충혈완화, 모세혈관확장증과 혈관 강화
- **allantoin** : 치료, 진정작용이 있는 식물 추출물로 여드름, 자극에 민감한 피부에 사용, 피부 재생 촉진
- **D-panthenol** : 붉음증, 거칠음증, 여드름으로 인하여 민감해진 피부 재생
- **azulene** : 항염증, 진정제로 잘 알려짐, 건성용 진정 성분으로 블루 빛
- **camomile extract** : 임상적으로 항염증과 재생성질이 증명된 성분. 진정, 피부자극 중화작용, 아이 트리트먼트와 건성피부를 위한 관리에도 효과적으로 사용
- **hamamelis(witch hazel extract)** : 민감 완화, 모공 수축, 항염, 여드름 짠 후 살균

예민 피부 관리법

No	관리 순서	적용 제품	사용 방법	참고 사항
1	색조 화장 클렌징	더모 에센셜 아이리무버	• 화장솜 3장에 적당량(1펌프)을 묻혀 눈두덩, 눈썹, 입술라인에 약 10초간 적용 • 눈두덩, 눈썹, 입술라인 순서로 가볍게 색조 제거	– 마스카라, 아이라이너는 면봉을 이용하면 제거 용이
	안 면 클렌징	DMS® 크린싱 밀크	• 적당량(3ml)을 제품에 이용하여 가볍게 핸들링한 후 해면으로 노폐물 제거	– 예민, 건조, 노화 피부
		크린싱 젤		– 지성, 여드름
2	토 너	쥬스문® 로션N	• 탈지솜 또는 손을 이용하여 눈을 보호한 후 전제적으로 분사	
3	림프 드레나쥐 준비사항		• 적용부위 : 얼굴에서 가슴 위(데콜테) 부위 정도 • 가운으로 갈아입거나 조이는 것은 풀고 편한 상태를 유지 • 관리사는 손목, 손가락의 힘을 풀도록 한다. • 관리사는 손을 따뜻하게 유지	– 저혈압의 경우 수건을말아 목뒤에 대거나 베개를 대준다.
4	림프 드레나쥐 적용 (10~15분)	DMS® 베이스크림 하이클래식 + 조조바 오일(1ml)	• DMS® 베이스크림 하이클래식(3ml)+ 조조바 오일(1ml)을 배합하여 얼굴 전체적으로 균일하게 도포	– 림프테크닉 참고 – 압력 체크 주의 – 속도 조절
5	토 너	훼이스 토닉	• 탈지솜을 이용하여 베이스크림(+오일) 잔여물 정리	– DMS® 베이스크림 하이클래식은 피부 유화성이 뛰어나므로 온습포가 필요없다.
6	1차 마스크	거즈 마스크	• 거즈 마스크 배합 ① DMS® 베이스크림 하이클래식(2ml) ② 활성성분 – 조조바 오일(0.5ml) – 에키나세아 익스트랙트(0.25ml) – 프라임로즈 오일 나노파티클스(0.25ml) ③ 훼이스 토닉(5ml) • ①,②,③을 비커에 배합한 후 준비된 젖은 거즈를 넣어 성분을 흡수시킴. – 성분이 흡수된 거즈를 얼굴에 맞게 밀착	– Wash, Peel off type 피한다. – 거즈 준비 시 물기를 꽉 짠 상태로 이용한다.

No	관리 순서	적용 제품	사용 방법	참고 사항
7	기계 적용	스킨스크라이버 침투	• 거즈 마스크에 흡수된 베이스크림과 작용 성분을 동시에 흡수시킴으로써 재생 작용 촉진 (10~15분 적용)	
8	2차 마스크	더모 센스티브 보타민 모델링 마스크	• 가루 30g을 고무볼에 덜어 준비 • 시원한 정제수(또는 생수) 50cc를 부어 스파출러를 이용하여 곱게 갠다. • 약간 건조된 거즈 마스크 위에 고무 마스크를 균일하게 도포(눈가는 얇게 도포한다. – 부종 및 충혈 예방)	– 거즈 마스크 위에 고무 마스크를 적용하여 부수적인 앰플 사용이 필요없다(경제적).
9	컬러 테라피	BTT, 바이옵트론 (5~10분)	• 고무마스크 제거 후 적용 • DMS® 비타민 마스크를 소량 도포한 후 기계 적용하면 진정, 재생 효과 상승	
10	마무리 단계	아이젤 플러스 도포	• 소량의 제품을 이용하여 눈주위 흡수	
		부처스 브룸 나노파티클스 (0.25ml)	• 얼굴 각 부위에 한 방울씩 고르게 흡수	– 건조피부 : 조조바 오일(0.25ml) → 보호막 형성과 진정
		DMS® 베이스크림 하이클래식	• 손상된 피부 보호막 재생 및 유연성 부여 → 반 펌프 정도의 양을 얼굴 전체 도포	
		더모 프로텍션 선 레스큐 크림	• 2ml 정도의 제품을 얼굴 전체 꼼꼼하게 도포(눈가, 입가 도포)	– 외출하기 30분 전에 도포
		더모 프로텍션 리바이벌 밤	• 두들기며 펴 바른다. → 피부 톤을 아름답게 정리	
		더모 프로텍션 리바이벌 쿠션		

참 고 민감 피부는 가벼운 자극에도 쉽게 반응하므로 물리적 · 화학적 자극은 피하도록 한다.

주의사항 ① 무리한 각질 제거는 피하도록 한다. ② AHA성분이 함유된 제품은 피하도록 한다.
③ 사우나 및 땀이 날 정도의 열이 나는 운동은 삼간다. ④ 홈케어 관리를 철저히 한다.

chapter 3 아토피 피부

아토피란?

01

Medical Skincare

아토피는 유전적으로 나타나는 알레르기성 소인 素因을 의미하는데 아토피 atopy 라는 용어는 그리스어로 "특이한" 또는 "부적당한"이란 뜻을 가지고 있다. 아토피라는 말은 1925년 코카 Coca라는 미국의 학자가 처음 사용한 말로 선천적으로 음식물이나 기타 흡입성 물질에 대한 알레르기 allergy반응을 의미한다. 알레르기 반응을 일으키게 하는 면역물질(면역 글로불린-E)을 쉽게 형성하여 습진 eczema, 고초열 hay fever, 천식 asthma 등을 잘 일으키는 유전적 경향을 말한다. 말 그대로 다양한 원인이 복잡하게 뒤엉켜 발병하고 완화와 재발을 반복한다.

1993년 숄츠버그 Sulzberg가 분류한 바에 따르면 아토피성 피부염의 원인은 유전적 소인, 체질적 문제, 면역학적인 문제로 나타난다.

아토피성 피부염은 "알러지성 피부염", "알러지성 습진", "건조성 피부염", "태열" 등 다양한 명칭으로 불리고 있고 그 증상 또한 다양하다. 아토피는 원인물질에 대하여 알러지를 가진 사람에게 나타나는 대표적인 피부질환으로 기관지 천식, 알러지성 비염 등의 유전적인 아토피성 요인을 갖는 특수한 피부염이며, 흔히 태열이라고 불린다.

아토피의 원인은 아직 정확히 규명되지는 않았지만 습진의 한 형태로 유전적인 요인과 환경적인 요인, 또는 면역계 결핍과 관련되어 있는 것으로 밝혀졌으며, 심한 소양감(아프고 가려운 느낌)을 유발하여 이로 인한 2차적인 습진이 형성되는 질환이다.

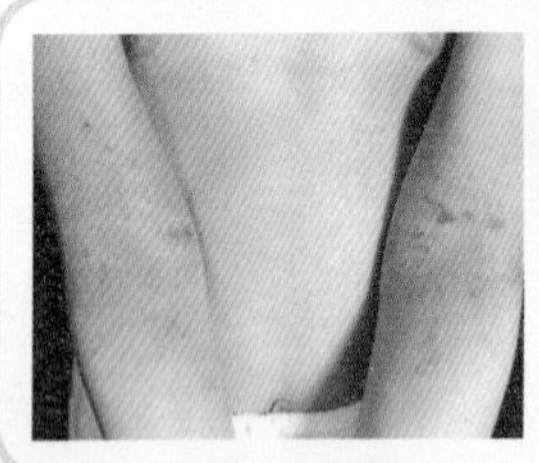
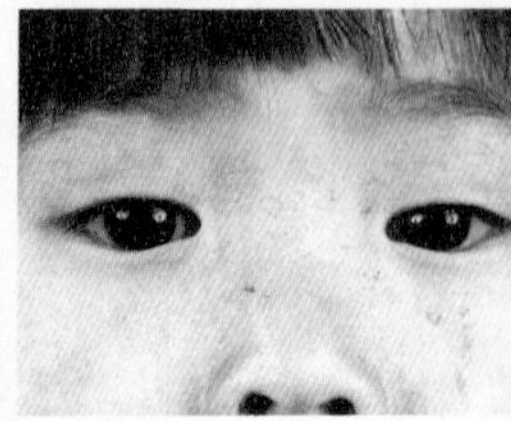
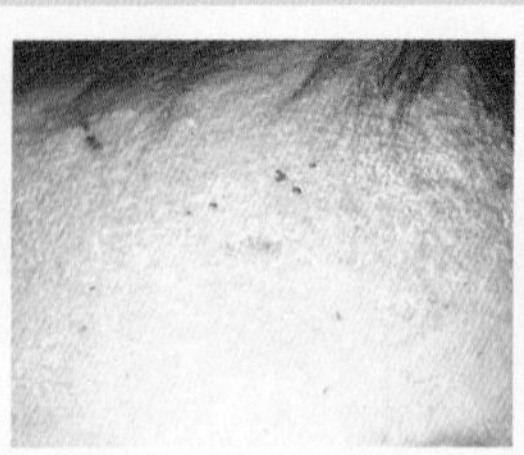
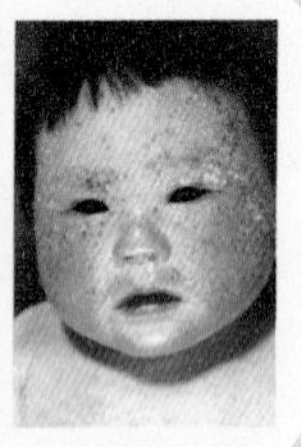

시기에 따라 생후 2개월부터 중년 이후까지 광범위하게 나타나며 특이한 호발(쉽고 흔하게 발생함) 부위를 갖는 특징을 가지고 있다.

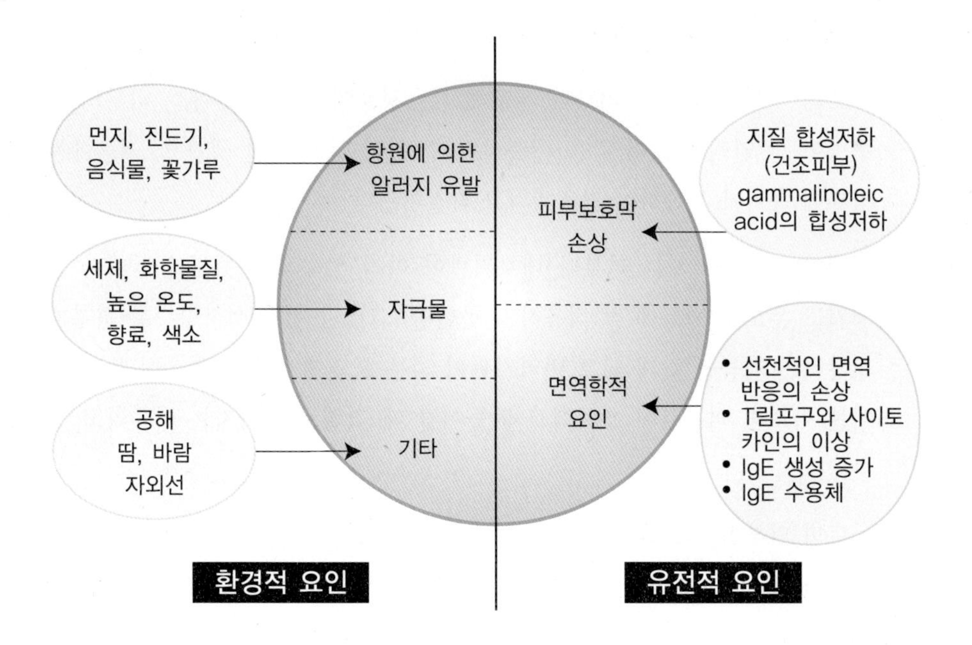

- 아토피 피부염을 유발하는 원인은 아직 확실치 않으며 유전적인 요인과 환경적인 요인이 관여한다고 한다.
- 알레르겐은 항원이라고도 하며 아토피 피부염을 일으킬 수 있는 하나의 인자라고 할 수 있다.
- 예를 들어 집안에서는 진드기, 집먼지, 진균, 집을 지을 때 사용한 재료나 페

인트에서 노출된 포르마린 · 메틸벤젠 등, 식품이나 식품에 첨가한 화학물질에 대한 과민 반응으로도 유발될 수 있다. 때로는 위와 같은 외적인자 이외에도 내적으로 자체적인 면역력의 저하로 아토피는 심해질 수 있다.

- 아토피 피부염에서 면역이상 면역글로부린 IgE이 인체 내의 혈관 주위나 피부에 있는 비만세포의 표면에 붙어 있다가 재차 항원이 인체에 침투하면 면역글로블린과 결합하여 비만세포를 활성화시켜 히스타민 등과 같은 화학물질을 분비시킨다.
- 이러한 화학물질이 혈관과 피부를 자극하여 피부에 붉은 반점과 부종, 가려움증을 일으키고 아토피 피부염을 유발, 악화시킬 수 있다.
- 아토피 피부염의 초기에 나타나는 소양감으로 인해 긁는 행위가 심해져 거의 대부분 2차감염과 염증까지의 경로를 거치게 된다.
- 아토피 피부염 환자는 피부가 건조해지는 경향이 있어 여름에는 피부의 땀구멍이 잘 열리지 않아 땀을 배출시킬 수 없어 땀띠가 잘 생기고, 겨울에는 피부에 습기가 부족하여 건조해지고 거칠어진다.
- 신생아나 유아기에는 피부나 내부기관이 아직 성숙되지 못해서 땀띠가 잘 생기고 온도의 변화에 잘 적응하지 못한다. 그러나 점차 성장할수록 피부가 정상적인 기능을 갖게 되고 면역기관이 피부 표면에 장벽을 형성하게 된다. 이는 아토피 피부염이 초등학교에 들어갈 때 저절로 사라지는 이유라고 할 수 있다.
- 아토피 피부염을 악화시킬 수 있는 요인은 건조한 피부, 주변의 온도와 습도 정도, 심한 운동과 땀, 때밀이 · 양모 및 섬유 등에 의한 피부자극, 음식물, 약물, 집먼지, 동물털, 자극성 화학물질, 감염이나 정신적 스트레스 등이다.
- 그래서 대부분 아토피 피부염은 생활습관, 생활 규칙만 잘 준수해도 50%는 감소시킬 수 있는 피부 질병이라고도 한다.

03 아토피 증상의 악순환

Medical Skincare

원인물질에 의해 알레르기 유발

피부의 건조 증상

소양감으로 피부 긁기 – 화학물질의 분비로 소양감은 극심

세균이나 화학물질, 바이러스의 침투 – 염증현상
(발열, 발적, 부종발생)

구진, 농포를 가진 발진 발생

피부염의 완화 혹은 궤양 형성, 진물 배출

상처의 회복, 딱지형성, 색소침착

악순환의 반복

아토피 피부염의 주 증상 및 특징

04
Medical Skincare

주 증상은 소양감, 피부건조, 발진, 진물, 부스럼, 딱지, 비늘 같은 껍질이 있는 인설 등이며 그 중 무엇보다도 심한 가려움증이 특징이다.

매우 심하게 긁게 되면 "가려움증 → 긁기 → 극심한 가려움 → 상처 → 염증 → 색소 침착"의 악순환을 반복한다.

면역학적 특성으로 보면 다른 알레르기 질환인 두드러기, 금속 알레르기, 천식 등을 동반하는 경우도 있다.

✲ 주 증상 : 가려움증, 붉은 색의 반점

✲ 부 증상 : 피부 건조, 손발 피부염, 두드러진 어린선이나 손바닥손금, 피부 간염, 유두습진, 잦은 결막염 발병, 거뭇거뭇한 눈주위, 땀을 흘리고 난 후 가려움, 닭살 같은 것이 돋음, 알러지피부 반응이 양성, 대부분 영유아기에 발병

1. 소양증(搔痒症, pruritus)

소양증은 가려움을 주 증상으로 하는 피부병이며, 긁고 싶은 욕망을 일으키는 피부의 독특한 감각이다. 소양감, 촉감, 온각, 냉각 및 통각 등의 피부지각은 각각 특이한 해부학적 섬유가 있는 것이 아니라 동일한 수용체에 의하여 신경 전달이 이루어진다. 즉 표피 아래의 미세한 신경섬유 말단부에서 인지되어 외측 척수 시상 통로를 통하여 뇌의 시상과 감각 피질로 전달된다. 소양감은 가벼운 접촉, 온도의 변화, 정신적 자극 등의 여러 가지 정상적인 자극에 의해 일어날 수 있으며 또한 화학적 · 기계적 · 전기적 자극과 온열 자극에 의해서도 일어날 수 있다.

소양증의 발생기전에는 히스타민, 키닌, 프로테아제, 프로스타글라딘E 등의 화학물질이 관계된다. 소양감의 정도는 사람에 따라 매우 다양하게 나타나며 같은 사람도 동일한 자극에 다른 반응을 보이기도 한다.

소양성 피부병인 소양증은 피부 질환에서 가장 흔히 나타나는 증상으로 피부 질환에 따라 그 정도가 다양하다. 가장 심한 소양증을 일으키는 질환은 포진상 피부염이다. 이 밖에도 곤충 교상, 옴, 아토피 피부염, 접촉 피부염, 건선, 화폐상 습진, 만성 단순 태선, 결절성 양진, 전신성 피부염 등이 있으며 침범된 부위와 환자의 감수성에 따라 그 정도가 다르다.

치료는 페놀산아연화연고 · 항히스타민제연고 등을 바르거나, 진정제 · 뇌하수체 · 전엽호르몬 · 남성호르몬 · 여성호르몬 등을 투여하는 방법이 있다.

2. 특징적 발진 모양 및 호발 부위

원형 또는 화폐 모양 습진이 특징적으로 나타나는 화폐상 피부염의 모양으로 원인은 확실하게 밝혀지지 않았지만 자극성 물질과의 접촉이나 유전적 요인, 태열 및 습진, 알레르기, 세균, 정신적 긴장 등으로 추측하고 있으며 알코올은 가려움증을 악화시키는 것으로 알려져 있다.

처음에는 아주 작은 반점이나 구진으로 시작하여 때로는 수포가 생기면서 진물도 나온다. 이후 딱지가 생기면서 원형이나 타원형 또는 불규칙한 모양으로 변해가며 온몸에 퍼지고 가려움증이 심하게 나타나는데, 발작적이고 순간적으로 가려움증이 나타나는 경향이 있다. 낮보다는 밤에 더 심해서 잠을 이루지 못하기도 한다. 긁으면 상처가 생겨서 세균에 감염되므로 주의해야 한다.

치료방법은 부신피질호르몬제 연고를 바르고, 별도로 정신적 긴장이나 가려움증을 없애는 약물을 사용하기도 한다. 치료를 하면 증세가 호전되지만 재발하거나 부작용이 발생하는 경우도 있다.

호발 부위는 뼈가 돌출한 부위, 입주변, 코주위, 눈주위, 손목 등의 주로 대칭적인 모습을 보이며 얼굴(눈가, 볼), 목, 손목, 복부, 사지의 신체부위로 차츰 번진다. 전주와 슬와antecubital & popliteal fossa, 목, 이마, 눈꺼풀, 손목, 손등과 발등은 피부의 건조와 비후dry & thickening로 나타나는 경향이 있다.

3. 태선화(苔癬化)

아토피 피부염의 증세 중 외관에 큰 변화를 야기하는 것이 태선화이다.

태선화는 코끼리 피부처럼 피부가 두꺼워지고 거칠어지는 증세이다. 아토피 피부염의 결과로 나타난 만성적 피부 손상은 피부 표피의 과립 세포 안의 층판소체 Lamella body의 생성을 지속적으로 자극하고 많은 수의 층판 소체가 형성되어 각질층에 공급되나 층판소체가 공급해야 하는 지질 성분의 공급 및 생합성이 원활하지 못한 경우에는 속이 빈 층판소체가 공급되어, 피부장벽의 형성이 불완전해져 본래의 기능을 수행하지 못하고 동시에 각질층이 두꺼워지는 것이다. 따라서 피부는 건조해지고 가려움은 여전하다.

4. 아토피의 개인 및 가족력

아토피 피부염 환자의 가장 중요한 특징은 고초열(36%), 기관지 천식(34%), 알레르기성 비염(9%), 만성 두드러기(2%) 등의 알레르기성 질환을 동시에 앓게 되는 경우가 일반인보다 높다. 환자의 가족들도 알레르기 질환으로 고생하는 빈도가 일반인보다 높다(고초열26%, 기관지 천식30%, 알레르기성비염2%, 아토피 피부염42%).

5. 피부 건조증(皮膚乾燥症, xerosis cutis)

피부건조증은 아토피 피부염과 같은 피부 질환을 가지고 있는 사람들에게 나타나는 가장 흔한 피부질환 중의 하나이다. 특히 겨울에는 날씨가 건조해짐에 따라 피부의 외부에서 보호벽 역할을 하는 각질층이 약해지고 건조해지면서 피부가 갈라지고 가려움증도 생기게 된다. 일반적으로 낮보다 밤에 더 가렵고 피로와 스트레스로 증세가 더욱 심해진다.

대부분의 아토피는 건조증과 소양감으로 시작되므로 예방에는 첫째도 보습, 둘째도 보습이라고 강조되고 있다.

6. 색소침착(色素沈着, pigmentation)

반복되는 피부질환이 장기화되면 피부자극이나 염증은 멜라닌 세포를 자극하여 멜라닌 색소를 생성하게 된다. 흔히 멜라닌은 자외선을 많이 쬐거나 오랫동안 긁거나, 염증이 생기는 경우에도 멜라닌이 과하게 생성되기도 한다. 그러므로 피부자극을 최소화하며 피부장벽 복구와 자외선 차단은 필수적인 요소이다.

7. 피부 감염, 세포 면역 감소

아토피 피부염을 앓고 있는 경우는 일반인에 비해 피부 보호막의 손상도와 세포면역이 감소되어 있으므로 세균이나 바이러스 진균의 감염이 쉽다.

특히 바이러스 질환의 감염으로 전염성 연속종 molluscum contagiosum이나 세균성 질환으로 고통을 받고 있는 경우가 빈번하다.

연령별 아토피 증상

유아기형 (2개월~2년 사이)	• 흔히 "태열"이라고 알고 있음 • 생후 2~4개월에 나타남 • 전체 유아의 1~3%에서 나타남 • 양 볼에 가려움증을 가지는 붉은 반점으로 시작해 얼굴, 머리 등에 붉은 반점과 물집, 딱지 등이 생기며 전신으로 퍼지기도 한다. • 예방주사나 감기로 악화되기도 하며, 유치가 돋아날 때 재발이 잘 됨 • 대부분의 유아형은 2세경에 피부증상이 없어지고, 음식물에 대한 과민반응도 줄어들게 됨 • 태열은 아이가 커서 땅을 딛게 되면 없어진다는 말이 있음

소아기형 (2세~10세)	• 4세에서 10세의 소아에게 발생 • 피부가 건조해지고 가려움증이 갑자기 심해짐 • 안면, 목 주위, 손목, 팔다리의 접혀지는 부위(팔꿈치 안쪽, 무릎쪽)에 주로 발생 • 유아기 때보다는 진물이 적고 건조하며, 피부를 계속 긁어 피부가 태선화 증상을 보임 • 아토피 피부염을 암시하는 다른 피부소견(눈 밑에 한두 줄의 평행한 주름형성, 손바닥에 주름이 많이 생김, 모발이 거칠어지고 숱이 적어지기도 함, 손톱 주위에 거스러미가 잘 생김)
사춘기 및 성인기 (12세 이상)	• 대부분의 환자는 유아기가 지나면서 호전되나 알레르기 증상은 여전히 가지고 있음 • 완전 치유가 안 된 상태임 • 피부의 건조정도가 심하며 가려움증도 더욱 심하게 발전 • 피부가 건조하고, 자극에 민감한 상태가 지속되므로 피부관리 과정에서 필히 주의를 요함 • 피부 병변은 더욱 국소화되어 팔 · 다리의 접히는 부위, 이마, 목, 눈 주위에 두꺼운 습진이 형성 • 정신적인 요인도 중요한 역할을 함

06 아토피 피부염의 주의사항

Medical Skincare

유아 및 소아일 경우	• 급격한 온도 변화 유의 • 지나친 목욕(특히 비누 사용은 절대 금물) • 심하게 문지르는 행위(때밀기)는 금지 • 피부염을 자극하는 항원으로부터의 격리 • 가을, 겨울철 가습기 사용
성인일 경우	• 정서적 긴장이 병변을 악화시킴(스트레스) • 춥거나 더운 환경을 피한다

1. "생활습관병" 아토피 피부염! 항원으로부터 격리해야 …

환자에 따라 아토피 피부염을 악화시킬 수 있는 요인들에 차이가 있을 수 있다. 흔히 우리는 아토피를 생활습관병이라고도 표현한다. 그만큼 생활 속에서 항상 항원에 노출되어 있으므로 생활습관을 잘 준수하여야 한다. 임상적으로 악화시키는 원인(알레르겐)에 대하여 피부시험검사와 알레르기 검사로 어느 정도까지 병원에서 확인이 가능하며, 확인된 알레르겐은 철저하게 피하는 것이 좋다.

특히 집안에서는 진드기(집 먼지), 동물의 털, 합성섬유 등과 같은 알레르기 유발인자로부터 격리한다.

2. 가려움증은 아토피 피부염 환자가 피해야 할 가장 무서운 적이다.

가려워서 긁는 행위는 아토피 피부염에서 피부를 손상시키는 가장 큰 적이다. 아토피 환자의 경우 피부자극에 대해 민감하여 쉽게 피부염을 일으키고 2차감염이 흔하게 발생한다. 또한 상처회복이 느리므로 치료 시기를 놓치면 급성병변에서 만성병변으로 진행하고 더욱 악화된다. 웃음과 마찬가지로 가려움증은 참기 힘들다. 소양증을 느끼기 시작하면 즉각적인 약물치료가 필요하다.

3. 피부를 부드럽게 유지하자.

피부가 건조하지 않도록 하는 것이 매우 중요하다. 따라서 피부의 건조를 예방하기 위하여 특히 목욕 직후 피부가 완전히 마르지 않은 상태에서 피부 보습제나 오일의 도포를 습관화하여 피부건조를 예방한다.

4. 목욕 방법은 간단하게 한다.

목욕 횟수는 땀 및 기타 피부에 자극을 주는 물질을 제거하는 목적에서 매일 1회 정도 하는 것이 좋다.

자주 장시간 목욕을 하거나 비누, 세제 등의 과도한 사용은 피부를 건조하게 하며 자극을 줄 수 있다. 특히 목욕 시 때밀이 수건 등으로 과도하게 때를 밀거나 피부를 심하게 마찰하는 것은 악화 요인이 된다. 목욕은 미지근한 물로 짧고 간단한 샤워 형식으로 하되 목욕 직후에는 반드시 피부 보습제를 도포한다. 목욕탕이나 사우나를 즐겨 찾는 것은 오히려 피부 건조증과 피부장벽을 손상시킨다.

5. "습도 50~60%, 온도 18~22℃" 항상 일정한 환경을 유지한다.

아토피 피부염은 외부 온도와 습도의 변화에 민감하게 반응하므로 외부 온도와 습도의 급격한 변화는 피부염을 악화시키거나 재발을 유발하는 요인이 된다. 특히 온도변화가 급변하는 겨울철은 아토피 피부염 환자에게는 최악의 환경이다. 그러므로 늘 적절한 온도를 유지하고, 가습기를 사용하여 적정 습도를 만들어준다. 외부환경은 어쩔 수 없다 해도 주거 환경은 일정하게 유지하는 것이 필요하다.

6. 의복은 면제품으로 입자.

피부자극이 없고 땀을 잘 흡수하며 통풍이 잘되는 면제품 의류를 입는 것이 좋다. 모직물 등의 의류는 가려움증과 자극을 유발할 수 있으므로 피하는 것이 좋다.

심지어 스타킹류, 합성섬유, 나일론의 제품도 피부 가려움증을 유발할 수 있다.

7. 땀이 나지 않도록 한다.

아토피 피부염 환자들에게 특징적으로 나타나는 공통적인 소견은 운동, 정신적인 스트레스, 통기가 잘 안 되는 옷 등에 의하여 땀이 나면 피부에 자극을 주어 소양증, 모낭염 등을 유발하게 된다.

8. 집먼지를 최소화하자.

일부 환자의 경우 집먼지나 집먼지에 서식하는 진드기가 호흡기 알레르겐으로 작용하여 피부염을 악화시킬 수 있다. 따라서 집먼지 진드기의 서식처로 작용할 수 있는 카펫, 커튼, 침대 매트릭스 사용을 최소화하는 것이 도움이 된다.

9. 피로와 스트레스를 피하자.

정신적, 육체적 피로나 과로는 소양증 유발은 물론 아토피 피부염의 발생 요인으로 작용가능하다. 특히 성인기형 아토피의 경우 스트레스를 피하며 피부 관리 과정에서 주의를 요한다.

10. 기타

수영장의 락스는 피부를 건조하게 하며, 또한 온천 시에는 유황이나 라듐 등이 항원이 될 수 있으므로 오랫동안 있는 것을 삼가해야 한다.

마찬가지로 수영이나 온천을 마친 후 피부 보습제나 오일의 사용은 중요하다.

07 아토피 피부염의 치료

Medical Skincare

인간의 몸속에는 여러 가지 불포화 지방산이 있는데 건강한 피부를 유지하기 위해서는 감마리놀렌산GLA: gamma-linoleic acid라는 필수 지방산이 중요하다. 감마리놀렌산은 체내에서 합성이 불가능한 불포화지방산으로 외부에서 음식물로써만 섭취해야 하는데, 천연에서는 달맞이꽃의 종자유와 모유에만 함유되어 있다. 달맞이꽃으로 잘 알려진 이브닝프라임로즈evening primrose는 바늘꽃과의 식물로서 대소초의 뿌리이며, 학명으로는 오에노데라oenothera라고 한다. 이브닝프라임로즈에 다량 함유된 필수 지방산인 리놀렌산과 불포화지방산인 감마리놀렌산은 인체를 유지하는 데 필수적인 물질로서, 인체 내에서 프로스타글라딘prostglandin, PG이라는 생리적 활성물질의 모체가 되며, γ(감마)-리놀렌산이 바로 프로스타글라딘의 생체 내 합성에 없어서는 안 될 물질이다.

리놀렌산은 보통 음식물에 함유된 필수 지방산으로부터 화학적 전환과정을 거쳐서 만들어지는데 아토피성 피부염 환자는 이 과정에 관여하는 효소가 부족하여 건강한 피부에 필요한 만큼의 감마리놀렌산을 생산하지 못하는 것으로 알려져 있다. 특히 아토피 피부염을 앓고 있는 사람은 감마리놀렌산의 결핍으로 인해 모든 종류의 자극에 민감하여 많은 피부염과 알레르기가 유발되는 것으로 보인다.

아토피성 피부염은 원인 치료가 어려운 만큼 상태를 악화시키는 원인을 조절하고 1차적으로 가려움증과 그로 인한 습진을 없애는 데 중점을 두고 있다.

약물치료로는 항히스타민제, 항생제, 스테로이드 등이 가장 널리 사용되고 있지만 약물에 대한 부작용이 계속 늘어가는 추세로 최근 강조하는 아토피 치료는 대체의학으로 방어벽 기능을 강화하여 아토피 피부의 주 증상인 건조함과 소양감을 감소시키는 것이다.

우리 피부의 최 외각층인 각질과 지질은 세균, 바이러스, 진균류로부터 피부감염을 막아주고 수분을 증발하는 것을 저지시켜 주는 피부장벽의 역할을 한다. 피부보호막의 기능이 떨어진 피부는 많은 문제점을 발생시킬 수 있으며, 특히 아토피 피부염은 장벽기능을 하는 지질의 합성이 정상인에 비해 제대로 이루어지지 않는 것으로 알려져 있다.

그 이유는 지질막을 만드는 핵심요소인 감마리놀렌산GLA을 합성시키는 효소가 부족하여 지질을 제대로 합성시키지 못하기 때문이다.

따라서 감마리놀렌산GLA을 피부에 직접 흡수시켜 외부자극에 대한 방어능력을 높이는 것은 아토피 치료, 예방의 한 방법이 될 수 있다. 피부보호막(지질막) 복구 기능은 아토피 피부 치료에 효율적일 수 있으므로, 몇몇 회사의 제품에는 아토피 보조제품으로 피부지질 성분인 세라마이드와 포스파티딜콜린 등 피부와 가장 유사한 천연의 원료를 이용하며 감마리놀렌산 제품도 널리 사용되고 있는 추세이다.

1. 약물요법(약물치료)

1) 부신 피질 호르몬제

스테로이드제는 코르티코스테로이드corticosteroid 또는 코르티코이드corticoid라고 하며, 크게 당질 스테로이드와 광질 스테로이드의 두 가지로 분류한다. 글루코코르티코이드glucocorticoid의 많은 합성유도체들이 각종 염증성 질환에 항염증제로 임상에서 응용되고 있으며, 또한 면역 억제나 호르몬 대체요법으로 사용된다.

이 스테로이드제는 효력의 강약에 따라 "매우 강한 것", "꽤 강한 것", "강한 것", "중간 정도의 것", "약한 것"의 5단계로 분류할 수 있으며 아토피 피부염에는 가려움, 짓무름 등의 증상이 심한 경우에 그것을 단시간에 개선시키기 위해 가장 효과적인 약제로는 스테로이드제를 사용하게 된다. 그러므로 긴급한 처치 목적으로 사용하고 증상이 개선됨에 따라 서서히 약한 것으로 바꾸고 최후에는 스테로이드제를 함유하지 않은 것으로 옮겨가는 방법으로 사용할 것을 병원에서는 권장하고 있다. 특히 스테로이드제는 바르는 환부의 장소에 따라 경피 흡수율이 전혀 다르므로 연고 사용 시 주의해야 한다. 증상의 경중에 따라 바르는 횟수나 양 등을 세밀하게 지도하는 것이 필수적이다. 그러나 스테로이드제는 증상을 완화시킬 뿐이고, 질병의 원인을 근본적으로 치유시키는 약은 아니라는 사실을 알아야 한다.

▪ 스테로이드제의 장기 사용은 부작용을 초래

한편으로는 스테로이드제는 폐해도 가지고 있다. 그것은 환자가 사용 양과 횟수를 자신이 판단하여 사용하고, 또 장기간 사용하는 것으로부터 야기될 수 있다. 스테로이드제는 부신 피질 호르몬을 합성하여 만들어지는 것인데, 본래 자신의 신체에서 만들어지는 부신피질호르몬을 외부로부터 보충하게 함으로써, 부신피질 호르몬을 만드는 부신이 자기가 할 역할이 없는 것으로 착각하게 만들 수 있으므로, 그렇게 되면 더욱 더 강한 스테로이드제가 필요하게 되는 악순환이 생겨난다.

이러한 과정이 계속되면 밸런스가 무너지고 많은 부작용이 초래되며, 이 부작용에는 피부가 딱딱하고 두꺼워지며, 금이 가서 갈라지는 현상, 모세 혈관이 확장되어 피부가 붉어지고, 모세 혈관이 파괴되어 피부가 검어지거나 얼굴이 부스럼으로 둘러싸이게 되며, 세균이나 바이러스에 감염되기 쉬워지고, 체력 저하와 당뇨병, 부신기능 부전 등 여러 가지가 있다.

2) 항 히스타민제(antihistamines)

항抗히스타민제란 말 그대로 히스타민에 저항하는, 즉 히스타민의 작용을 억제하는 약이다. 이 약이 혈관 속으로 들어가면 혈관 내의 마스트 세포의 움직임을 억제해서, 그 안에 들어있는 히스타민 등 화학전달물질이 밖으로 나오지 못하도록 한다.

외부의 적(항원 혹은 유해 화학물질)이 들어오면 이것을 몰아내려고 사방으로 뛰어다니는 방위군인 히스타민을 꼼짝 못하도록 묶어놓아 콧물, 설사, 재치기, 기침 등의 증세들이 밖으로 나타나지 않게 되고, 몸속의 유해 화학물질은 온몸을 다니면서 생명작용을 방해한다. 정신적으로는 우울증, 집중력 장애, 무기력증을 일으키고 육체적으로는 각종 기관의 기능을 방해해서 온갖 병증이 생기도록 한다. 항히스타민제를 오래 쓰면 나타나는 이런 증세들을 항히스타민제의 부작용이라고 한다.

항히스타민제를 장기 복용 시 외부에서 들어오는 독소를 막아내는 중요한 장치를 봉쇄하게 되어 알레르기 반응을 통해 독소가 몸 바깥으로 배출되지 못하므로 마침내는 독소를 몸안에 차곡차곡 쌓는 결과를 초래하게 되며, 이런 상태가 계속되면 우울증과 면역력 저하, 빈혈 등 각종 증상이 심해지다가 암이나 백혈병 같은 무서운 병도 걸리기 쉬운 상태가 된다. 따라서 병원에서 알레르기 치료를 할 때는 근본적인 치료가 아닌, 다만 알레르기 증상의 발생을 봉쇄하는 것이 아닌가를 지혜롭게 살펴볼 필요가 있다.

3) 항생제

화학요법제로서 유효한 최초의 항생물질은 1929년 플레밍 Alexander Fleming에 의해 발견되었다. 플레밍은 영국의 세균학자로 상처 난 곳의 감염증치료에 오랫동안 관심을 기울여왔다. 시골로 떠난 휴가에서 돌아왔을 때 포도상구균 균주를 도말해 두었던 한 배양기가 사상균에 오염되어 있는 것에서 페니실린을 발견하였다.

아토피성 피부염은 그 자체보다 가려워 긁다가 생기는 2차성 세균감염이 더 무서운병이다. 아토피 환자의 피부는 장기간 긁고 건조해진 결과로 2차적인 세균감염이 일어난다. 아토피 환자의 90% 이상이 포도상구균에 감염되어 있는데 이 균은 환자가 가려움을 참지 못해 긁어서 생기기도 하지만 최근의 보고에 의하면 이 세균의 외독소가 우리 몸의 면역체계를 자극하여 알레르기를 일으키는 화학물질을 나오게 하여 아토피를 악화시킨다고 한다. 즉, 이 세균 자체가 알레르겐으로 작용한다는 것이다. 따라서 아토피의 치료에는 적절한 항생물질의 사용이 필수적이다.

2. 대체요법 – 피부 장벽 형성

피부 지질 합성과정

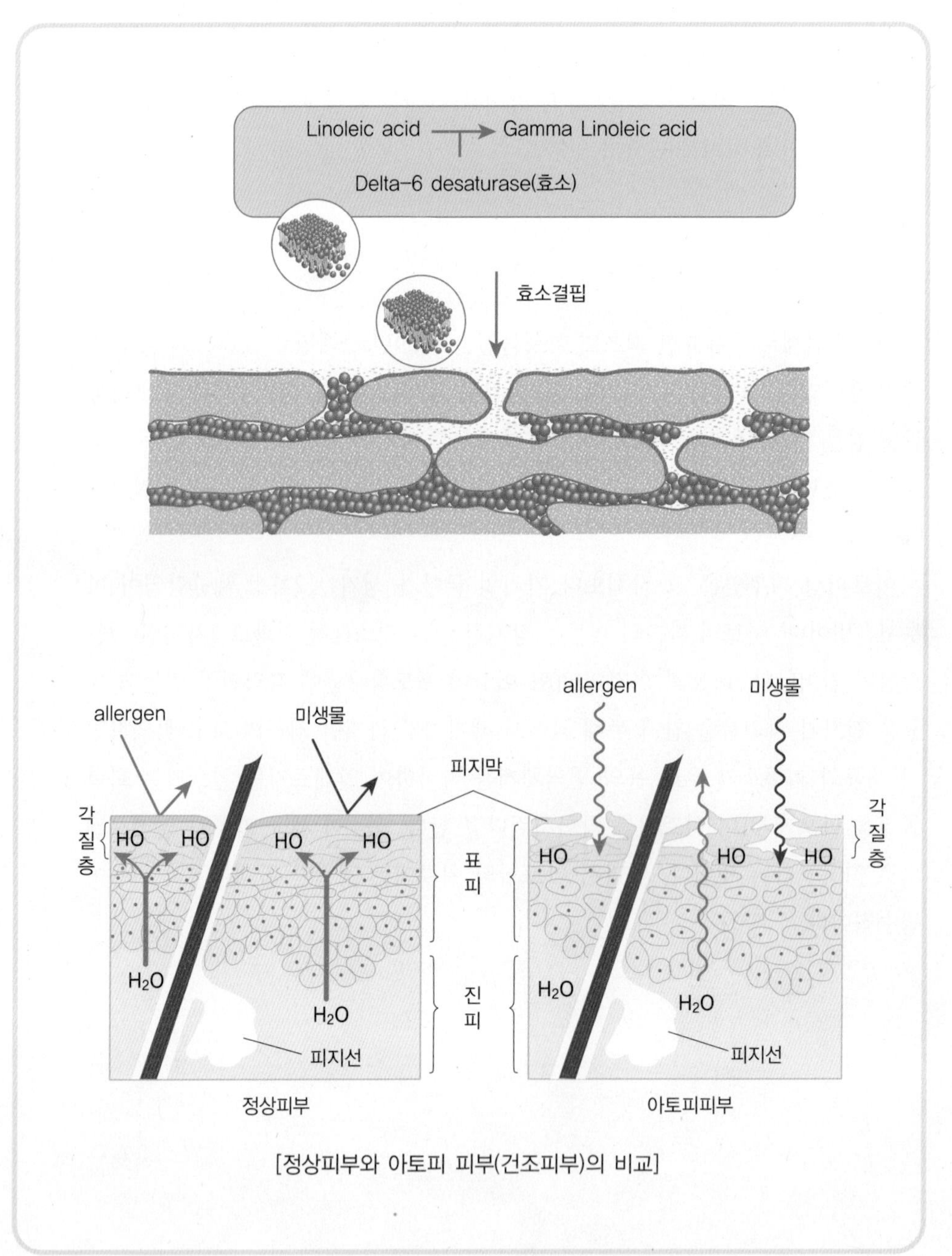

[정상피부와 아토피 피부(건조피부)의 비교]

아토피 피부관리법(안면)

No	관리 순서	적용 제품	사용 방법	참고 사항
1	색조 화장 클렌징	더모 에센셜 아이리무버	• 화장솜 3장에 적당량(1펌프)을 묻혀 눈두덩, 눈썹, 입술라인에 약 10초간 적용 • 눈두덩, 눈썹, 입술라인 순서로 가볍게 색조 제거	– 마스카라, 아이라이너는 면봉을 이용하면 제거 용이
	안 면 클렌징	DMS® 크린싱 밀크	• 적당량(3ml)을 제품에 이용하여 가볍게 핸들링한 후 해면으로 노폐물 제거	
2	딥 클렌징	DMS® 필링 크림	• 적당량(2ml)의 제품을 얼굴에 도포(10분 적용) • 제거 시에만 손끝에 물을 묻혀 꼼꼼하게 핸드링한 후 해면으로 제거	– 극도로 예민한 경우는 딥클렌징은 생략하도록 한다.
3	토 너	쥬스문® 로션N	• 탈지솜 또는 손을 이용하여 눈을 보호한 후 전체적으로 분사	
4	림프 드레나쥐 준비사항 1		• 적용 부위 : 얼굴에서 가슴 위(데콜테) 부위 정도 • 가운으로 갈아입거나 조이는 것은 풀고 편한 상태를 유지 • 관리사는 손목, 손가락의 힘을 풀도록 한다. • 관리사는 손을 따뜻하게 유지	– 저혈압의 경우 수건을 말아 목뒤에 대거나 베개를 대준다.
5	준비사항 2	프라임로즈 오일 나노파티클스	• 프라임로즈 0.5ml를 얼굴 전체적으로 도포(심한 부위는 한번 더 도포)	– 가려움이 심한 경우 에키나세아 익스트랙트 단독 도포 – 건조함이 심한 경우 리포좀 NMF 콤플렉스 도포
6	림프드레나쥐 적용 (10~15분)	노브리텐® + 오일(1ml)	• 노브리텐®(3ml) + 조조바 오일(1ml)를 배합하여 얼굴 전체적으로 균일하게 도포	– 림프 테크닉 참고 – 압력 체크 주의 – 속도 조절

No	관리 순서	적용 제품	사용 방법	참고 사항
7	토 너	훼이스 토닉	• 탈지솜을 이용하여 베이스크림(+오일) 잔여물 정리	– 노브리텐®은 피부 유화성이 뛰어나므로 온습포가 필요 없다.
8	1차마스크	거즈 마스크	• 거즈 마스크 배합 ① DMS® 베이스크림 하이클래식(2ml) ② 활성성분 – 프라임로즈 오일 나노파티클스(0.25ml) – CM 글루칸(0.25ml) – 리포좀 NMF 콤플렉스(0.25ml) – 보스벨리아 나노파티클스(0.25ml) ③ 훼이스 토닉(5ml) • ①,②,③을 비커에 배합한 후 준비된 젖은 거즈를 넣어 성분을 흡수시킴. – (심한 경우) 쥬스문® 로션N을 이용하면 좋다. – 성분이 흡수된 거즈를 얼굴에 맞게 밀착	– Wash, Peel off type 피한다. – 거즈 준비 시 물기를 꽉 짠 상태로 이용한다.
9	기계 적용	BTT (He-Ne) 또는 바이옵트론	• 피부 진정 및 재생 효과 (15~20분 적용)	– 림프 드레나쥐 적용 후에는 물리적인 기계 마찰은 피하는 것이 좋다.
10	2차마스크	더모 센스티브 보타민 모델링 마스크	• 가루 30g를 고무볼에 덜어 준비 • 시원한 정제수(또는 생수) 50 cc를 부어 스파츌러를 이용하여 곱게 갠다. • 약간 건조된 거즈마스크 위에 고무마스크를 균일하게 도포(눈가는 얇게 도포한다 – 부종 및 충혈 예방)	– 거즈마스크 위에 고무마스크를 적용하며 부수적인 앰플 사용이 필요없다(경제적).

No	관리 순서	적용 제품	사용 방법	참고 사항
11	마무리 단계	아이젤 플러스 도포	• 소량의 제품을 이용하여 눈주위 흡수	
		프라임 로즈 오일 나노파티클스 도포	• 얼굴 각 부위에 한 방울씩 떨어뜨려 흡수	– 심한 경우, HE-NE 5분 조사
		노브리텐®	• 얼굴 전체적으로 도포 – 손상된 장벽 복구 및 면역력 강화	– 외출하기 30분 전에 도포
		더모 프로텍션 선레스큐 크림	• 2ml 정도의 제품을 얼굴 전체 꼼꼼하게 도포(눈가, 입가 도포)	
		더모 프로텍션 리바이벌 밤	• 두들기며 펴 바른다. → 피부 톤을 아름답게 정리	
		더모 프로텍션 리바이벌 쿠션		

참 고 – 아토피 피부는 면역력이 약화된 피부로 피부층이 손상되어 가렵고 붉으며 감염되기 쉬운 피부이므로 세심한 관리가 필요
– 아토피 피부는 반드시 홈케어가 동반되어야 하며 철저한 사전 교육 중요
– 홈케어 제품 사용 시 적응 기간이 필요함을 주지

주의사항 ① 무리한 각질제거는 피하도록 한다.
② AHA 성분이 함유된 제품은 피하도록 한다.
③ 사우나 및 땀이 날 정도의 열이 나는 운동은 삼간다.
④ 홈케어 관리를 철저히 한다.

chapter 4 여드름 피부

여드름의 정의

01

Medical Skincare

여드름 acne은 유전적인 반응(83%)으로 피지가 분비되는 모공 내의 각질 비후 현상으로 인해 피지 배출이 억제되어 발생된 염증성 또는 비염증성 피부 질환이다.

여드름의 발생시기와 기전

02

Medical Skincare

1. 여드름 발생시기

- **영아기 :** 모체로부터 받은 황체 호르몬에 의해 발생이 되며 우리가 생각하는 일반적인 여드름과는 다소 차이가 있으며 피지 덩어리가 있어 제거해야 하는 상태는 아니다. 어느 정도 시간이 지나면 70~80% 정도는 저절로 서서히 소멸되는 것을 볼 수 있다.

- **사춘기 :** 대개는 유전성과 생식선의 기능이 활발해짐에 따라 안드로겐 androgen이라는 호르몬의 분비가 왕성해져 13~19세 전후에 집중적으로 발생한다. 다른 특별한 이유가 없다면 적절한 시기에 필요한 관리를 통해 서서히 여드름의 발생이 호전되는 것을 관찰할 수가 있다.

- **성인기 :** 성인기에 나는 여드름은 한두 가지의 원인으로 발생되는 것보다 스트레스, 소화 장애 식습관, 화장품, 생활 습관, 의약품 등의 후천적인 여러 가지 요인으로 인해 자극이 되어 발생한다.

2. 여드름 기전

- **과잉 피지 분비** seborrhea **:** 스트레스나 호르몬의 영향으로 자극받은 피지선은 많은 양의 피지를 만들어내며 과잉된 피지 분비는 모공을 막으며 세균의 번식을 촉진시킨다.

- **과 각질화** hyperkeratosis **:** 표피 상층부의 각질의 과다 생성과 모낭 내의 과각질화는 모공을 막는 큰 원인이 된다.

- **면포 형성 :** 보통 비염증성으로 간주되며 화이트헤드와 블랙헤드가 여기에 속한다.

- **프로피오니박테리움 아크네** propionibacterium acne**의 증식에 의한 염증 유발 :** P. Acne는 균은 혐기성균이므로 항균제와 산소를 공급하여야 균의 증식을 억제하는 효과를 보인다.

- **모낭의 파열과 흉터 형성 :** 대부분의 염증은 표피에만 국한되는 것이 아니라 진피 하단부분으로 유리되어 모낭벽을 파열시킨다. 모낭이나 조직의 손상은 모낭 파열과 여드름 흉터를 유발한다.

※ 피지선은 진피에 위치하며 $1cm^2$ 당 평균 100개 정도가 존재하여 피지선 안과 피부 표면의 피지는 성질이 점차로 변화된다. 피지선 안의 피지는 중성을 띠지만 표면의 피지는 약산성으로 변화되어 있어 외부로부터 방어 기전을 갖는다.

✲ 환자의 피지 내 지질 성분의 변화는 acylceramide의 리놀레산과 함께 콜레스테롤이 감소되며 squalene과 자유 지방산은 증가한다.

① Follicular retention hyperkratosis(모공안 각질비후현상)의 주 원인

② 또한 여드름 면포 내에 리놀레산의 감소된 농도가 여드름 염증 악화

✲ Follicular retention hyperkratosis(모공 속 각질비후현상)

모공 속에서 각질 내 단백질 분해효소의 부족으로 정상적인 각화과정이 이루어지지 않아 각질이 두터워지고 모공속의 과잉 분비된 피지와 퇴화된 털, 박테리아, 부산물 등이 엉켜 하나의 덩어리를 형성하는 현상

여드름을 악화시키는 인자

03

Medical Skincare

1. 내적요인

- **스트레스 :** 스트레스는 뇌하수체를 자극하여 부신 자극 호르몬을 증가시키고 부신피질이 코티솔의 분비를 촉진시켜 피지선을 자극, 여드름을 악화시킨다.

- **호르몬(Hormones) :** 여성의 임신 기간을 조절해 주는 에스트로겐 estrogen과 프로게스테론 progestsrone 중에서 프로게스테론은 여드름을 유발시키는데, 생리전에 프로게스테론의 증가로 여드름이 일시적으로 과다하게 생성되는 것을 볼 수 있다.
  → 생리주기 menstrual cycles, 임신 pregnancy, 피임약 birth control pills

- **비타민 부족 :** 비타민 B2, B6의 성분이 부족할 경우 피부의 자체능력인 피지조절과 항염작용이 이루어지지 않아 여드름이 악화될 수 있다.

- **약제사용 후유증 :** 스테로이드제제 steroid drugs, 피임약, 여성호르몬, 간질에 처방되는 다일랜틴 dilantin, 우울증 치료제로 쓰이는 리튬 Lithium 등이 있다.

- **부적절한 음식물 :** 음식과 여드름의 관계는 아직도 논란의 여지가 많으나 대체로 기름기가 많은 음식과 육류, 인스턴트 음식, 설탕이 많이 함유된 식품 등이 여드름을 쉽게 유발시킬 수 있다고 한다(직접적인 연관은 없다는 것이 정설로 되어 있음).

2. 외적요인

- **세균감염 :** 피부의 약산성 막이 오랫동안 표면에 있을 때 알칼리성으로 변화되어 균이 모낭 내에 쉽게 침투 가능한 상태가 된다.
- **계절과 습도 :** 온도가 높은 여름은 피지선을 활성시켜 여드름을 증가시키고 열과 습도가 높을 때에도 염증성 여드름이 악화될 수 있다.

- **햇빛 :** 여드름을 일으키는 주 원인인 여드름 세균은 자기 스스로 포피린 porphyrin이라는 물질을 만들어내는 특성이 있다. 그런데 이 포피린이라는 특수한 물질은 햇빛을 받으면 독성물질로 변하는 성질을 지니고 있어 적외선, 가시광선, 자외선이 모두 포함된 햇빛을 받게 되면 여드름을 악화시킬 수 있다.

- **직업 :** 밤 · 낮의 패턴이 바뀌는 직업, 밤샘 작업이 많은 직업

- **압력과 마찰 :** 피부 표면을 밀거나 압력을 가하는 경우(면도, 손으로 자주 만지거나 뜯는 행위)

- **여드름 쥐어짜기 :** 전문가가 아닌 본인이 직접 제거를 할 경우 완전히 제거가 되지 않아 흉터 scar의 발생 빈도가 높다.

- **화장품 :** 피부의 상태에 맞지 않는 화장품을 사용할 경우 자극 요인이 되어 악화 인자가 된다. 화장품의 지방 성분 중에 모공의 입구를 막고 자극을 주는 물질(동물성 오일, 이소프로필 미리스테이트류, 색소, 미네랄 오일)들이 많이 포함되어 있으며, 또한 일반적인 피부는 한 가지 타입이 아니기에 기성 제품으로는 치료의 효과를 기대하기 힘들다.

04

메디컬에서의 여드름 치료

Medical Skincare

여드름 치료는 여드름이 생성된 곳에 직접 약을 바르거나 주사를 놓는 국소 치료, 약을 복용하는 전신 치료, 여드름을 짜는 물리적인 치료 등으로 나뉘는데 여드름의 형태와 단계에 따라 복합적으로 사용한다.

주의할 것은 화장품이나 복용하고 있는 약이 여드름과 유사한 발진을 유발시킬 수 있으므로 의사에게 자신이 사용하고 있는 피부용 제재나 약물에 대한 정보를 제공하는 것이 치료에 도움이 된다.

일반적으로 흉터가 생길 우려가 많은 여드름에는 전신 치료와 국소 치료를 병행하는 것이 보통이고, 경미한 여드름일 경우는 국소 치료만으로도 좋아진다.

여드름은 치료효과가 나타날 때까지 보통 2~4주 이상 걸리는 경우가 많으므로 인내심을 갖고 치료받는 것이 중요하다.

1. 여드름 국소 치료제

가장 일반적인 치료로서 약을 먹는 치료보다 훨씬 안전하고 경제적이다.

- **면포성 여드름** – 비타민A 연고 retinoic acid, tretinoin 보통 0.01~0.05%
- **염증성 여드름** – 벤조일 퍼옥사이드 benzoyl peroxide, 브레복실, 디페린 겔
- **일반 여드름과 농포성 여드름** – 국소 도포 항생제 (클로암페니콜, 에리스로마이신 erythromycin, 테트라사이클린, 클린다마이신 clindamycin, 글루콘 산클로헥시딘, 염산크로로헥시딘, 염화벤제토니윰, 염화벤잘코니윰, 트리클로산)
- **각질박리 및 각질용해 성분** – resorcinol, 유황 sulfur과 살리실산 salicylic acid, 비타민A 산 및 그 유도체 retinoids 등을 들 수 있으며, 그 밖에 벤조일퍼옥사이드 benzoyl peroxide, 페놀 phenol, 레소르신 resorcin 등도 이용된다.

2. 여드름 전신치료제

바르는 약만으로는 충분한 효과를 나타내지 못할 때 사용한다.

항생제는 여드름 균의 생성을 억제하며 항 소염작용을 하나 면포에 직접 작용할 수도 있다.

- 테트라사이클린 tetracycline
- 아이소트레티노인 Isotretinoin – 로아큐탄 roaccutane
- 스테로이드호르몬 steroid hormone

3. 여드름 물리적 치료

- **여드름짜기** acne extraction : 적절한 시기에 관리를 요하는 작업
- **주사요법** : triamcinolone을 직접 주입. 부작용으로 피부가 위축
- **박피술** skin scaling : Coombe's, AHA(glycolic acid, lactic acid), BHA, TCA, phenol
- **레이저 치료술** : HE/NE 레이저

4. 기타 치료

항지루 성분 : 에치닐에스트라디올 ethinylestradoiol(항 남성호르몬 작용을 지닌 합성 난포호르몬)과 비타민 B6가 이용

여드름 증상별 분류와 효과적 치료방법

05

Medical Skincare

1. black head, white head

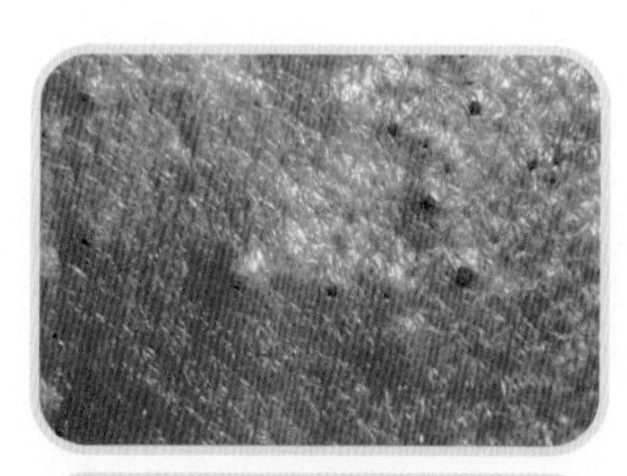

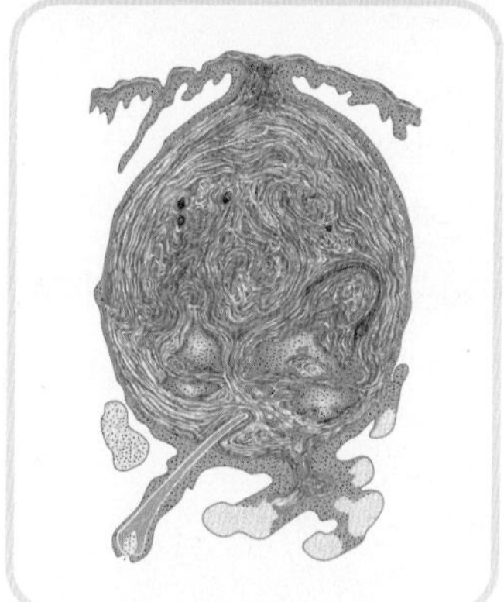

▲black head

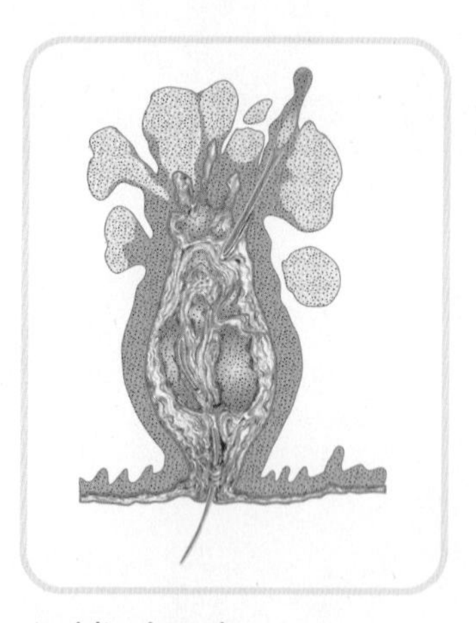

▲white head

여드름 초기증상이며 근본적으로 과잉 피지분비와 과각화 현상이 원인인 비염증성 여드름이다. 특히 블랙헤드는 피지의 끝 부분이 노출되어 공기와 접촉하면서 멜라닌, 먼지, 지방의 산화된 물질에 의해 검게 착색된 것이다. 화이트헤드는 모공입구가 폐쇄되어 있는 채로 피지가 모낭속에 가득 채워져 표면위로 미세한 돌기를 형성한다. 사춘기성 여드름은 남성 호르몬의 과다로 인해 발생한다.

- 과잉 피지분비로 인해 모공의 입구가 막혀 발생
- 염증을 동반한 상태는 아니다.
- 입구가 육안으로 확인이 가능하며 검은 피지 덩어리가 보인다.
- 관리가 잘 이루어진다면 효과가 좋다.
- 수렴 효과를 줄 수 있는 관리가 필요하다.

① 치료방법

- 비염증성인 면포형 여드름은 각질 제거와 2차감염을 막는 데 중점을 둔다.
- 스케일링(Coombe's, glycolic acid, 크리스탈 필링, 다이아몬드 필링)
- 비타민A 제제 계통의 연고 사용

② 치료 화장품

- 비타민A 나노파티클스 – 각질의 연화, 세포의 활성화, 각질 탈락 주기 정상화, 막힌 모공을 열어준다.
- 리포좀 콘센트레이트 플러스 – 비타민B군의 다량함유와 필수지방산이 피지분비 조절, 염증완화
- D–판테놀 – 판토텐산의 전구물질이며 비타민B5의 성분이 붉음증 완화, 항염 · 진정작용
- 하마멜리스 익스트랙트 – 탄닌과 투과 비타민으로 알려진 비타민P 성분이 수렴효과, 염증완화

2. Papule – 구진

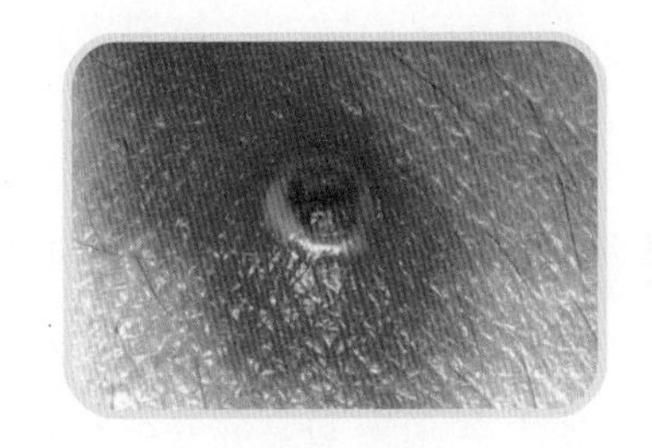

모낭 내의 축척된 피지가 세균에 감염되어 팽창되면 모낭 벽이 파손되고 일부가 진피까지 유리되어 염증이 심화되는데, 이때 염증 부위가 부풀어 오르며 통증을 동반한다. 초기의 경우 더이상의 발전이 없이 진행되면 흉터 없이 치유되지만 악화되거나 자극을 받은 경우엔 모낭 내의 백혈구가 생산되어 고름이 형성되는 농포로 변하게 된다.

- 과잉 피지분비로 인한 모공의 입구가 막혀 발생
- 경계가 없으므로 염증의 상태에 따라 주위 조직까지 통증을 동반한다.
- 붉은 홍반을 동반
- 자극을 주어 짜면 안 된다.

① 치료방법

- 스케일링 – 필링만으로는 치료의 효과를 보기 힘들다.
- 진정 관리도 함께 병행해야 한다.
- 항염작용 – 비타민 B_2, B_6, 판토텐산 공급
- 항균작용 – 신속히 균을 제거하여 흉터 예방과 염증의 확산을 막아준다.

- 필수지방산을 다량 함유한 제품을 이용하여 피지선의 정상기능을 회복시킨다.

② 치료 화장품

- 크린싱 젤 - 염증완화, 피지조절, 진정, 노폐물 세정
- 비타민A 나노파티클스 - 각질의 연화, 세포의 활성화, 각질탈락주기 정상화
- 리포좀 콘센트레이트 플러스 - 필수지방산이 피지분비 조절, 염증완화
- 비타민B 리포좀 콘센트레이트 - 이스트 함유, 비타민B군의 다량 함유와 필수지방산이 피지분비 조절, 염증완화, 심한 여드름에 효과적
- 에키나세아 익스트랙트 - 홍반 완화, 예민성 여드름 진정, 접촉성 여드름 진정
- 하마멜리스 익스트랙트 - 탄닌과 투과 비타민으로 알려진 비타민P 성분이 수렴효과, 염증완화

3. Pustule - 농포, Nodule - 결절

농포는 염증작용이 진정되어 붉은 구진성 여드름이 악화되고 노란색 고름이 약간 돋아 올라와 있는 형태이며 빨갛고, 터지면 가피가 형성되므로 뜯지 않아야 함을 주의해야 한다. 농포 초기에 관리하여 압출할 시에는 치유가 빠르며 흉터가 생길 수 있는 확률이 줄어든다. 이후 농포 여드름이 발전하여 농포보다 크며 단단한 덩어리가 표면 밖이 아닌 안쪽으로 딱딱하게 느껴지고 어두운 색을 띠는 여드름이 결절의 상태인데 면포가 부서져 작은 결절이 생기면 제거가 잘 되지 않고, 무리하게 압력을 가하거나 상처를 주게 되면 조직의 손상이 심화되어 흉터 scar가 발생하기도 한다.

- 농포의 형태는 위에서 노란 고름의 형태가 보인다.
- propionibacterium acne(P. acne 균)에 의해 농이 생성되어 있는 상태
- 결절의 상태는 딱딱한 형태이며 경계가 뚜렷하여 크기를 가늠할 수 있다.
- 색소 침착이 어느 정도 있으며 제대로 관리가 이루어지지 않으면 진피까지 손상되어 흉터 scar 형성이 많아질 수 있다.

① 치료방법

〈농 포〉

- 고름 제거 후 하마멜리스 익스트랙트를 이용하여 진정시켜 준다.

- 항산화제를 이용하여 재생력을 도와줄 수 있어야 한다.
- 스케일링(Coombe's를 이용한 스케일링은 염증 완화와 살균 소독을 도와 치료효과를 높임)
- 비타민A 제제의 연고 사용
- B.P(benzoyl peroxide)연고, 디페린겔, 브레복실 등의 여드름 연고를 부분적으로 사용하여 염증 완화

〈결 절〉

- 스케일링만으로는 효과를 보기 힘들며 색소가 침착되어 어두워져 있다.
- 일반 여드름을 제거하는 방법으로는 관리가 안 된다.
- 비타민A 제제의 연고 사용
- 트리암시놀론 주사
- 색소관리

② 치료 화장품

- 크린싱 젤 – 염증 완화, 피지 조절, 진정, 노폐물 세정
- 플루티오덤® – 여드름 전용 크림, 리놀산과 포스파티딜콜린이 아라키돈산 생성 억제로 여드름 치료, 독일 특허 제품임.
- 비타민 A 나노파티클스 – 각질의 연화, 세포의 활성화, 각질탈락주기 정상화
- 리포좀 콘센트레이트 플러스 – 필수지방산이 피지분비 조절, 염증완화
- 비타민 B 리포좀 콘센트레이트 – 이스트함유, 비타민B군의 다량 함유와 필수지방산이 피지분비 조절, 염증 완화, 심한 여드름에 효과적
- 에키나세아 익스트랙트 – 홍반 완화, 예민성 여드름 진정, 접촉성 여드름 진정
- 하마멜리스 익스트랙트 – 탄닌과 투과 비타민으로 알려진 비타민P 성분이 수렴효과, 염증 완화
- 그린티 익스트랙트 – 카테킨의 항산화물질로 탄력 강화, 염증 완화, 색소분해의 효과

4. Cyst – 낭종(낭포)

낭종이란 신장이나 간장 같은 장기 조직 안에 주머니 모양의 내벽이 생겨 그

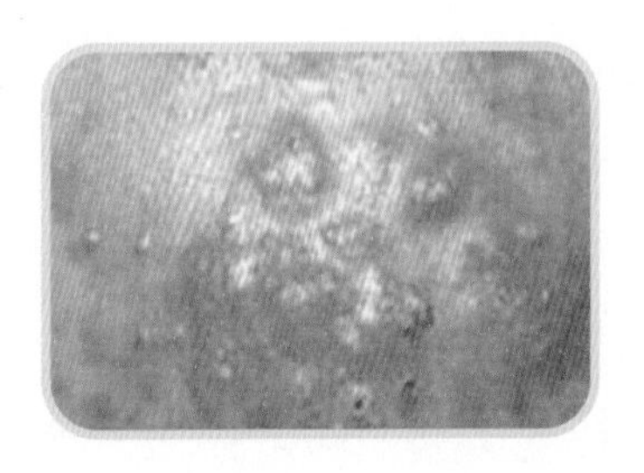

속에 액체가 차는 병적인 현상을 말하며 여드름 형태 중 화농 상태가 가장 크고 깊다. 피부 표면이 얇고 어두우며 만졌을 때 물컹거리는 느낌이 나며 모낭 벽이 완전히 파괴된 경우가 대부분으로 피부 표면도 어둑어둑하며 제거 시 피고름이 나오는 끈적이는 형태이다. 피지 알갱이도 잘게 부서져서 배출된다. 한 번에 치료하기가 너무나 어려운 상태이다.

① 치료 방법

- 면포가 여러 겹 겹쳐져 있는 형태이다.
- 비타민A 연고제 사용
- 스케일링 – 어느 정도 재생 관리를 해준 다음 들어가도록 한다.
- 여드름 압출기로 제거하면 조직의 손상이 심화된다(면봉, 거즈를 이용).
- 흉터 scar의 생성이 불가피한 경우가 대부분이다.
- 항산화제 성분(비타민C, 비타민B군, 그린티) 도포 요망
- 아이소트레티노인 isotretinoin – 로아큐탄 roaccutane을 복용한다.

② 치료 화장품

- 크린싱 젤 – 염증완화, 피지 조절, 진정, 노폐물 세정
- 쥬스문® 로션P – 여드름 전용 토너, 비타민F 성분이 피부염증 완화와 진정
- 플루티오덤® – 여드름 전용 크림, 리놀산과 포스파티딜 콜린이 여드름 치료, 독일 특허제품임.
- 비타민A 나노파티클스 – 각질의 연화, 세포의 활성화, 각질탈락주기 정상화
- 리포좀 콘센트레이트 플러스 – 필수지방산이 피지분비 조절, 염증 완화
- 에키나세아 익스트랙트 – 홍반 완화, 예민성 여드름 진정, 접촉성 여드름 진정
- 하마멜리스 익스트랙트 – 탄닌과 투과 비타민으로 알려진 비타민P 성분이 수렴 효과, 염증 완화

메디컬에서의 여드름 연고와 기기관리 06

Medical Skincare

1. 벤조일 퍼옥사이드(benzoyl peroxid)

- 벤존 + 산소 = 항염제(P-acne 균은 산소를 싫어하는 혐기성 균)
- 염증성 여드름에 효과를 보인다. 2~5% 정도가 가장 빈번히 사용된다.
- 연고이기에 다량 사용 시 트러블이 생길 수 있으므로 적절히 사용
- 이후 브레복실, 디페린겔 등이 나와 사용되고 있다.

2.아젤릭산(azelaic acid)

- 각질을 제거하며 형성된 면포를 감소시키는 역할을 한다.
- 멜라닌 색소를 저해하는 역할을 하기에 색소 피부에도 적용한다.

3. 레티노익 애시드(retinoic acid)

- 면포성 여드름에 효과를 보인다. 각질 정상화와 면포 수를 감소시킨다.
- 주로 0.01~0.05%를 사용한다(0.1% 이상은 박피 수준이므로 주의하여 적용).

4. 크라이오 시스템(cryo system) 관리 방법

- 얼음과 전리 요법을 통한 새롭고 혁신적인 방식으로 여드름관리에 효과적이다.
- 매개물을 -5~0℃로 냉각시켜 롤러를 사용해 피부에 심층 투과
- 비수술 요법으로 통증이 없고 부작용이 없으며 다양한 의학 및 미용분야에 적용가능

- 짧은 시간 내에 안전하게 최대의 효과를 얻을 수 있는 치료 방법
- 피부재생, 노화피부, 여드름 진정, 기미완화, 모세혈관 치료에 탁월한 효과

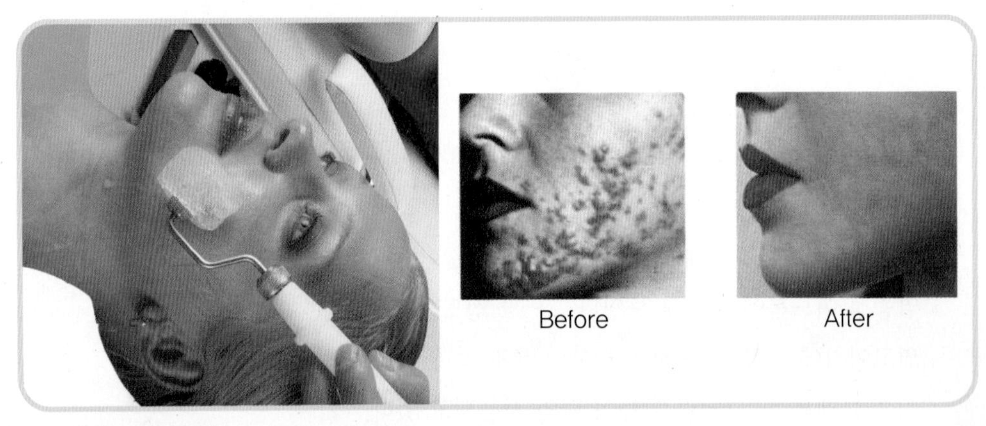

▲CRYO 냉동요법

1. 로사시아(rosacea : 주사)

1) 원 인

아직까지 정확히 밝혀진 바가 없으며 가능성이 있는 원인으로는 다음과 같다.

혈관의 취약성, 유전적 소인, 위장관 질환, 헬리코박터, 심리적 요인, 호르몬 및 기타 진드기 demodex follicularum, 비타민 결핍 등이 있다.

위장병의 원인인 헬리코박터 세균에 의해 위에 염증을 일으켜 위염이 되고 위장에서 번식한 균이 입 주위까지 감염된다는 학설도 있다.

2) 증 상

- 주사의 제1단계 : 홍반
- 주사의 제2단계 : 홍반, 혈관 확장, 홍반이 사라지지 않음
- 주사의 제3단계 : 홍반, 혈관 확장, 홍반이 사라지지 않음, 농포, 구진
- 주사의 제4단계 : 홍반, 혈관 확장, 홍반이 사라지지 않음, 농포, 구진, 딸기코

2. 지루 피부염(seborrheic dermatitis)

1) 정 의

지루피부염은 지방 성분을 배출하는 피지선이 풍부한 머리, 얼굴, 앞가슴 등에 잘 발생하는 만성적인 염증성 피부질환이다.

만성경과를 보이는 습진으로서 피지분비가 왕성한 부위에 잘 생긴다. 임상양상은 유성 oily type인 경우로부터 홍반성 인설이 있는 발진이나 건선과 유사한 염증성 반점이 있는 것까지 매우 다양하다.

2) 발생 시기, 연령

사춘기나 중년에 호발하지만 신생아에서도 발생한다.

3) 원 인

- 피지의 과다분비가 주원인이다.
- 가족력이 있는 경우가 많아 유전적 소인도 과거부터 자주 강조되고 있다.
- 피부에 상주하는 효모균(비듬균)의 일종인 피티로스포룸 오발레 pityrosporum ovale의 역할도 중요하다.
- 긴장을 하거나 스트레스와 같은 정신적 장애에 의해 악화된다.
- 당뇨병, 소화기계통의 장애, 간기능 저하, 파킨슨 Parkinson병, 일측성 척수공동증 및 기타 만성질환을 동반하거나 악화된다.

4) 증 상

① 병변은 두피, 안면, 가슴의 가운데, 견갑골의 중간 부위에 호발한다.

② 노란색 내지는 붉은색의 아급성 또는 만성의 습진을 나타내며, 번들번들한

인설이 특징.

③ 두피에 발생할 경우 인설형과 유성형으로 구분할 수 있고 조기 탈모증을 유발한다.

④ 영아에서는 두피에 황갈색으로 두꺼운 비닐이 덮여 있는데, 이를 유가 craddle cap라고 한다.

⑤ 귀에 생긴 경우뿐만 아니라 귀 뒤쪽, 귀밑까지 비늘이 생기고 가려운 반점이 나타난다.

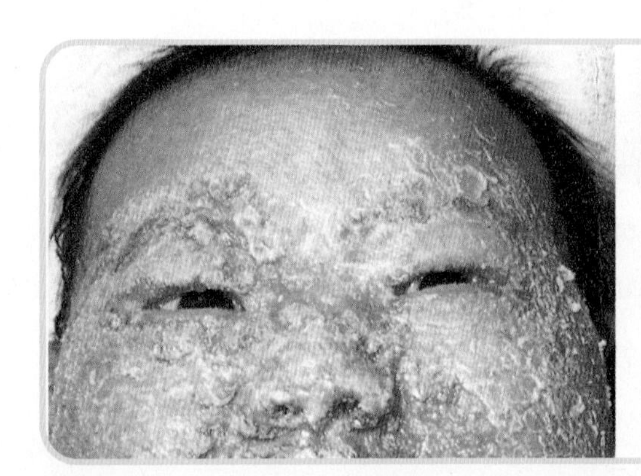

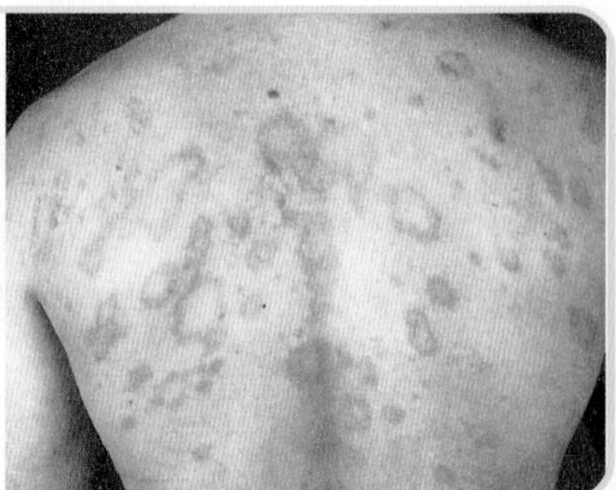

3. 구주위염(perioral dermatitis)

1) 정 의

홍반과 인설을 동반한 구진과 농포로 되어 있는 입 주위의 구진 인설성 질환이다.

2) 원 인

원인은 아직 정확하지는 않으나 데모덱스, 일광과민성, 장기간 부신피질 호르몬제의 사용 등으로 추측된다. 물론 대부분의 경우 직접적인 원인이나 부수적인 원인이 정확하게 밝혀지지는 않고 있다.

3) 치 료

항생제인 테트라사이클린이나 미노사이클린계를 복용하면 효과가 좋으며, 보통 2~8주 후에는 치료되지만 항생제 하나를 더 복용해야 되는 경우도 있다.

유황 제제나 살리실산 제제를 바르는 경우도 있으며 증상에 따라서는 항생제를 복용하나 잘 치료되지 않는 질환이므로 참을성을 갖고 치료하는 것이 중요하다.

여드름 피부관리법(학생관리)

No	관리 순서	적용 제품	사용 방법	참고 사항
1	색조 화장 클렌징	더모 에센셜 아이리무버	• 화장솜 3장에 적당량을 묻혀 눈두덩, 눈썹, 입술라인에 약 10초간 적용 • 눈두덩, 눈썹, 입술라인 순서로 가볍게 색조 제거	– 마스카라, 아이라이너는 면봉을 이용하면 제거 용이
	안 면 클렌징	크린싱 젤	• 적당량(2펌프)의 크린싱 젤을 손바닥에 덜어 미세한 거품을 낸 후 꼼꼼하게 핸들링한 후 해면 정리	– 크린싱 젤의 경우 1차 해면정리 후 물을 묻혀 잔여물이 남지 않도록 2차 해면정리
2	소프트 필링	더모 퓨어 클리어링 베타필	• 유리볼에 더모 퓨어 클리어링 베타필을 3~5ml를 덜어 둔다. • 눈가, 입가를 제외하고 팩브러시를 이용하여 가볍게 도포하고 5~10분간 방치 후 크린싱 젤로 중화하여 스펀지로 닦아낸다.	
3	여드름 추출 단계		• 면포 추출 (comedo extraction)	– 여드름추출 기구 ① 압출기 혹은 면봉 ② 니들 ③ CO_2레이저

No	관리 순서	적용 제품	사용 방법	참고 사항
4	토 닉	쥬스문® 로션P	• 눈가, 입가 젖은 탈지솜으로 보호 • 얼굴 전체적으로 분사 – 여드름 추출 부위가 붉음이 심한 경우, 젖은 탈지솜에 쥬스문® 로션P를 묻혀 심한 부위에 올려 놓는다.	건조되는 팩의 경우 – 여드름, 피지분비가 많은 부위는 얇게 도포 – 예민, 건조 부위는 약간 두껍게 도포
5	팩 도포	더모 퓨어 퓨리파잉 마스크	• 3g 정도의 양을 유리 볼에 덜어 젖은 팩 브러시를 이용하여 도포 • 눈가, 입가 젖은 탈지솜을 이용하여 보호 • 15분 정도 경과 후 해면으로 정리	
6	마무리 단계	훼이스 토닉	• 피부 정리 및 수분 공급	
		리포좀 콘센트레이트 플러스	• 얼굴 각 부위에 한 방울씩 흡수	– 리포좀 콘센트레이트 플러스 효능: 피지조절, 보습
		플로티오덤®	• 소량의 제품을 균일하게 도포하여 흡수 • HE-NE 5~10분 조사	– 건조한 경우: DMS® 베이스 크림 클래식
		더모 프로텍션 울트라 라이트 선블록	• 2ml 정도의 제품을 얼굴 전체 꼼꼼하게 도포(눈가, 입가 도포)	– 외출 30분 전에 도포
		더모 프로텍션 리바이벌 밤	• 두들기며 펴 바른다 → 피부 톤을 아름답게 정리 → 붉은 피부 커버 효과	
		더모 프로텍션 리바이벌 쿠션		

여드름 피부관리법(일반관리)

No	관리 순서	적용 제품	사용 방법	참고 사항
1	색조 화장 클렌징	더모 에센셜 아이리무버	• 화장솜 3장에 적당량을 묻혀 눈두덩, 눈썹, 입술라인에 약 10초간 적용	– 마스카라, 아이라이너는 면봉을 이용하면 제거 용이
	안 면 클렌징	크린싱 젤	• 적당량(2ml)의 크린싱 젤을 손바닥에 덜어 미세한 거품을 낸 후 꼼꼼하게 핸들링한 후 해면정리	– 크린싱 젤의 경우 1차 해면정리 후 물을 묻혀 잔여물이 남지 않도록 2차 해면 정리
2	딥 클렌징	더모 에센셜 수퍼 엔자임 파우더	• 더모 에센셜 수퍼 엔자임 파우더 1g과 미온수를 혼합하여 얼굴 도포 • 스티머 조사 (5~10분) – 온도, 습도가 적합할 때 효소작용의 활성화를 촉진시켜 효과를 높여준다.	스티머 조사 시간 – 예민 5분 미만 – 정상 5~7분 – 여드름, 지성 10분
3	여드름 추출 준비단계 1		• 소독 화장솜과 면봉, 티슈, 23G 니들, 여드름 압출기	
4	소프트 필링	더모 퓨어 클리어링 베타필	• 유리볼에 더모 퓨어 클리어링 베타필을 3~5ml를 덜어 둔다. • 눈가, 입가를 제외하고 팩브러시를 이용하여 가볍게 도포하고 5~10분간 방치 후 크린싱 젤로 중화하여 스펀지로 닦아낸다.	– 더모 퓨어 클리어링 베타필 효능 ① 각질 정리 ② 피지분비 조절 및 항염 ③ 면포 추출 용이
5	여드름 추출 단계		• 면포 추출 (Comedo Extraction)	– 여드름 추출 기구 ① 압출기 혹은 면봉 ② 니들 ③ CO_2레이저
6	토 닉	쥬스문® 로션P	• 젖은 탈지솜에 묻혀 피부결에 따라 정리한다.(여드름 압출 후 표면정리)	
7	앰플	하마멜리스 익스트랙트	• 여드름 추출 부위에 국부적으로 도포	– 항염, 수렴 작용

No	관리 순서	적용 제품	사용 방법	참고 사항
8	컬러테라피	BTT (He-Ne) 또는 바이옵트론 (5~10분)	• 5분 정도 조사 • 여드름 부위 진정 및 재생 효과	
9	1차마스크	거즈 마스크	• 거즈 마스크 배합 ① 플루티오덤® (2ml) - 건조한 경우 : DMS® 베이스 크림 클래식(2ml) ② 활성성분 - 프라임로즈 오일 나노파티클스(0.25ml) - CM 글루칸(0.25ml) - 리포좀 NMF 콤플렉(0.25ml) - 보스벨리아 나노파티클(0.25ml) ③ 훼이스 토닉(5ml) • ①,②,③을 비커에 배합한 후 준비된 젖은 거즈를 넣어 성분을 흡수시킴. - (심한 경우) 쥬스문® 로션 N을 이용하면 좋다. - 성분이 흡수된 거즈를 얼굴에 맞게 밀착	- Wash-off, Peel-off type 피한다. - 거즈 준비 시 물기를 꽉 짠 상태로 이용한다.
10	초음파 기계	스킨 마스터 또는 스킨 스크러버	• 거즈마스크 위에 초음파를 5~10분 정도 적용	- 눈가, 입가는 피한다. → 충혈 예방, 손목 힘을 뺀다.

No	관리 순서	적용 제품	사용 방법	참고 사항
11	2차마스크	더모 퓨어 보타민 모델링 마스크	• 가루 30ml를 고무볼에 덜어 준비 • 시원한 정제수(또는 생수) 50cc를 부어 스파츌러를 이용하여 곱게 갠다. • 약간 건조된 거즈마스크 위에 고무마스크를 균일하게 도포(눈가는 얇게 도포한다-부종 및 충혈예방)	- 거즈마스크 위에 고무마스크를 적용하며 부수적인 앰플 사용이 필요 없다(경제적).
12	마무리 단계	아이젤 플러스 도포	• 소량의 제품을 이용하여 눈주위 흡수	
		하마멜리스 익스트랙트	• 얼굴 각 부위에 한 방울씩 떨어뜨려 흡수	- 하마멜리스 익스트랙트 효능 : 항염, 수렴 작용
		플루티 오덤®	• 소량의 제품을 균일하게 도포 하여 흡수	- 건조한 경우 : DMS® 베이스 크림 클래식 사용
		더모 프로텍션 울트라 라이트 선블록	• 2ml 정도의 제품을 얼굴 전체 꼼꼼하게 도포(눈가, 입가 도포)	- 외출 30분 전에 도포 여드름을 유발시키지 않으며 유수분 밸런스 조절
		더모 프로텍션 리바이벌 밤	• 두들기며 펴 바른다. → 피부 톤을 아름답게 정리 → 붉은 피부 커버 효과	

참 고 - 기본 10회 관리를 실시하며 최소 5회 정도의 관리가 유지되어야 치료효과를 볼 수 있다.
- 여드름 추출 시 세균 감염을 예방하는 것이 중요하다.

주의사항 ① 무리한 각질제거는 피하도록 한다.
② AHA 성분이 함유된 제품은 피하도록 한다.
③ 사우나 및 땀이 날 정도의 열이 나는 운동은 삼간다.
④ 홈케어 관리를 철저히 한다.

여드름 피부관리법(특수관리)

No	관리 순서	적용 제품	사용 방법	참고 사항
1	색조 화장 클렌징	더모 에센셜 아이리무버	• 화장솜 3장에 적당량을 묻혀 눈두덩, 눈썹, 입술라인에 약 10초간 적용 • 눈두덩, 눈썹, 입술 라인 순서로 가볍게 색조 제거	– 마스카라, 아이라이너는 면봉을 이용하면 제거 용이
	안 면 클렌징	DMS® 크린싱 밀크	• 적당량(2ml)을 손바닥에 덜어 꼼꼼하게 핸들링한 후 해면 정리	– 예민한 경우
		DMS® 크린싱 젤		– 피지 분비가 많은 경우, 여드름이 심한 경우
2	소프트 필링	더모 퓨어 클리어링 베타필	• 유리볼에 더모 퓨어 클리어링 베타필을 3~5ml를 덜어 둔다. • 눈가, 입가를 제외하고 팩브러시를 이용하여 가볍게 도포하고 5~10분간 방치 후 크린싱 젤로 중화하여 스펀지로 닦아낸다.	– 더모 퓨어 클리어링 베타필 효능 ① 각질 정리 ② 피지분비 조절 및 항염 ③ 면포 추출 용이
3	여드름 추출 단계		• 면포 추출 (Comedo Extraction)	– 여드름 추출 기구 ① 압출기 혹은 면봉 ② 니들 ③ CO_2레이저
4	스케일링 준비		• 유리볼에 약품을 준비한다. • 냉타월 준비 • 타이머 준비	
5	화학필링	coombe's (쿰 스) – 원장 시술	〈원장 시술〉 • 눈가, 입가 올레오젤 플러스 도포 • 여드름이 심한 부위 위주로 도포 – 심한 부위는 프로스팅이 생길 수 있다. • 시간 체크	– 쿰스 = 제스너스 솔루션

No	관리 순서	적용 제품	사용 방법	참고 사항
6	쿨링 관리	냉타월	• 냉타월을 이용하여 얼굴의 열감 완화 (3~5분 정도)	
7	토 닉	쥬스문® 로션 P	• 눈가, 입가 젖은 탈지솜으로 보호 • 얼굴 전체적으로 분사	
8	1차마스크	거즈마스크	• 거즈 마스크 배합 ① 플루티오덤® (2ml) – 건조한 경우 : DMS® 베이스 크림 클래식(2ml) ② 활성성분 – 비타민 B 리포좀 콘센트레이트(0.5ml) – 그린티 익스트랙트(0.25ml) – D–판테놀(0.25ml) ③ 훼이스 토닉(5ml) • ①,②,③을 비커에 배합한 후 준비된 젖은 거즈를 넣어 성분을 흡수시킴. – (심한 경우) 쥬스문® 로션 N을 이용하면 좋다. – 성분이 흡수된 거즈를 얼굴에 맞게 밀착	– Wash–off, Peel–off type 피한다. – 거즈 준비 시 물기를 꽉 짠 상태로 이용한다.
9	컬러 테라피	BTT (He–Ne) 또는 바이옵트론 (10분)	• 여드름 부위 진정 및 재생 효과	

No	관리 순서	적용 제품	사용 방법	참고 사항
10	2차마스크	더모 퓨어 보타민 모델링 마스크	• 가루 30ml를 고무볼에 덜어 준비 • 시원한 정제수(또는 생수) 50cc를 부어 스파츌러를 이용하여 곱게 갠다. • 약간 건조된 거즈마스크 위에 고무마스크를 균일하게 도포(눈가는 얇게 도포한다 - 부종 및 충혈 예방)	- 거즈마스크 위에 고무마스크를 적용하며 부수적인 앰플 사용일 필요 없다(경제적).
11	마무리 단계	아이젤 플러스 도포	• 소량의 제품을 이용하여 눈주위 흡수	
		비타민 B 리포좀 콘센트레이트	• 얼굴 각 부위에 한 방울씩 떨어뜨려 흡수	- 비타민 B 리포좀 콘센트레이트 효능 : 피지조절, 항염, 보습
		플루티오덤®	• 소량의 제품을 균일하게 도포 하여 흡수	- 건조한 경우 : DMS® 베이스 크림 클래식 사용
		더모 프로텍션 울트라 라이트 선블록	• 2ml 정도의 제품을 얼굴 전체 꼼꼼하게 도포(눈가, 입가 도포)	- 외출 30분 전에 도포
		더모 프로텍션 리바이벌 밤	• 두들기며 펴 바른다. • 피부 톤을 아름답게 정리 • 붉은 피부 커버 효과	- 여드름을 유발시키지 않으며 유수분 밸런스 조절

참 고 - 가피나 각질이 일어날 경우 밀어내거나 떼어내지 않도록 한다.
- 얕은 박피라 하더라도 재생관리와 보습관리를 소홀히 하면 장벽 구조의 이상으로 세균감염과 소양감 및 염증이 유발될 수 있으니 주의토록 한다.
- 얕은 박피 후에는 철저한 자외선 차단을 주지시킨다. → 염증 후 색소 침착 우려

주의사항 일반 여드름 관리 프로그램 참고

여드름-스케일링 & CRYO 관리

No	관리 순서	적용 제품	사용 방법	참고 사항
1	색조 화장 클렌징	더모 에센셜 아이리무버	• 화장솜 3장에 적당량을 묻혀 눈두덩, 눈썹, 입술라인에 약 10초간 적용 • 눈두덩, 눈썹, 입술 라인 순서로 가볍게 색조 제거	– 마스카라, 아이라이너는 면봉을 이용하면 제거 용이
	안 면 클렌징	DMS® 크린싱 밀크	• 적당량(3ml)의 제품을 이용하여 가볍게 핸들링한 후 해면으로 노폐물 제거	– 예민한 경우
		크린싱 젤		– 피지 분비가 많은 경우, 여드름이 심한 경우
2	소프트 필링	더모 퓨어 클리어링 베타필	• 유리볼에 더모 퓨어 클리어링 베타필을 3~5ml를 덜어 둔다. • 눈가, 입가를 제외하고 팩브러시를 이용하여 가볍게 도포하고 5~10분간 방치 후 크린싱 젤로 중화하여 스펀지로 닦아낸다.	– 더모 퓨어 클리어링 베타필 효능 ① 각질 정리 ② 피지분비 조절 및 항염 ③ 면포 추출 용이
3	여드름 추출 단계		• 면포 추출 (Comedo Extraction)	– 여드름 추출 기구 ① 압출기 혹은 면봉 ② 니들 ③ CO_2레이저
4	스케일링 준비		• 유리볼에 약품을 준비한다. • 냉타월 준비 • 타이머 준비	
5	화학필링	coombe's (쿰 스) – 원장 시술	〈원장 시술〉 • 눈가, 입가 올레오젤 플러스 도포 • 여드름이 심한 부위 위주로 도포 – 심한 부위는 프로스팅이 생길 수 있다. • 시간 체크	– 쿰스 = 제스너스 솔루션

No	관리 순서	적용 제품	사용 방법	참고 사항
6	CRYO	냉동요법	• 훼이스 토닉 15ml + 그린티 익스트랙트 1ml + 리포좀 콘센트레이트 플러스 1ml + 증류수 23ml를 섞어 얼린다 • 베이스로 노브리텐®(1ml)을 가볍게 도포 • 마른 거즈를 얼굴 위에 올린다. • 미리 준비한 재생 얼음을 핸드 피스에 부착하여 마른 거즈 위에서 피부결 따라 굴려준다. • 3~5분 적용 후 얼굴이 얼어 있는 동안 롤러만 이용하여 리프팅 모드로 적용	• 얼음이 녹으면서 물이 흐를 수 있기에 사전에 타월을 감싸고 시행한다. • 얼음이 녹은 후 리프팅모드일 경우 강한 전류를 느낄 시 mA를 낮추어 적용
7	컬러테라피	BTT (He-Ne), 바이옵트론 (5~10분)	• 여드름 부위 진정 및 재생 효과 • 피부 진정, 재생, 성분 침투 효과	
8	고무 마스크	더모 퓨어 보타민 모델링 마스크	• 파우더 30ml를 고무볼에 덜어 준비 • 시원한 정제수(또는 생수) 50cc를 부어 스파츌러를 이용하여 곱게 갠다. • 약간 건조된 거즈마스크 위에 고무마스크를 균일하게 도포 (눈가는 얇게 도포한다-부종 및 충혈 예방)	– 클라이요 거즈 위에 고무마스크를 적용하며 부수적인 앰플 사용이 필요 없다(경제적).
9	마무리 단계	아이젤 플러스 도포	• 소량의 제품을 이용하여 눈주위 흡수	
		D-판테놀	• 얼굴 각 부위에 한 방울씩 떨어뜨려 흡수	– D-판테놀 효능 : 보습 재생, 붉음증 완화
		플루티오덤®	• 소량의 제품을 균일하게 도포하여 흡수	– 건조한 경우 : DMS® 베이스 크림 클래식 사용

No	관리 순서	적용 제품	사용 방법	참고 사항
9	마무리 단계	더모 프로텍션 울트라 라이트 선블록	• 2ml 정도의 제품을 얼굴 전체 꼼꼼하게 도포(눈가, 입가 도포)	– 외출 30분 전에 도포
		더모 프로텍션 리바이벌 밤	• 두들기며 펴 바른다. • 피부 톤을 아름답게 정리 • 붉은 피부 커버 효과	– 여드름을 유발시키지 않으며 유수분 밸런스 조절

참 고 – 가피나 각질이 일어날 경우 밀어내거나 떼어내지 않도록 한다.
– 얕은 박피라 하더라도 재생관리와 보습관리를 소홀히 하면 장벽 구조의 이상으로 세균감염과 소양감 및 염증이 유발될 수 있으니 주의토록 한다.
– 얕은 박피 후에는 철저한 자외선 차단을 주지시킨다. → 염증 후 색소 침착 우려.

쿰스필링(제스너 용액 필링)

특수 약물들을 혼합한 형태의 필링제이며 약품의 특징은 주로 항염 작용과 항박테리아 작용 그리고 과다하게 생성된 각질을 제거하는 데 효과적이다.

보통 AHA와 BHA의 복합 complex 형태로 AHA의 장점과 BHA의 장점을 모두 갖춘 필링제로 오래전부터 피부 치료제로 사용되어 왔다. 하지만 쿰스필링 적용 시 피부에는 많은 홍반과 작열감, 때로는 가려움증을 호소하는 등 피부문제가 유발될 수 있으므로 필링 후 재생관리에 주의를 해야 좋은 결과를 얻을 수 있다.

Home Care

병원에서의 스킨케어 관리는 주 1–2회 이루어지지만 홈케어는 매일 하루에 2번씩 사용해야 하므로, 환자에게 맞는 제품을 정확히 선택해 주어야 관리가 효과적으로 이루어질 수 있다. 이런 부분을 환자에게 충분히 인식시켜 주어야 한다.

거즈마스크 배합 방법

비커에 DMS® 베이스 크림 클래식(하이클래식 또는 플루티오덤®)을 사용할 만큼 넣고 활성 성분을 선택하여 비커에 넣고 스파츌러로 잘 섞어준 후 훼이스 토닉을 5번 펌핑 넣고 다시 섞어준다. 거즈는 차가운 증류수나 생수에 적셔 꼭 짠 후에 비커에 넣고 묻힌 다음 사용한다. 피부 타입에 맞게 배합해서 사용할 수 있어 피부의 문제점 해결이 빠르고 보다 전문적이다.

쿰스필링 후 여드름 환자 홈케어 처방

- 크린싱 젤(세안제)을 이용하여 피부의 약산성막을 유지시킨다(pH의 불균형은 세균 감염을 증가시킴).
- 딥클렌저(효소제나 스크럽제)는 주 1회 정도 사용한다.
- 쥬스문® 로션P는 피부에 수분을 공급해 주어 다음 단계의 활성 성분을 고르게 흡수시킨다.
- 비타민 B 리포좀 콘센트레이트를 사용하여 피지 조절과 모공을 열어준다.
- 플루티오덤®을 적당량 바른다(피지 조절, 염증 완화, 피부 보습).
- 더모 프로텍션 울트라 라이트 선블록을 사용한다.

chapter 5 색소 피부

멜라닌이란?

01

Medical Skincare

1. 어 원

멜라닌 melanin은 그리스어 'melas' 즉 검다는 뜻에서 유래한다.

2. 정 의

아미노산으로부터 형성된 단백질성 유기색소로서 자외선A, B를 차단하기 위해 우리 몸이 스스로 만들어내는 방어기전이다.

3. 생 성

태아 14주경에 멜라노사이트에서 만들어지며 모든 생물학적 물질들이 나타내는 색은 분자 그룹으로 이루어져 있으며 거의 모든 복합체는 멜라닌이다. 멜라닌은 우리의 뇌 조직, 눈, 귀, 점막에도 발견되고 피부색과 털색을 결정하게 된다.

멜라닌의 생성

02

Medical Skincare

티로신이라는 필수아미노산에 의해 멜라노좀이라는 검은 알갱이를 약 10,000개 정도를 만들어 분자의 변환과 멜라닌의 성숙 과정을 거치면서 케라티노사이트로 전달된다. 멜라닌이 생성되는 과정을 살펴보면 티로신 tyrosine이라는 아미노산이 티로시나제 tyrosinase 산화효소의 작용으로 도파 dopa물질로 변화하고, 도파옥시다제 dopa oxidase 효소의 작용으로 도파키논 dopa-quinone으로 변화하면 멜라닌이 된다.

멜라노사이트는 멜라닌을 만들어내는 세포이며 기저층에 위치해 있다. 단층인 기저층에서 케라티노사이트와 멜라노사이트의 비율은 약 10 : 1(4 : 1)이며, 한 개의 멜라노사이트는 약 36개의 케라티노사이트에 색소를 제공한다. 멜라노사이트의 구조는 수지상돌기를 가진 세포로 낙지처럼 생겨서 주변으로 확장되어 멜라노좀을 운반한다. 표피성 멜라노사이트들은 각질세포의 세포 재생주기와 같은 비율로 분열한다. 멜라닌의 합성에는 유전적 소인과 환경적 요인, 호르몬 · 식품 · 의약품 등의 화학물질 외에 자외선이 영향인자로 작용하며 멜라닌 생산과 퇴화는 영원한 피부의 순환 과정이다.

03 멜라닌의 기능

Medical Skincare

자외선과 가시광선 등 전 영역의 빛을 흡수하는 멜라닌은 피부에서 자외선을 흡수, 산란함으로써 햇빛으로부터 피부의 손상을 막고 프리라디칼을 흡수한다. 멜라닌은 활성산소를 소거하는 기능이 탁월하나 때로는 멜라닌 자체가 활성산소를 발생시키기도 하며, 멜라닌 구조 내의 카테콜 catechol이나 퀴논 quinone에 의하여 다른 물질을 환원시키거나 산화시키고 멜라닌 자체가 유리기 free radical의 성질을 나타내기도 한다. 또한 멜라닌은 인체의 항상성 메커니즘으로 고른 피부톤을 유지하게 만든다(백인 피부는 빛을 반사시키며 흑인 피부는 빛을 흡수한다. 우리가 보는 피부의 색은 빛의 흡수된 정도의 차이로 나타난다.).

과색소 침착(hyperpigmentation)

멜라닌이 과도하게 비정상적으로 생성된 것을 말한다. 이 질환은 세포수가 증가하기 때문이 아니라 멜라노사이트의 기능이 불규칙적으로 발생하기 때문이다. 주근깨, 악성 멜라노마(흑색종)에 이르기까지 많은 색소 침착 질환이 태어나면서부터 존재하거나 아니면 자외선 노출이나 호르몬 불균형 또는 나이가 들어감에 따라 기능이 약화되어 발생한다. 피부과 전문의를 통한 치료가 이루어져야 한다.

1. 기미(melasma)

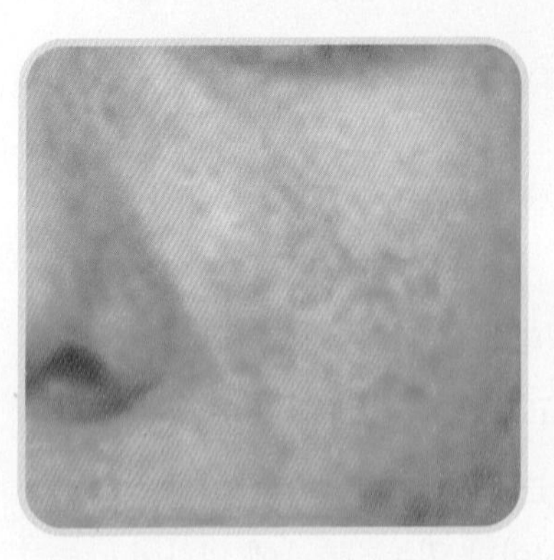

얼굴에 생기는 다양한 크기의 과색소 침착이다. 이마, 눈 아래, 뺨, 코, 윗입술, 턱 등에 불규칙한 모양으로 다양하게 발생한다. 기미는 원인에 따라 좌우대칭, 비대칭으로 생기는 것을 특징으로 하고 있다. 얼굴 한쪽 부분만 발생하는 과색소 침착은 기미라고 표현하기 힘들다. 기미는 20대 후반 여성부터 30~40대 여성에 이르기까지 광범위하게 발생한 후 폐경기 이후에 자연 소실된다.

기미는 자외선 노출이 많아지는 여름철에 진해지고, 겨울철에는 상대적으로 색이 연해지거나 자연 소실되기도 한다. 기미는 주로 임신한 여성 chloasma과 피임약을 복용한 여성에게서 볼 수 있고 난소 질환의 결과로 발생할 수 있다. 기미는 조직학적으로 3가지 유형으로 분류할 수 있다.

1) 표피형 기미

- 옅은 갈색을 띤다.
- 멜라닌 색소가 기저층 상부에 많이 증가되어 있다. 일반적으로 가장 많은 형태이다(60~70% 정도).
- 기미발생 년도에 따라 꾸준한 치료를 하면 관리의 효능이 많은 차이를 보이며 관리 방법 또한 달라질 수 있다.

2) 진피형 기미

- 멜라닌 색소가 진피 내 혈관 주위에 침착되어 있는 흔하지 않은 형태이다. 쉽게 치료가 되지 않으면 관리 효과를 보기 힘들다.
- 청푸른 색을 띠며 어둡다.

3) 혼합형 기미

- 표피형과 진피형의 특징을 모두 가지고 있는 형태이고 치료가 매우 까다로운 형태이다.
- 레이저 시술이 어렵고 화학 박피와 약물을 이용해서 치료한다.
- 병원의 내원환자 중 많은 비율을 차지하며 특히 동양인에게 많이 분포되어 있다.

4) ABNOM(acquireedbilateral nevus ota-like macule)

안면에 대칭성 밤회색으로 기미와 구별이 어려우며 진피 내에 멜라닌세포가 원인이다. 레이저 시술로 치료 가능하나 여러 번 여러 해 동안 지속적인 관리 시 효능을 볼 수 있다.

✲ 이와 같은 기미는 의학적인 측면에서 시술 또는 처방을 하고 skin care에서는 정기적으로 미백, 재생 관리가 꾸준히 이루어져야 효과를 얻을 수 있다.

2. 주근깨(freckles) 또는 모반(ephilides)

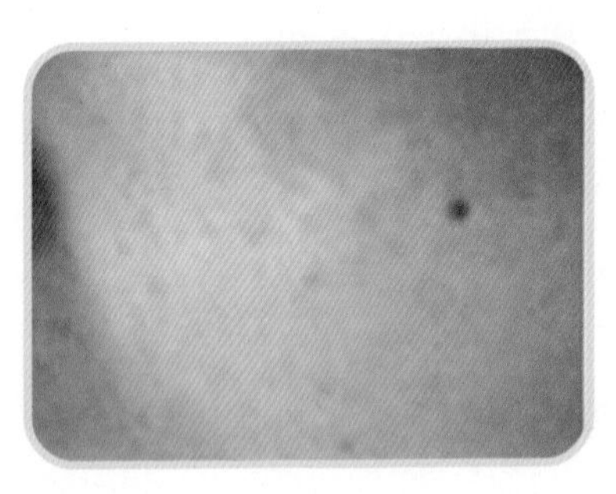

주근깨는 5~6mm 이하의 불규칙적인 모양이며 모든 빛에 의해 더욱 진해질 수 있다. 유리를 통한 노출과 형광 빛에 의해서도 진해지며 주로 흰 피부 또는 빨간색 · 갈색머리 어린이에게서 발생해서 나이가 증가함에 따라 색이 옅어진다. 주근깨 발생은 유전적인 요인으로 보고 있다. 치료방법으로는 TCA박피술, 레이저시술이 이용되며 치료 효과가 좋은 편이다. 레이저 치료로 한번에 효능을 보기 어려우며 1~3회 정도의 관리가 필요하다.

3. 노화 반점(solar lentigo) 또는 간반(liver spot)

경계 부위가 뚜렷한 갈색반점이다. 태양광선에 많이 노출된 부위인 손, 얼굴에 주로 발생하며 모양은 납작한 형태로 옅은 비늘과 같은 조각을 나타낸다. 간혹 중년층에서도 나타나고 주로 노년층(60대 이후)에서 많이 발생한다. 조직학적으로 표피의 멜라닌 세포의 수가 증가하며 병변은 보통 양성 반응으로 레이저 시술 또는 TCA로 쉽게 치료가 가능하다.

4. 지루성 각화증(seborrheic keratosis)

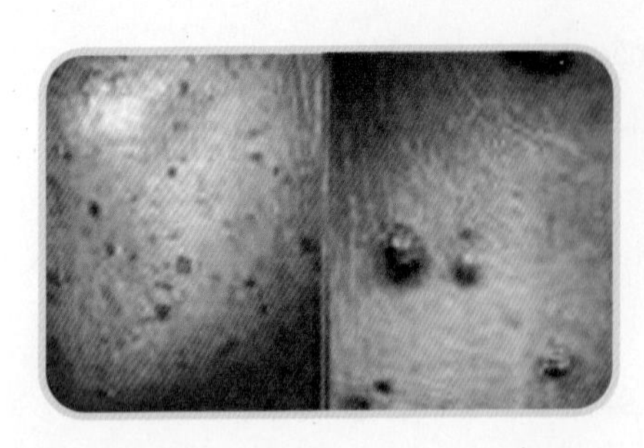

갈색 반점이 타원형의 형태로 표면이 올라온 상태이다. 50대 이후에 얼굴, 팔, 손등에 주로 나타나고 햇빛 노출에 의해 더욱더 심해진다. 치료방법은 레이저 시술 또는 화학 박피로 치료가 가능하다.

5. 벨록크 피부염(berlok dermatitis)

향수, 오데코롱을 피부에 직접 바르고 자외선을 받으면 색소 침착이 생긴다. 향수에 배합된 베르가못 bergamot 유의 성분에 의해 피부의 광과민성을 일으켜 염증 증상도 없이 색소 침착이 발생하여 2~3개월 후 자연히 소실되기도 한다.

6. 오타모반(nevus of ota)

진피 내에 색소 침착이 아닌 멜라닌 세포가 3차신경 분포를 따라 나타나는 질환이다. 출생시부터 존재하는 경우가 약 50% 정도이고 나머지는 유년기나 사춘기에 발생한다. 치료 방법은 레이저 시술로 가능하다. 오타모반의 크기에 따라 치료 횟수와 소요 시간이 달라질 수 있다.

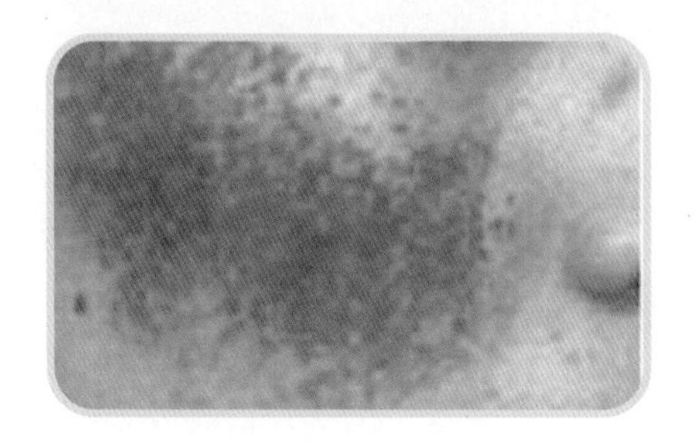

7. 염증 후 과색소 침착
(PIH : post Inflammatory hyperpigmentation)

부신피질 기능 저하로 피부 질환이 발병한 후에 생기는 색소 침착으로 이 증상은 기미와 달리 여러 군데 정점으로 발생하기 때문에 쉽게 알 수 있다. 색소 침착을 남기는 피부병은 포진상피부염, 습진, 극교증, 국면성습진, 화상 등이 있다.

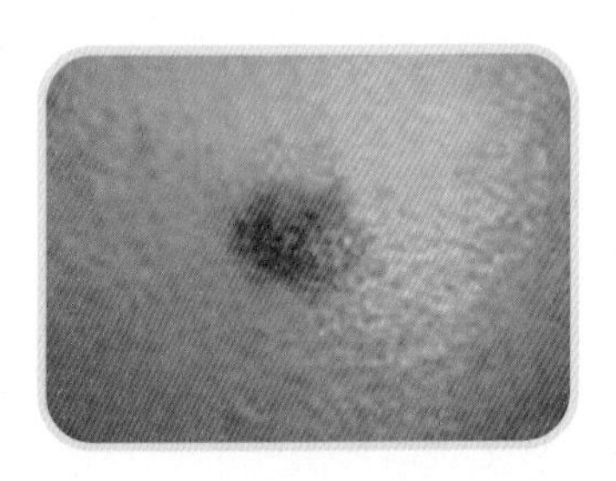

8. 점(pigmented neus)

점세포는 멜라닌 세포와 같다고 알려져 있다. 점세포가 모여 있는 위치에 따라 표피점, 진피점, 복합점으로 구분할 수 있다. 점은 인체에 무해하며 성장기 신체 발육에 비례하여 점도 자라난다. 유년기에는 표피형이다가 성인이 되면서 진피형으로 된다. 점제거 방법은 레이저 시술 또는 전기 건조법, 냉동요법, 화학약품 등이 이용되고 있다.

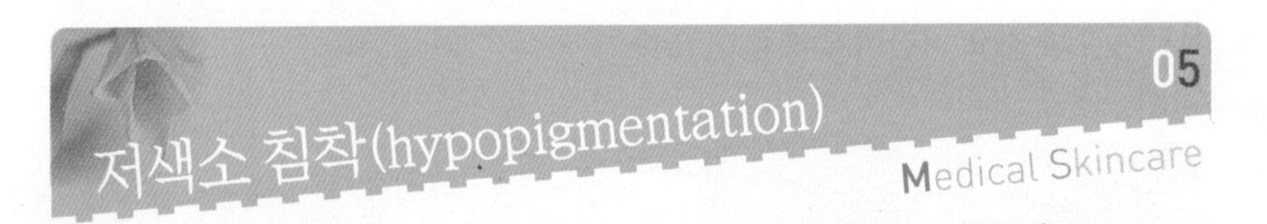

05 저색소 침착(hypopigmentation)

케라티노사이트로 멜라닌이 전달되는 과정이 차단되어 멜라노사이트 안에 멜라닌이 남게 된다. 이것은 표피에 멜라닌이 없어지는 것을 의미하며 피부 부위는 하얗게 된다.

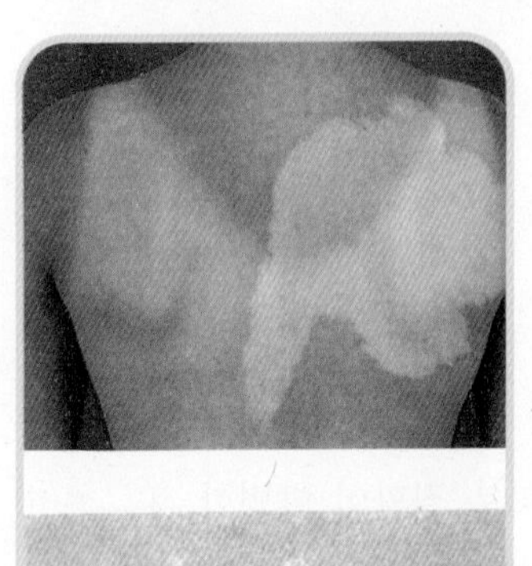

1. 백반증(vitiligo)

정확한 원인이 알려지지 않은 유전적인 저색소 침착 hypopigmentation 질환이다. 멜라닌 세포의 숫자가 감소, 소실됨으로써 발생하며 갑상선기능 항진증, 악성빈혈, 당뇨병, 부신질환을 가진 사람에게서 발생한다. 피부 부위에 멜라노사이트가 보이지 않으며 또한 랑게르한스 세포들이 부족하여 자가면역, 유전요인, 신경전달물질 관련성, 세포파괴 및 화학 물질에의 노출 등이 발병원인이 된다.

햇빛에 노출된 후에 병변들이 더욱 뚜렷해지고, 아토피성 피부염, 편평태선, 건선과 같은 피부 질환들도 연관되는 것으로 보인다. 주로 아프리카계 미국인들에게 많이 나타나고 모든 인구의 1~2%에서 나타나며 백색반 부위에는 땀 분비나 피부온도가 증가하는 경우가 많고 출혈시 지혈이 지연되기도 한다. 치료 방법으로는 프소랄렌psoralen이라는 먹는 약과 광선 치료법이 있다.

2. 백색증(albinism)

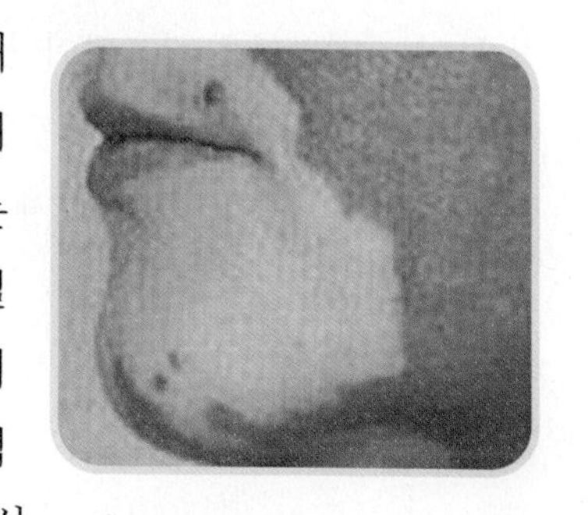

선천적으로 기저세포층에 멜라닌 세포는 존재하나 피부, 모발 및 눈 등에서 멜라닌 색소가 결여되어 나타나며, 피부가 건조하고 유백색을 띠는 경향이 있으며 자외선에 대한 방어능력이 없어 일광화상을 입을 수 있는 선천적 질환이다. 무방비 상태로 노출될 때에는 일광화상을 입기 쉽다. 백색증은 피부에 존재하는 멜라닌 세포의 수는 정상이나 멜라닌 합성에 필요한 효소인 티로시나제의 불량으로 완전한 멜라닌 소체를 만들어내지 못하므로 피부와 눈은 항상 자외선으로부터 보호되어야 한다. 모발은 하얗고, 눈과 피부색은 핑크색이다.

3. 염증후 저색소 침착 (post inflammatory hypopigmentation)

염증성 피부 질환 후 또는 화학약품을 사용한 후의 병변 부위가 하얀 반점이다. 시간이 지나면서 자연 소실된다.

멜라닌 증가를 촉진시키는 원인

06 Medical Skincare

1. 자외선

자외선이 피부에 흡수되면 기저층에 있는 멜라노사이트는 피부를 보호하기 위해서 멜라닌을 생성하게 된다. 젊고 건강한 사람들의 경우 신진대사가 활발하여 피부의 각화작용에 의해 기저세포에 있던 멜라닌은 때가 되어 떨어져 나가고 진피에 있는 멜라닌은 림프관이나 모세혈관을 통해서 체외로 배출된다. 중년 이후에는 모든 기능이 떨어져 피부의 활동이나 각화작용이 원활하지 못해서 재생능력이 저하되어 멜라닌이 기저세포에 침착해서 기미가 발생한다.

2. 정신적 스트레스

정신적인 스트레스는 뇌하수체에 영향을 주어 자율신경실조증이라는 여러 가지 질병이 생길 수 있는 원인이 된다.

과색소 침착증도 뇌하수체 중엽에 있는 MSH melanocyte stimulating hormone는 멜라노사이트를 자극하는 호르몬으로 정신적인 스트레스(지각, 사고, 창조, 판단, 식욕, 성욕)로 분비가 증가되면서 멜라닌 생성이 활발해진다.

3. 내장장애

부신기능이 저하되면 MSH의 분비를 억제하는 부신피질호르몬 hydrocortisone의 분비가 감소해서 MSH는 과잉 분해되어 멜라닌이 증가된다. 부신피질 호르몬은 스트레스를 받으면 스트레스를 중화시키는 역할을 한다. 간장이 허약하면 체내의 여성호르몬이 배설되지 않고 혈액 중의 여성호르몬 estrogen의 작용이 높아져 멜라닌이 증가되어 과색소 침착이 이루어진다. 암, 결핵 등도 멜라노사이트를 자극하여 멜라닌을 증가시킨다.

4. 여성호르몬(난포호르몬, 황체호르몬)

여성호르몬은 여성미와 2차성징을 발달시키는 중요한 호르몬이다. 그러나 과다분비 시에는 멜라노사이트를 자극해서 멜라닌을 증가시키는 작용을 한다. 주로 여성이 임신하면 복부나 음부에 갈색 선이 뚜렷하게 나타나고 눈 주위가 검게 된다. 원인은 임신 중에 증가하는 여성호르몬 때문이다. 자궁이나 난소의 이상, 임신중절, 피임약 복용 등으로 기미가 생기는 경우도 있다.

- **난포호르몬** estrogen : 여성 생식기와 2차성징의 발달 그리고 난자의 발육과 배란 및 월경 주기를 조절하는 호르몬이다.

- **황체호르몬** progesterone : 임신에 관여하는 것으로 착상과 수정란을 보호하는 호르몬이다. 과다분비 시에는 멜라닌 생성을 촉진시키고 결핍 시에는 유산될 확률이 높다.

5. 음식물, 산성체질

카페인은 멜라닌을 이동, 확산시키는 작용으로 과색소 침착을 증가시킨다.

몸이 산성으로 기울면 펠옥시타제의 산소 활동이 증가하여 과색소 침착이 된다. 즉 여성이 생리 시에 눈 주위가 어둡게 나타나는 것은 몸이 산성으로 기울어져 있기 때문이다.

기미 치료약물들

07

Medical Skincare

1. 하이드로퀴논(hydroquinone)

피부미용 차원에서 가장 많이 사용되는 피부미백제이나 약물의 일종으로 분류되며 피부에 대한 자극이나 알러지를 유발하는 특성이 있고 FDA 규제 아래에 있다. 정상적으로 제조된 것은 페놀로부터 얻어지는 흰색 결정성분말의 형태이다. FDA는 안전하고 효과적인 피부 미백제로서 2%를 사용할 수 있도록 허용한다. 4% 이상을 장기간 사용하면 멜라닌 세포에 독성을 나타내어 저색소 침착, 구진을 일으킬 수 있다. 하이드로퀴논은 멜라닌 형성에서 티로시나제의 작용을 차단시킴으로써 멜라닌 생성을 저지시킨다. 미국 FDA 규제 하에서 의사의 처방을 받지 않아도 되는 제품은 2%의 활성 하이드로퀴논을 함유한다. 우리나라에서는 의사의 처방이 있어야만 사용 가능하다.

2. 아젤레익산(azelaic acid)

천연적으로 만들어지는 비독성 지방산으로 미백효과를 위해 광범위하게 사용되고 있다. 미국에서는 여드름, 멜라노사이트에 연관된 피부질환 치료제로 사용되고 있다. 하이드로퀴논과 같이 사용했을 때에는 하이드로퀴논의 효과를 증가시킨다.

3. 코직산(kozic acid)

누룩에서 추출하며 구리 등의 금속이온을 불활성화하는 작용이 있어서 티로시나제의 구조 내부에 함유되어 있는 구리를 제거해 멜라닌 생성을 저해하며, 하이드로퀴논에 알레르기 반응이 있는 사람에게 대체해서 사용이 가능하다. 음식에서는 향 증가제로 사용되기도 한다.

4. 레틴-A(retin-A)

여드름과 노화피부를 위해 많이 사용되고 있다. 천연성분으로 색소 침착된 죽은 세포를 제거함으로써 미백 효과를 준다.

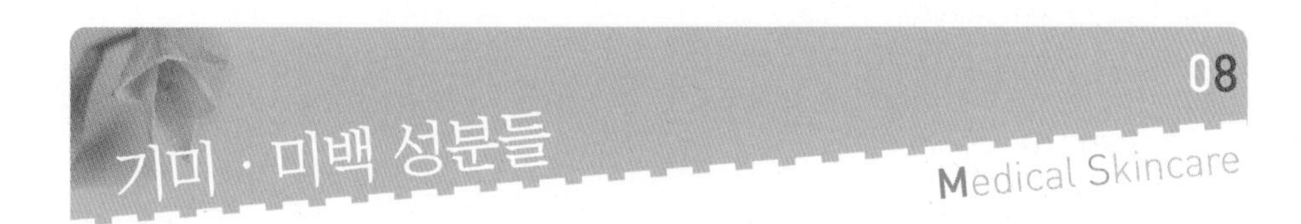

1. CM-Glucan

효모에서 추출한 다당류 polysaccharide이다. UV-A광선의 보호막 역할을 하는 특징 때문에 자외선과의 접촉 전에 사용하거나 접촉 후에 사용한다. 자외선으로 인한 색소 침착에 사용하면 효과적이다.

2. 비타민 C

피부에 가장 중요한 항산화제로 평가된다. 비타민 C는 콜라겐 합성조절제로 작용하고 피부미백 효과를 주며, 면역력을 증가시켜 감염에 대해서 몸을 강화시킬 수 있다고 한다. 비타민 A, E와 함께 사용하면 시너지 효과를 낼 수 있다.

3. 비타민E

피부에 가장 중요한 지용성 항산화제 프리라티칼 제거제로 사용된다. 세포막을 프리라티칼 손상으로부터 보호하고 산화에 대한 보호능력 때문에 방부제 기능을 제공한다. 피부가 거칠고 건조해진 손상된 피부에 적용한다.

4. 비타민A

각질화 조절작용으로 피부 건조와 각질화를 방지하며 피지선 기능 조절 등으로 피부를 건강하고 투명하게 하며 피부의 저항력을 유지시킨다. 비타민E, C와 같이 사용할 때 효과가 증가된다.

5. 코엔자임 Q10

노화 피부에 비타민A, E의 시너지 작용으로 사용되며 표피층의 항산화 작용, UV-A광선 방어로 과산화지질의 생성을 억제한다.

6. 밀배아 유

표피의 케라티노사이트를 조절해 주며 콜라겐과 엘라스틴을 형성하고 섬유아세포를 촉진시키는 호르몬과 같은 세포 전달자로 작용한다. 티로시나제 활성 저해로 미백작용이 있다.

7. 폴리페놀

수산기를 2개 이상 갖고 있는 물질을 폴리페놀, 즉 다가 多價 페놀이라 총칭한다. 녹차, 우롱차, 감잎차와 같은 차 종류와 사과 미성숙 과일, 포도종자 등에 함유된 일련의 식물 추출물군을 가리킨다.

- 항산화 효과
- 미백기능
- 여드름균 저해 효과
- 인체내 혈중 콜레스테롤 수치 저하 기능

8. 기가 화이트(GIGA WHITE)

고산지대에서 서식하는, 미백에 효과를 보이는 여러 식물들을 추출하여 배합한 성분이다. Malva sylvestris, Menths peperite, Primula veris, Alchemilla vulgaris, Veronica offcinalis, Melissa offcinalis, Achilles millefolium 등

9. Sunscreen

유해한 자외선으로부터 피부를 보호하여 더 많은 색소가 발병되는 것을 차단한다.

기미 피부관리 종류와 순서

09

Medical Skincare

1. 순수피부관리실(일반 피부관리실)

마사지 테크닉을 이용해서 혈액순환 촉진과 스킨십을 통한 정신적인 안정을 통해 피부를 편안케 하고 탄력을 주며 제품으로 인한 미백효과를 도모할 수 있다(주 1회 정도).

2. 메디컬 스킨케어

전문의료 미용기기 또는 화학약품을 이용해서 다양한 치료 관리가 이루어진다.

1) 이온토포레시스

전기극을 이용하여 피부 레인막을 열어(파괴) 미백 활성성분들을 침투시킨다.

이온토포레시스(iontophoresis)

주사바늘과 같은 역할을 한다. 기기 자체가 피부에 어떤 효과를 주는 것은 아니다. 다만 시료제(미백성분)을 어떤 것을 사용하느냐에 따라 효과도 많이 달라질 수 있다. 일반적으로 기미 피부는 민감하고 피지 분비량이 적으며 재생력이 떨어진다. 면역력이 약해서 쉽게 자극을 받을 수 있기에 pH가 낮은 활성 성분이나 분말 형태의 비타민C를 단독으로 사용하면 오히려 기미가 진해질 수 있으므로 약산성이나 중성 활성 성분과 혼합해서 사용하면 이러한 문제점을 해결할 수 있다. 이온토포레시스를 시술한 후에는 반드시 천연보습인자(NMF)를 발라주어야 한다. 이온토포레시스는 피부에 자극을 주어 침투시키므로 각질층에 수분이 증발하여 피부가 민감해지고 각질이 일어나 오히려 2차적인 문제를 일으킬 수 있기 때문에 후처치 관리에 각별히 신경 써야 만족할 만한 효과를 얻을 수 있다.

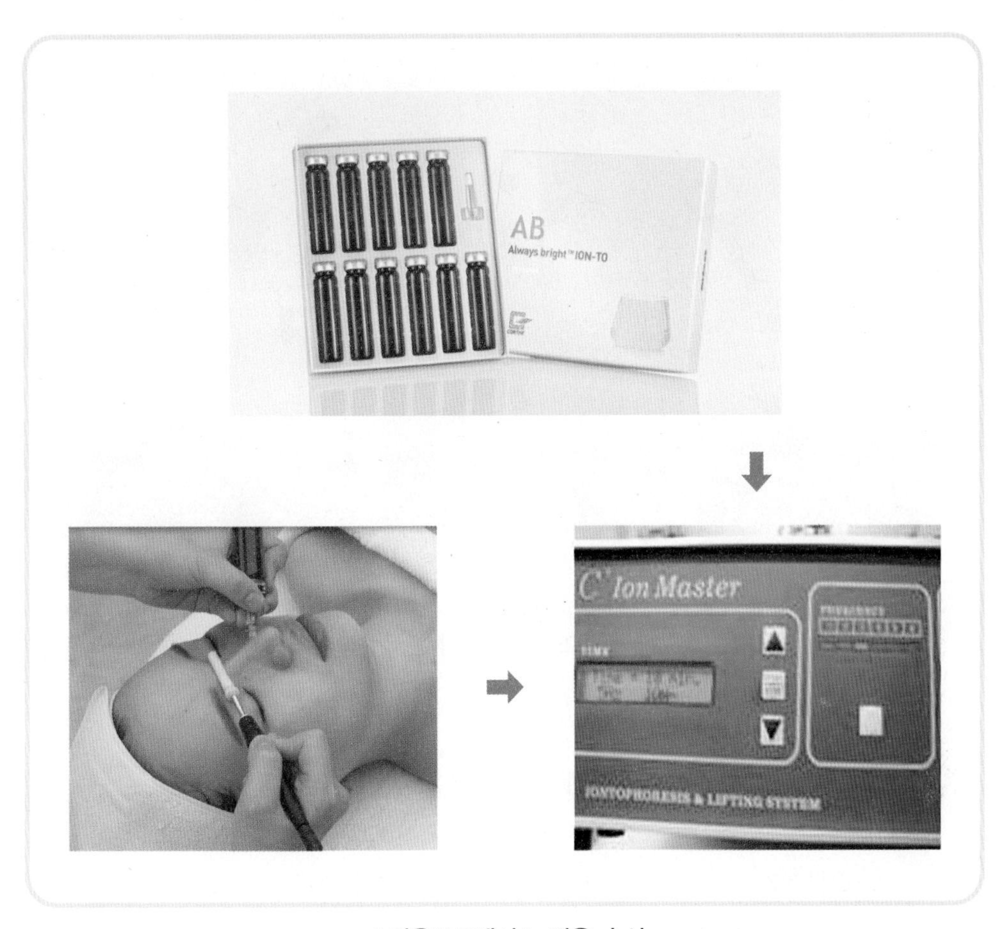

▲이온토프레시스 적용 순서

거즈마스크 배합 방법

비커에 DMS® 베이스 크림 클래식(하이클래식, 하이클래식 플러스)을 사용할 만큼 넣고 활성성분을 선택하여 비커에 넣어 스파츌러로 잘 섞어준 다음 훼이스 토닉을 넣고 다시 섞어준다.

거즈는 증류수나 생수에 적신 다음 꼭 짠 후 비커에 넣고 적신 다음 사용한다. 피부타입에 맞게 배합해서 사용할 수 있어 피부의 문제점 해결이 빠르고 보다 전문적이다.

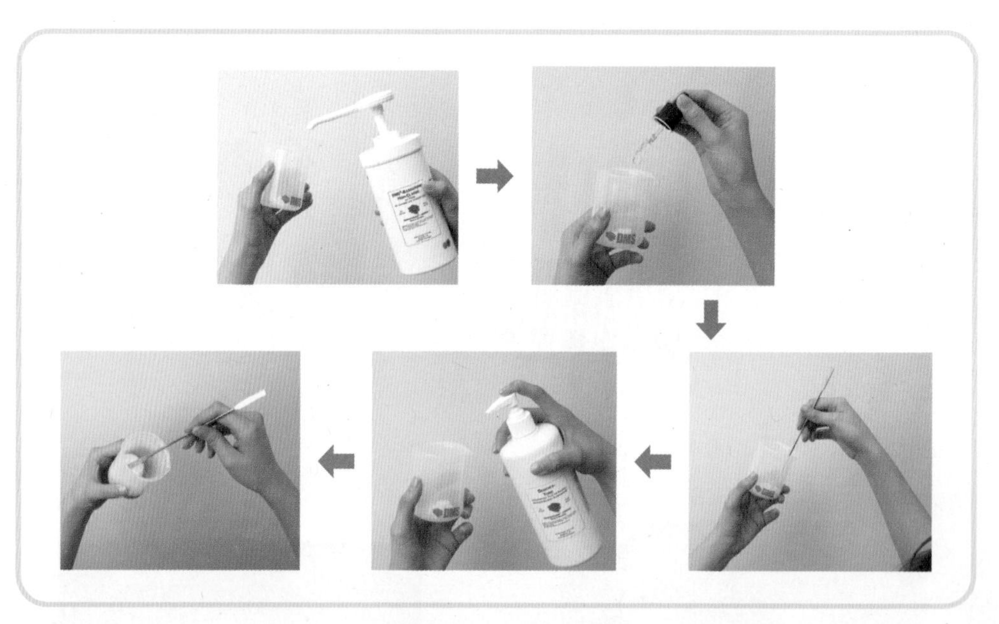

▲거즈마스크 배합 순서

이온토포레시스 후 기미 환자의 홈케어 처방

- 크린싱 젤이나 밀크를 환자 피부타입과 선호도에 맞게 사용한다.
- 딥클렌저(효소제나 스크럽제)를 주 1회 정도 사용한다.
- 토너는 피부에 수분을 공급해 주어 다음 단계의 활성 성분을 고르게 흡수시킨다.
- 미백 활성 성분을 사용한다(비타민 C, E, Q10·· 중에 선택해서 권함).
- DMS® 베이스 크림 하이클래식을 사용하여 손상된 지질(피부보호막) 복구와 유연성을 준다.
- 더모 프로텍션 선 레스큐 크림을 사용한다.
- 더모 프로텍션 리바이벌 밤과 리바이벌 쿠션으로 피부톤을 정리한다.

초음파 치료(sonophoresis)

분자 입자 크기가 너무 큰 성분은 전기이온 영동치료를 해도 피부흡수에 한계가 있기 때문에 이를 보완하기 위해 초음파를 이용하여 피부 침투 효과가 최대인 주파수를 피부에 맞추면 초음파 진동에 의해 약품 흡수가 증가되는 원리를 이용한 치료법이다. 치료에 소요되는 시간은 1시간~1시간 30분 정도이고 피부의 손상 정도와 피부타입에 따라 차이가 있으나 보통 주 1~2회씩 3~4회 정도 치료를 받으면 효과를 얻을 수 있다. 일단 피부가 좋아진 상태에서는 1개월에 한번 정도 유지 목적으로 치료를 반복하며 확실한 효과를 위해서는 10회 이상 연속해서 받는 것이 좋다.

2) 바이탈이온트

이온 영동기기를 이용하여 피부 진피층 깊은 곳에 있는 세포까지 이온화된 비타민C를 침투시켜 기미 혹은 각종 색소 침착을 치료하는 최신 요법으로 딥 클렌징 후 비타민C의 일종인 이온화된 L-아스코르빈산을 세포 깊숙이 침투시킨 후 초음파와 화이트닝 팩으로 피부를 진정시키고 침투시킨 성분을 고정시켜 미백효과를 주게 된다.

바이탈 이온트의 장점

시술 시 통증이 없기 때문에 마취가 필요 없고 민감한 사람도 누구나 쉽게 받을 수 있으며, 박피나 레이저치료와 달리 피부 표면에는 전혀 손상을 주지 않기 때문에 시술 후 부작용이 없고 즉시 화장이 가능하므로 일상생활에 지장이 없다. 그동안 치료가 어려웠던 피부 깊숙한 곳에 색소가 생기는 기미 유형도 치료가 가능하다.

바이탈 이온트의 효과와 적용

멜라닌 색소의 합성을 억제하고 피부노화 방지 및 피부 탄력에 중요한 역할을 하는 콜라겐 합성의 필수 요소이다. 광노화로 생긴 잔주름을 개선하여 기미나 각종 색소 침착, 노화, 칙칙한 피부색, 레이저 수술 전후 관리에 적용이 가능하며 기미의 정도에 따라 차이가 있으나 보통 1주 1~2회씩 3개월 이상의 지속적인 치료가 필요하다.

3) 스케일링(더모 브라이트 라이트닝 옥시필)

죽은 각질 세포를 얇게 벗겨내는 얇은 박피술로 이미 형성된 기미 색소를 떼어 내 주는 역할을 하고 피부의 각화작용을 촉진시킨다.

스케일링 후 기미환자의 홈케어 처방

- 크린싱 밀크를 사용한다(스케일링으로 피부 민감해진 상태).
- DMS® 필링크림, 효소제를 10일에 1회 정도 사용한다.
- 더모 에센셜 수딩 페이셜 토너를 사용한다(무알콜로 피부 수분공급).
- 미백 활성성분을 사용한다(비타민C, E, Q10·· 중 선택한다.).
  아침에는 CM글루칸을 발라 피부면역력을 높여준다.
- DMS® 베이스 크림 하이클래식을 사용한다(손상된 피부 보호막 재생).
- 더모 프로텍션 선 레스큐 크림을 사용한다.
  피부자극성이 없는 제품을 권한다.
- 더모 프로텍션 리바이벌 밤과 리바이벌 쿠션으로 피부 결점을 커버한다.

4) 화학박피(TCA)

단백질을 응고시키는 작용이 있는 아세틴산의 일종으로 표피와 진피 상부를 변성시켜 2~3배 정도의 빠른 재생을 유도하며 색소질환인 기미, 검버섯, 노인성 흑자, 여드름 피부에 우수한 효과를 볼 수 있다.

TCA 후 기미 환자의 홈케어

- 크린싱 밀크를 한다.
- 쥬스문® 로션P로 민감해진 피부를 진정시키고 각질을 녹여준다.
- 비타민A 나노파티클스로 각화 작용을 촉진시킨다.
- DMS® 베이스 크림 하이클래식으로 손상된 피부 보호막을 재생시킨다.
- 더모 프로텍션 선 레스큐 크림을 사용한다.
- 더모 프로텍션 리바이벌 밤과 리바이벌 쿠션으로 피부 결점을 커버한다.

색소(일반관리)

No	관리 순서	적용 제품	사용 방법	참고 사항
1	안 면 클렌징	DMS® 크린싱 밀크	• 적당량(3ml)의 제품을 이용하여 가볍게 핸들링한 후 해면으로 노폐물 제거	– 예민, 건조, 노화 피부
		DMS® 크린싱 젤		– 지성, 여드름
2	토 너	훼이스 토닉	• 탈지솜을 이용하여 얼굴 전체에 도포	
3	딥 클렌징	더모 에센셜 수퍼 엔자임 파우더	• 3g 정도의 양을 유리볼에 덜어 거품을 충분히 낸 후 젖은 팩 붓을 이용하여 도포 • 눈가, 입가 젖은 탈지솜을 이용하여 보호 • 15분 정도 경과 후 가습을 충분히 준 후 해면으로 정리	더모 에센셜 수퍼 엔자임 파우더 효능 : – 피부정화 작용 – 피지, 각질정리
4	이온 토포레시스	더모 브라이트 이온토 앰플	• 더모 브라이트 이온토 앰플(2ml)	
5	집중 케어	DMS® 비타민 마스크	• DMS® 비타민 마스크 2ml를 얼굴 전체 도포	
6	마스크	벨벳 마스크	• 고객 얼굴형에 맞게 벨벳 재단 • 시원한 정제수 준비 • 기포가 생기지 않도록 밀착 • 스파츌러를 이용하여 기포 제거 • BTT 또는 바이옵트론 기계를 적용. 10~15분 적용 후 자연방치 15~20분 • 가볍게 위 → 아래로 제거	– 벨벳이 찢어지지 않도록 주의하며 밀착시킨다. – 눈이 잘 붓는 고객대처 : 마른 탈지솜을 눈가에 밀착하고 벨벳 도포
7	마무리 단계	아이크림 도포	• 소량의 제품을 이용하여 눈주위 흡수	
		더모 브라이트 C 앰플 도포	• 얼굴 각 부위에 한 방울씩 떨어뜨려 흡수	

No	관리 순서	적용 제품	사용 방법	참고 사항
7	마무리 단계	DMS® 베이스 크림 하이클래식	• 1ml로 얼굴 전체 흡수	
		더모 프로텍션 선 레스큐 크림	• 2ml 정도의 제품을 얼굴 전체 꼼꼼하게 도포(눈가, 입가 도포)	– 외출 30분 전에 도포
		더모 프로텍션 리바이벌 밤	• 두들기며 펴 바른다. → 피부 톤을 아름답게 정리	
		더모 프로텍션 리바이벌 쿠션		

색소(특수관리)

No	관리 순서	적용 제품	사용 방법	참고 사항
1	색조 화장 클렌징	더모 에센셜 아이리무버	• 화장솜 3장에 적당량을 묻혀 눈두덩, 눈썹, 입술라인에 약 10초간 적용 • 눈두덩, 눈썹, 입술 라인 순서로 가볍게 색조 제거	– 마스카라, 아이라이너는 면봉을 이용하면 제거용이
	안 면 클렌징	DMS® 크린싱 밀크	• 적당량(2ml)의 제품을 이용하여 가볍게 핸들링한 후 해면으로 노폐물 제거	– 예민, 건조, 노화 피부
		DMS® 크린싱 젤		– 지성, 여드름
2	딥 클렌징	DMS® 필링크림	• 도포하여 5분 후 가볍게 핸들링	– 모든 피부

No	관리 순서	적용 제품	사용 방법	참고 사항
3	화학필링	-G.A	[원장시술] • 눈가, 입가에 올레오젤 플러스 도포 • 색소가 심한 부위 위주로 도포 심한 부위는 프로스팅이 생길 수 있다. • 시간 체크	
		후 처치	[G.A 중화 과정] • 크린싱 젤로 러빙하고 해면정리 • 훼이스 토닉을 충분히 도포 후 정리	
4	토닉	훼이스 로션M	• 눈가, 입가 젖은 탈지솜으로 보호 • 얼굴 전체적으로 분사	
5	이온 토포레시스	더모 브라이트 이온토 앰플	• 더모 브라이트 이온토 앰플 (2ml)	
6	1차마스크	거즈 마스크	• 거즈 마스크 배합 ① DMS® 베이스 크림 하이클래식(2ml) ② 활성성분 – 비타민 E 나노파티클스(0.5ml) – 히아루론산 콘센트레이트(0.25ml) – 코엔자임 큐텐 나노파티클스(0.25ml) ③ 훼이스 토닉(5ml) • ①,②,③을 비커에 배합한 후 준비된 젖은 거즈를 넣어 성분을 흡수시킴. – 성분이 흡수된 거즈를 얼굴에 맞게 밀착	– 초음파 적용하고 10~15분 자연방치 한 후 2차마스크 적용
7	초음파 적용	스킨 스킨스크러버 또는 스킨 마스터 (5분 적용)	• 거즈마스크 위에 스킨 마스터를 적용하여 흡수	– 눈가, 입가 제외하고 적용 – 45° 각도 유지 – 압력 체크 – 근육결 방향대로 적용
8	2차마스크	벨벳 마스크	• DMS® 비타민 마스크 도포(1ml 도포) • 고객 얼굴형에 맞게 벨벳 재단	– 벨벳이 찢어지지 않도록 주의하며 밀착시킨다.

No	관리 순서	적용 제품	사용 방법	참고 사항
8	2차마스크	벨벳 마스크	• 시원한 정제수 준비 • 기포가 생기지 않도록 밀착 • 스파츌러를 이용하여 기포 제거 • BTT 또는 바이옵트론 기계를 적용. 10~15분 적용 • 가볍게 위 → 아래로 제거	– 눈이 잘 붓는 고객대처 : 마른 탈지솜을 눈가에 밀착하고 벨벳 도포
9	마무리 단계	아이크림 도포	• 소량의 제품을 이용하여 눈주위 흡수	
		플란트 리포좀 콘센트레이트	• 얼굴 각 부위에 한 방울씩 떨어뜨려 흡수(0.25ml)	
		더모 브라이트 브라이트닝 크림	• 0.5ml로 얼굴 전체 흡수	
		더모 프로텍션 선 레스큐 크림	• 2ml 정도의 제품을 얼굴 전체 꼼꼼하게 도포(눈가, 입가 도포)	– 외출 30분 전에 도포
		더모 프로텍션 리바이벌 밤	• 두들기며 펴 바른다. → 피부 톤을 아름답게 정리	
		더모 프로텍션 리바이벌 쿠션		

chapter 6 노화 피부

1 피부 노화
2 노화피부 원인의 형태별 분류
3 노화, 수명에 관한 학설
4 피부노화로 나타나는 피부 변화
5 노화방지 클리닉
*노화 피부 관리법

01 피부 노화

Medical Skincare

노화는 인간이 나이가 들어감에 따라 점진적으로 신체에 생리적 변화가 일어나 생물학적 기능과 스트레스에 대한 적응능력이 감소하는 현상이다.

피부에서도 마찬가지로 시간의 진행에 비례하여 일어나는 퇴행성 변화나 햇빛에 의한 손상으로 생리학적인 질서가 파괴되고, 콜라겐과 엘라스틴의 새로운 합성이 저하되어 피부탄력과 수분 보유량이 떨어지고 피부주름과 색소 침착이 나타나게 된다. 이러한 노화현상은 25세 이후부터 서서히 나타나기 시작한다.

1. 자외선(ultraviolet rays)과 노화

광 손상은 피부 노화 및 질환의 최대 적이다. 자외선은 태양에서 나오는 광선의 일종으로 사람의 피부와 매우 밀접하게 관계한다. 태양 광선은 파장에 따라 가시광선, 적외선, 자외선으로 나뉘는데 그 중 피부에 가장 큰 영향을 미치는 것이 바로 자외선이다. 자외선은 A, B, C로 나뉘며 피부에 영향을 미치는 것은 A와 B다.

자외선에 장시간 노출되는 사람은 노화현상이 빨리 일어나며 이로 인해 홍반, 모세혈관 확장, 과도한 각질형성, 피부종양, 기미, 주근깨, 주름 등이 생긴다. 자외선에 노출된 피부는 피부 구성 단백질인 콜라겐과 엘라스틴 등이 파괴되어 피부 탄력이 떨어지고 주름이 형성된다. 자외선의 파장은 다음과 같이 분류된다.

1) UV-A(320~400nm long wavelength)

생활자외선, 선탠 suntan 유발(그을음), 진피 손상 피부 깊숙이 침투하여 선탠 suntan시 피부색을 검게 하고 주름을 발생시킨다(멜라닌 증가와 노화촉진). 피부가 하얀 사람은 UV-A에 주의해야 한다. UV-A 자외선은 비 오는 날에도 주위에 항상 존재한다.

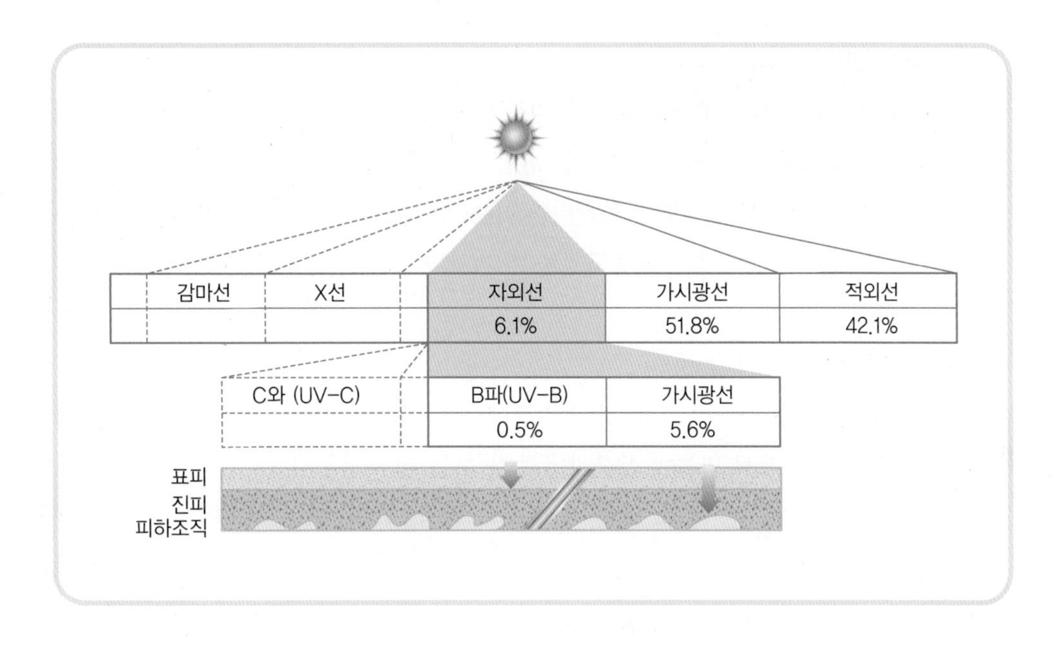

• **선탠(suntan)현상**

멜라닌과 깊은 관계가 있는데 멜라닌이란 강한 자외선이 피부 깊숙이 침투하여 해를 끼치는 것을 자체 방어하기 위해 증가되는 일종의 색소이다. 피부는 자외선으로부터 피부를 보호하기 위해 기저층의 색소세포를 자극하여 멜라닌 색소를 증가시킨다. 선탠을 하면 햇빛을 받은 지 48~72시간 이후부터 시작하여 새로운 멜라닌이 생성되어 검게 되는 것을 의미한다. 제대로 선탠을 한다면 피부두께나 피부상태가 그대로 유지되어 별 문제 될 것이 없지만 잘못될 경우 탄력이 떨어지고 주름이 생기는 등 피부 노화가 촉진된다.

2) UV-B(290~320nm middle wavelength)

: 레저 자외선, 선번 sunburn 유발(홍반), 각질 세포 변형

표피와 진피의 상부까지 작용하며 세포분열을 증진시켜 각질층이 더욱 두꺼워지게 만든다. 자외선A에 비해 태양광선에서 1/100 정도밖에 방출되지 않지만 피부에 미치는 영향은 화상을 일으키는 데 1,000배 정도 강하며 기미를 생기게 하는 원인이 되므로 피부가 검은 사람은 자외선B에 주의해야 한다. 원래는 파장의 길이 순서대로 A, B라고 이름을 지었지만 쉽게 생각해서 A는 aging 즉 노화를 일으키는 자외선, B는 burning 즉 화상을 일으키는 자외선으로 기억하면 쉽다.

• **선번(sunburn)**

주로 UV-B에 의해 일어나는데 피부가 검어지며 일주일 정도 경과 후 표피의 두께가 증가해 피부가 칙칙해진다. 심할 경우 표피세포를 죽이고 껍질이 벗겨지기도 한다. 따라서 철저한 피부관리를 하는 것이 중요하다. 여름철 운동이나 해수욕 등으로 장시간 햇볕에 노출되었을 때 피부가 빨개지는 것은 UV-B 때문이다.

3) UV-C(200~290nm)

단파장인 자외선C는 대부분 오존층에서 흡수되어 지구상에는 거의 도달되지 않으며 인공적으로 만들어 살균과 소독을 하는 데 이용한다.

자외선의 강도는 계절, 날씨, 지형상의 위치, 고도, 받는 부위에 따라 차이가 있다. 일년 중에 자외선 양이 가장 많은 시기는 4월경부터 9월경까지이고, 하지때가 최고점이다. 하루 중에서는 오전 10시부터 오후 2시경까지가 가장 강하고 특히 해변의 모래사장, 바다, 스키장 등에서는 직사광선 이외에도 물이나 눈에 반사되는 광선으로 인해 실제로 피부에 닿는 자외선량은 훨씬 증가한다. 눈이나 수면 같은 곳에서는 빛의 반사율이 거의 80~100%에 달하므로 직사광선 양이 거의 2배가 되는 셈이다.

	UV-A	UV-B
피부에 대한 반응	• Suntan(피부가 검어짐), 피부의 기저층에 있는 멜라닌 색소가 늘어나기 때문에 피부가 검어짐. • 구름 낀 날에도 창문을 통하여 들어와 피부에 도달 • 진피의 섬유질을 변형시켜 노화를 촉진	• 피부에 염증유발(Sunburn→심할 경우에는 물집이 생기며→그 후 피부가 검어짐) • 각질층이 두꺼워지고 각질층의 수분이 감소, 피부 트러블을 유발

2. 프리라디칼(free radical)과 노화

1) 유리기란?

"산화가 곧 노화이며, 산화는 유리기에 의해서 일어난다."

유리기는 활성산소 유해산소라고도 하며 화학적으로 설명하면, 모든 원자는 가운데 핵이 있으며 핵 주위는 쌍으로 된 전자에 의해 둘러싸여 있다. 만일 핵을 둘러싼 전자가 하나 없어져서 쌍을 형성하지 못하면, 원자는 불안정한 상태가 되어서 주위로부터 전자를 빼앗기 위해 활성이 증가되는데 이러한 활성물질을 유리기라 한다.

몸속에서 형성된 활성산소는 불안정한 상태를 안정된 상태로 유지하기 위해 주위에 있는 세포막이나 DNA로부터 전자를 빼앗게 되며 전자를 잃은 분자는 산화와 손상을 겪게 될 뿐 아니라 그 자체가 전자를 잃은 유리기가 되어 다시 다른 분자를 공격하는 현상이 일어난다.

활성산소는 인체 내에서 세균이나 바이러스를 파괴하여 우리 몸을 보호하고 세포 활동에 필요한 호르몬을 생성하는 등 인체에 유익한 작용을 하기도 하지만, 활성산소가 과다하게 생성되면 세포를 구성하는 성분인 지방, 단백질 그리고 DNA를 산화시켜 노화와 질병을 촉진시키게 된다. 노화와 질병은 바로 우리들의 몸이 과도하게 산화됨으로써 발생하는 것인데 인체 내에서 산화는 유리기라는 활성물질에 의해서 야기된다.

이 활성산소는 자외선 합성물질 등의 자극을 받으면 발생하며 세포막 세포 내를 손상시켜 지질을 과산화지질로 변화시킨다.

유리기는 세포 속에 있는 미토콘드리아에서 에너지를 생성하는 과정과 면역세포가 세균이나 바이러스를 물리치는 수단으로 이용될 때 우리 몸에서 정상적으로 발생된다. 미토콘드리아는 세포가 살아가기 위해서 필요한 에너지인 APT를 생성하는 에너지 발전소이다. 이러한 과정에서 우리가 섭취하는 음식물과 호흡으로 들어온 산소를 원료로 하여 에너지를 발생시키는데 이 과정에서 필연적으로 유리기라는 매연을 발생시킨다.

우리 몸에서 생성되는 유리기는 약 90%는 미토콘드리아에서 에너지를 얻는 과정에서 발생된다. 우리 몸에는 약 60조 개의 세포가 있으며 각 세포에서는 하루에 수백만 개의 유리기가 발생된다.

2) 활성산소의 종류

프리라디칼 Free radical이란 짝지어지지 않은 전자를 가진 물질을 말하며 이것은 반응성이 아주 강하고 그 수명이 아주 짧아서, 정상적인 산소는 우리 몸에서 약 100초 이상 머무르는 데 반하여 superoxide(O_2^-), hydroxyl oxygen 등 유해산소는 1백만~10억분의 1초 동안 생겼다가 없어진다. 이처럼 짧은 시간이지만 유해산소는 세포막을 형성하는 주성분인 지질의 과산화현상을 일으켜서 세포막을 파괴하고 신호전달 체계를 망가뜨리거나 적혈구를 파괴하기도 한다.

신체 중에 발생하기 쉬운 활성산소는 과산화수소, 슈퍼옥사이드 라디칼, 히드록시라디칼 등이 있다. 이런 활성산소가 지방산(불포화지방산) 등의 지질에 작용하여 생기는 것이 과산화지질이다. 이 과산화지질은 체외로 배설되지 않는 특징을 가지고 있어 신체 중에 남아 서서히 세포나 내장에 침투하면 그곳을 서서히 침식하는 무서운 '테러행위'를 한다. 결국 사람에게 직접 피해를 주는 것은 활성산소가 아니라 "과산화지질"인 것이다.

산소분자(O_2)는 2개의 산소원자(O)로 되어 있고 이 산소원자 궤도는 전자적으로 불안정하여 주위로부터 전자를 빼앗으려는 성질이 있는데, 이런 행동양상에 따라 생성되는 활성산소의 종류는 4종류가 있다.

① 슈퍼옥사이드 라디칼(superoxide radical, O_2-)

가장 일반적이고 몸속에서 가장 많이 발생하는 활성산소이며, 음식물을 에너지로 변화시키는 기관인 미토콘드리아에서 생성되므로 24시간 항상 체내에서 발생한다.

② 하이드로겐 퍼록사이드(hydrogen peroxide, H_2O_2)

슈퍼옥사이드 라디칼 상태에서 다른 전자를 받아 2개의 수소이온과 결합하면 H_2O_2가 된다. 쌍을 이루지 못하는 전자는 갖고 있지 않으나 조그만 자극을 받아도 불안정한 전자로 변하기 때문에 활성산소에 속한다. 이는 물(H_2O)에 여분의 산소(O_2)가 하나 더 붙어있는 형태이며, 이 여분의 산소가 세균의 산소와 반응하여 거품이 발생하면서 세균을 사멸시킨다. 이 과산화수소가 몸속의 철(Fe)이나 동(Gu) 이온과 결합하면 일중항산소(O_2)라 불리는 무서운 활성산소로 변한다.

③ 하이드록시 라디칼(hydroxyl radical, OH^-)

과산화수소에 1개의 전자를 더 받으면 OH가 된다. DNA 손상, 세포변형, 암 유발, 과산화수소가 금속이온과 반응할 때 발생하며 가장 산화력이 강한 활성산소이다. 그래서 '암' 이나 각종 '성인병', '노화' 의 원인이 되기도 한다. 단, 체내에 존재하는 시간은 100만분의 1초라는 극히 짧은 시간 동안 존재한다.

④ 싱글렛 옥시전(singlet oxygen, O_2)

파괴력이 강한 유해산소, 자외선에 노출되었을 때 발생하며 대단히 강한 산화력을 가진 활성산소이다. 과산화수소가 몸속에서 금속이온과 반응하여 발생되기도 하고, 자외선 등에 의하여 피부 속에서 발생하는 특징이 있으며 '피부암' 등 여러 가지 "암"의 원인이 되는 대단히 무서운 활성산소로 알려져 있다.

1. 내인성 노화(aging)

'자연노화' 라고 하며 나이가 들어감에 따라 자연스럽게 나타나는 퇴행성 신체 변화를 말하며 또는 유전적 체질에 의해 나타나는 노화라고 한다.

1) 피부변화

- **일반적인 변화** : 피부위축, 피부탄력 저하, 지질량 감소

- **병적인 변화** : 노인성 색소반, 노인성 백반, 자극에 의한 피부염

2) 피부 부속기관 변화

피지선 증식, 피지분비 감소, 한선의 수와 기능 감소

3) 피부 조직의 변화

진피 내 섬유아세포의 수가 감소, 진피의 표피 경계부가 편평해짐.

2. 외인성 노화(광노화)

햇빛에 피부가 노출되면 자외선(UV-A, UV-B)이 흡수되어 피부 표면과 조직을 손상시키고 누적된 외부환경에 대한 노출로 피부노화를 초래한다.

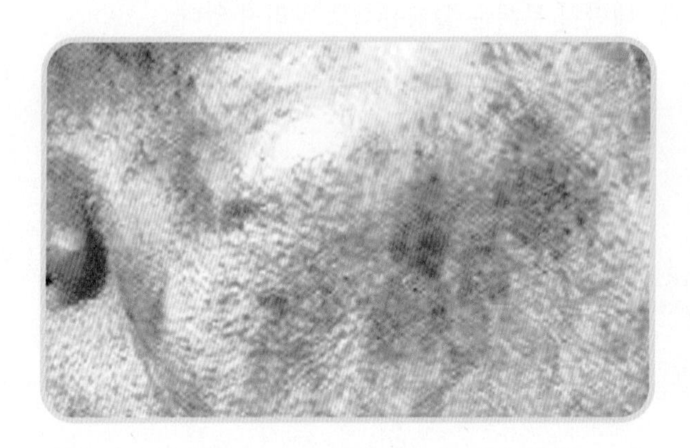

1) 피부 변화

- **일반적인 변화** : 건조, 거칠어짐, 깊은 주름, 탄력저하, 멜라닌색소가 불균일하게 분포, 표피두께 증가, 탄력섬유의 이상 증식
- **병적인 변화** : 흑자, 주근깨, 일광화상, 색소 침착, 피부암

2) 피부 조직변화

콜라겐 합성 능력 저하, 엘라스틴 수 · 굵기 감소

노화, 수명에 관한 학설

03

Medical Skincare

1. 프로그램설(programmed theory)

노화나 죽음이 태생 때부터 짜놓은 DNA 유전자에 의해 정해진 프로그램에 따라서 생로병사가 일어난다고 생각하는 것이 프로그램설이다.

2. DNA 손상설

스질라드 박사에 의하면 DNA의 손상이 반복되면 노화가 일어난다. DNA는 모든 세포의 핵을 구성하고 있으며 종족의 고유한 유전정보를 유지하는 곳이다. DNA의 손상이 반복적으로 일어나면 이 손상이 새 세포에 전달되고 DNA는 효능이 떨어지게 된다. 우리 몸은 요구되는 모든 조건이 충족되기만 하면 손상된 DNA도 정상으로 돌리는 메커니즘이 있다. 세포재생을 위해서는 세포 구성성분이 필요한데, 이런 관점에서 보면 임상영양요법이 중요하다. DNA도 핵산의 일종으로 주로 가공하지 않은 천연의 성분인 핵산이 풍부하므로 핵산을 적절하게 공급하여 비만을 피하고 방사능물질의 오염을 막아 크로스링크가 생기지 않게 하면 노화는 예방할 수 있다.

3. 크로스 링크설(cross-linkage theory)

크로스링크로 인해 세포성장이 정지한다는 이 이론은 요한 복스턴 박사에 의해 제안된 것으로 '크로스링크'라는 말은 세포 속의 분자들이 결합되어 세포에게 악영향을 주는 것이다. 우리 몸의 세포에는 많은 작은 분자단이 있어 이들이 그 기능을 다할 때 우리 몸은 제대로 움직이게 된다. 그런데 크로스링크를 생기게 한 인자에 의한 분자단이 서로 결합하게 되면 우리 몸의 세포는 제대로 움직이지 못하게 된다.

4. 프리라디칼 설(free radical theory)

활성산소는 대사과정에서 발생되는 매우 반응이 강한 물질로서 생체막을 구성하는 불포화지방산과 쉽게 반응하여 생체막의 구조적 · 기능적인 손상을 유발할 뿐만 아니라 생체계의 효소나 핵산을 공격하여 파괴하고, 염색체의 돌연변이를 유도하여 노화를 촉진시킨다. 최근 동맥경화증이나 암 등 만성질환의 발생과 관련성이 보고되면서, 프리라디칼 발생을 막을 수 있는 여러 방법이 제시되고 있다. 항산화제로 알려진 영양소의 섭취가 프리라디칼의 발생을 막을 수 있다.

> ✽ 항산화제란?
> 생체계에서 불포화지방산의 산화와 프리라디칼의 형성을 막을 수 있는 물질. 영양소로서 비타민 A, C, E, 셀레늄 등이 있다.

5. 세포 분열 제한설(telomere theroy)

인간 염색체 양 끝부분인 텔로미어telomere는 DNA 염기쌍 약 2,000개가 반복 배열된다. 1회 세포 분열 시 16개 염기쌍이 손실되고, 산술상 125회 유사 분열한 후 텔로미어는 완전 소멸한다. 인간 세포는 끝부분 일부가 복제되지 않아 텔로미어 길이가 조금씩 짧아지는데 일정 기준 이하가 되면 세포 분열이 멈추고 세포 노화가 초래된다는 이론이다.

- 생쥐(수명 2.5년) 14~28회 분열, 닭(수명 30년) 15~35회 분열
- 사람(수명 90년) 20~60회 분열, 거북(수명 175년) 72~114회 분열

6. 기타 이론들

- **생체물질론 –** 생체 내에 있는 특정 물질을 다 소비하고 나면 수명이 다한다.
- **유전자 돌연변이설 –** 유전자 돌연변이로 인하여 구조적인 불안정이 세포에 상해를 주고 세포기능을 변화시키고 손상오류를 축적한다.
- **자가면역 이론 –** 면역에서 생체가 자기와 비자기의 구별을 상실하여 림프구가 정상 조직을 공격하고, 호르몬 분비를 감소시킨다.

04 피부노화로 나타나는 피부 변화

Medical Skincare

피지선 기능 저하	피부가 건조, 유연성 저하
땀샘의 기능 저하	체온조절 능력 저하
turn over 감소	피부가 거칠어짐, 세포재생이 늦어짐
콜라겐, 엘라스틴 감소	섬유아조직 변성, 주름 형성
멜라닌 세포 수 감소	자외선에 대한 방어능력이 떨어짐으로써 피부재생이 느려짐. 기미, 검버섯, 색소침착
모세혈관과 혈액순환 저하	혈관 확장, 주사, 안면 홍조증
지질량 감소	건조하며 쉽게 붉어지며 가렵고 알레르기나 자극에 쉽게 반응함.
면역기능 저하	세균, 바이러스 감염이 쉬움

운동요법, 식이요법, 스트레스 관리, 성 클리닉, 비타민제제, 항산화제 치료, 에스트로겐 보충요법, 메디컬 치료 등이 있다.

- 콜라겐 섬유의 증가 억제
- 콜라겐 섬유의 교차로 인한 경화현상의 억제
- 식이요법
- 흡수되는 칼로리의 제한
- 적당한 운동
- 스트레스 해소
- 항산화 효소성 식품공급
- 면역기능을 강화시키는 요법
- 뇌의 노화를 방지하는 요법
- 뼈의 노화를 방지하는 요법
- 피부의 노화를 방지하는 요법
- 아름다운 몸매를 유지하기 위한 요법

그 외에도 노화를 방지하기 위해 많은 노력을 하고 있다.

1. 노화를 방지하는 호르몬 치료

1) 호르몬 치료(estrogen replacement therapy) - 호르몬 보충 요법

사람은 나이가 들어가면서 호르몬 분비가 대개 감소된다. 특히 여성의 경우 폐경 이후 여성 호르몬인 에스트로겐(estrogen)이 단기간에 감소하면서 피부의 탄력성이 감소된다. 콜라겐 생성과 진피의 히알루론산의 감소로 피부는 건조해지고 얇아지면서 잔주름이 많이 생겨 처지게 된다. 특히 얼굴에는 에스트로겐 수용체가 많이 존재하여 더 늙어 보이기 시작한다. 에스트로겐은 유방을 탱탱하게 유지하는 데 기여한다. 에스트로겐이 감소하면 유방은 유선조직이 지방으로 대치되면서 처지기 시작하며, 질이 위축되어 성교시 통증을 수반될 수 있다.

에스트로겐은 인체에서 분비되는 가장 강력한 호르몬 중의 하나이며 생리, 임신, 그리고 폐경에 이르기까지 여성의 일생을 조절하는 호르몬이다. 인체의 에스트로겐 농도는 뇌에서 간장, 뼈에 이르기까지 광범위한 조직과 기관에 영향을 미친다. 특히 자궁, 비뇨기, 유방, 피부, 그리고 혈관들이 유연성과 정상상태를 유지하는 데 에스트로겐은 꼭 필요한 호르몬이다.

✲ 식물 에스트로겐(phytoestrogens)

질병의 예방과 치료를 위한 각종 합성약품과 호르몬의 천연 대용품들과 영양식품들에 대한 관심이 증가하고 있다. 그 중에서도 식물 에스트로겐이라고 불리는 물질들이 폐경기 증상을 완화하고 유방암에도 효과가 있어 에스트로겐의 대용물로 인기를 누리고 있다.
식사를 통해서 섭취하는 식물 에스트로겐은 주로 과일, 채소, 육류에서 나오는데 그 중에서도 사람을 대상으로 가장 집중적으로 연구된 것으로는 장내 박테리아에 의해서 분해된 알곡류, 섬유질류, 과일류, 채소류 등에 만들어지는 리그난lignan과 콩류와 식물에 함유되어 있는 이소플라본Isoflavone류 등이 식물 에스트로겐으로 알려져 있다. 인체가 분비하는 에스트로겐과 구조적으로 비슷하다.

그 외에 노화방지를 위한 호르몬의 치료로는 다음과 같은 것들을 이용하고 있다.

멜라토닌 melatonin	노화를 반전시키며, 면역계를 강화, 암과 기타 질병에 대한 저항성을 증진시키며, 안전하고 의존성이 없는 수면 보조제로 사용된다. 콜레스테롤 수치를 낮추고, 스트레스를 해소시키며, 시차로 인한 스트레스 해소에 특효. 성 호르몬의 분비를 촉진, 항산화 작용이 있다.
에스트로겐 estrogen	폐경기 여성의 치료제로 복용시 항노화 효과를 가진다. 치매예방, 심장질환의 위험성을 감소시킨다. 강력한 산화물질이며, 골다공증과 대장암을 예방한다.
프로게스테론 progesterone	천연의 기분상승제이다. 임심 중에 많은 양이 생산되어 여성에게 안정감을 갖게 한다. 자궁암과 뼈의 손실을 예방한다.
테스토스테론 testosterone	남성과 여성의 성욕을 조절하는 호르몬, 우울증에 대한 저항성이 증가, 지속적인 근력의 강화, 심장질환에 대한 저항성이 생긴다.
디하이드로에피안드로스테론 DHEA	신체의 모든 기관을 다시 젊게 만들어주며, 외모와 감정, 사고에 활력을 준다. 정력을 회복시키고 기분을 좋게 하고, 성욕을 증가시키고 기억력을 증가시키며 스트레스의 해소와 체지방 감소, 피부를 부드럽게 하고, 머리카락을 빛나게 한다. 항암효과, 면역증진에 도움을 준다.
프레그네롤논 prognenolone	뇌기능을 증진시켜 학습과 집중에 긍정적인 효과를 얻는다.
성장호르몬 human growth hormone	사람이 젊어졌다고 느끼게 할 뿐만 아니라 더 젊어 보이게 한다. 뼈와 근육을 강화시키고 체지방을 감소시키며 신부전에 효과, 심근 질환에도 효과가 있다.

2. 노화피부 국소 치료

1) 특징

- 3~6개월 동안 사용
- 호전을 지속하기 위해 유지요법
- 접촉 피부염 유발 가능
- 수술적 요법과 마찬가지로 많은 비용

2) 종 류

- **레티노이드(retinoid)**

지금까지 피부에 바르는 물질로서 피부노화를 방지하거나 이미 발생한 주름살을 펼 수 있는 물질로 FDA에서 인정한 것은 레틴-A(retin-A, tretinoic이나 retinoic acid라고도 함)가 유일하다.

주름살을 개선하고 피부의 거칠음을 완화시키며 흑자를 밝게 하고, 광선각화증을 개선한다는 임상연구 결과 외에도 FDA가 인정한 효과로 지나친 각질을 제거하고, 표피의 두께를 두껍게 하고 튼튼하게 하는 효과가 있고, 진피에서는 노화피부에서 감소하는 콜라겐의 생성을 유도하는 효과도 가지고 있다.

비타민 A_1의 화학명으로, 순수비타민A라고도 한다. 활성형태인 레티노인산 retinoic acid으로 변형되기도 하며 표피세포가 원래의 기능을 유지하는 데 중요한 역할을 하는 것으로 알려져 있다.

- **alpha hydroxy acid(AHA)**

알파-히드록시산은 유기산(또는 카르복시산이라고도 부름)의 첫 번째 탄소에 수산기 hydroxy group가 있는 물질들을 총칭하는 말이다.

주로 여러 가지 과일, 사탕수수 등에서 추출되는 성분이기 때문에 흔히 '과일산' 이라고도 한다.

레티노이드 retinoid와 달리 햇빛에 의한 피부자극이 없다는 점이 가장 큰 장점이며, 그 외에도 피부 노화 예방으로 선풍적 인기를 끌고 있다.

- 천연적으로 발생하는 복합체들의 한 그룹
- 알파 위치에 하이드록시 그룹을 가지고 있어서 붙여진 이름인 AHA는 천연적으로 발생하는 유기산으로 각질탈락 유도
- 각질층 아랫부분에서 각질세포들 사이의 응집력에 영향(각질층의 pH변형을 통하여 피부에 작용)

3. 항산화제

항산화제는 유리기를 차단하여 산화라는 부패로부터 인체를 보호하는 물질이다. 이런 항산화제들은 콜라겐 합성에 보조 역할을 해서 주름 개선 및 예방효과가 있고 부족한 경우 모세혈관 주변의 콜라겐 벽이 약해져 출혈이 생길 수도 있다.

1) 비타민C

비타민C는 대표적인 항산화 작용을 하며 콜라겐 합성과 소장 내에서 철분의 흡수를 도와 카르니틴 생합성 및 면역기능에 관여한다. 부족 시 괴혈병과 콜라겐 합성 이상으로 결체조직의 이상, 뼈 통증, 골절, 설사 등이 일어나며 과잉 시 메스꺼움, 복통 등의 위장장애가 일어날 수 있다. 환원제 역할로 노화성 색소 침착 감소와 탄력강화, 재생력 촉구에 탁월한 효과를 가지고 있으며 비타민A, E와 같이 사용하면 시너지 효과를 얻을 수 있다.

2) 비타민E

비타민E의 주기능은 항산화 작용으로 특히 피부 세포막의 산화를 막아 세포를 활성산소로부터 보호하여 노화를 막아주는 것이다. 또한 장기의 세포가 산화되어 기능에 이상이 생기는 것을 방지하고 노화를 예방한다. 이 외에도 생식기능을 정상적으로 유지하는 기능을 가진 항불임성 비타민이기도 하다.

만약 비타민E가 부족하다면 성적 능력이 떨어져 남성의 경우 정자 형성에도 장애가 생기므로 평소 비타민E를 보충하는 것이 좋다.

비타민E는 지용성의 물질이기 때문에 혈액 속에서는 녹지 않고 리포프로테인

이라는 단백질에 운송되어 세포막으로 이동된다. 세포막은 세포를 보호하는 일차적인 방어벽으로 주로 지방으로 구성되어 있다. 지방과 비타민E의 성분 비율은 1,500:1 정도로 비타민E의 양은 극히 소량이지만 비타민E는 유리기로부터 지방의 산화를 방지하는 충분한 역할을 한다.

2) 코엔자임 Q10

코엔자임 Q10은 강력한 항산화의 효과뿐 아니라 동시에 많은 에너지를 만드는 물질이다.

코엔자임 Q10은 미토콘드리아에서 에너지를 만들 때 반드시 필요한 보조효소로 코엔자임 Q10 없이는 에너지가 생성되지 않는다.

지용성 항산화제로 분류되며 체내에서 합성되며 코엔자임 Q10의 분비는 20대에 최고의 분비를 나타내며 노화가 진행되면서 서서히 그 양은 감소된다.

같은 지용성 비타민인 비타민E와 더불어 사용한다면 항산화 효과는 더욱 증대할 것이다. 건강식품 보조제로 나온 많은 항산화제와 노화피부 개선효과와 예방의 차원으로 나오는 화장품류 및 약품 등을 병원, 약국에서 쉽게 볼 수 있다.

3) 리포익산

오래전부터 리포익산은 유럽에서 당뇨병의 합병증을 치료하기 위해서 사용되고 있다. 리포익산은 비타민과 유사한 작용을 하고 있으나 비타민과는 달리 우리 몸에서 생성된다. 리포익산이 다른 종류의 산화제보다 우수한 점은 지용성과 수용성을 모두 가지고 있어서 세포의 어디에서나 발생되는 유리기를 제거하는 데 효과가 있으며 비타민E, 비타민C, 코엔자임 Q10의 효과를 상승시키는 작용을 가지고 있다.

4. 기타 노화 방지 보조제

1) 비타민 D

노화에 동반되는 골다공증을 방지하기 위해 필수적인 영양물로 피부가 햇빛에 노출되어 있을 때 체내에서 비타민D가 생성된다. 70대가 되면 우리 몸은 30대에 만들어내는 비타민의 40% 정도만을 생산하게 된다. 노화는 연속적으로 일어나기 때문에, 점차적으로 비타민 섭취를 늘려서 60대가 되면 600 IU 정도는 섭취를 해야 한다.

2) 비타민 B

세 종류의 비타민 B(엽산 folic acid, 비타민 B_6, 비타민 B_{12})는 혈액 속에 호모시스테인(homocystein)이라고 불리는 혼합물을 유지하는 데 반드시 필요하다. 호모시스테인은 심장질환이나 기억력 감퇴까지도 예방할 수 있는 것으로 알려져 있으며, 나이가 들어감에 따라 비타민 B_6의 양은 2mg에서 5mg으로, 비타민 B_{12}는 2mg에서 10mg으로 늘려야 한다.

3) 칼슘

여성들은 나이가 들어감에 따라 골다공증을 막기 위해 칼슘의 섭취를 늘려야 한다. 폐경기 여성은 호르몬 대체요법 중이라면 1,200mg, 호르몬 대체요법을 하지 않는 상태라면 1,500mg이 적당하다.

5. 메디컬에서의 피부노화 클리닉

1) Chemical peeling

TCA, Phenol, Salicylic acid, Coombe's

한 가지 혹은 여러 가지 화학적 박피제 chemical agent를 이용하여 표피 또는 진피의 일부까지 제거하는 방법이다.

특수 성질을 가지고 있는 약물을 이용하여 피부의 단백질을 변성시키거나 표피와 진피상부를 괴사시키면, 손상 받은 조직 아래에 있는 모낭으로부터 표피 세포가 이동하여 표피를 재생시키고 2~3주 내에 진피도 재생되어 일반적으로 피부에 흉터가 남지 않는다.

새로운 콜라겐의 합성으로 피부의 탄력이 증가하고, 표피층의 멜라닌 감소로 미백효과도 뛰어나다.

- 표피 기저 세포 층에 멜라닌 색소의 양이 감소
- 표피가 비후
- 진피 유두층이 두꺼워진다.
- 신성 콜라겐과 엘라스틴 섬유가 증가

2) 스킨 스케일링

피부의 각질층과 표피 일부, 즉 죽은 피부를 화학적, 물리적 기타의 방법을 이용해 녹여내는 얕은 박피술이다. 표피 상부를 녹여내는 얕은 박피술을 반복적으로 시행하면 잔주름이 제거되어 영양분의 흡수력을 높일 수 있다.

주로 사용되는 방법은 크리스탈 필링, 다이아몬드 필링, 초음파의 진동 등 기계를 사용하는 방법이다. 또한, 천연 과일산을 이용한 alpha-hydroxy acid peeling 중 glycolic acid가 가장 흔하게 널리 사용되며 요즘은 젖산 성분인 lactic acid도 많이 사용된다.

흔히 화학박피 등 강한 박피는 딱지가 많이 생기고 색소 침착의 위험이 있어 주로 햇빛이 적은 겨울에 많이 하였으나 최근 많이 시행되는 피부 스케일링은 관리 후 곧 바로 세안, 외출이 가능하고 메이크업에도 크게 문제가 없어 '피부스케일링', 또는 회사에서 점심시간에 잠깐 나와 30~40분이면 받을 수 있다 하여 '점심시간박피' 라고도 불린다. 따라서 최근에는 노화 방지와 탄력강화, 기미치료에서 불편함과 합병증을 줄인 피부 스케일링을 많이 하고 있다.

시술 후 칙칙했던 피부가 촉촉해지고 피부색이 맑아지며 몇 차례 반복하면 눈주위의 옅은 주름이 완화되고, 여드름 흔적과 넓은 모공 및 잡티가 개선되는 효과를 얻을 수 있으며 막힌 땀구멍을 열어주어 화장을 더 잘 받게 해준다. 1~2주 간격으로 4번 정도 시술 받는 것이 효과적이다.

3) O_2 Therapy

노화가 진행될수록 피부는 산소를 소비하는 능력이 5~15% 감소한다(세포의 산소 운반능력 저하, 신진대사 기능 저하). 이러한 산소 결핍은 피부의 노화를 촉진하는 결과를 가져온다. 따라서 특수 산소압을 이용한 활성성분의 깊숙한 침투작용이 주름지고 얼룩진 노화 피부를 개선해 준다.

✲ 적용 분야

주름, 기미, 색소 침착, 박피 후 재생 치료

✲ 특징

- 시술 후 홍반, 색소 침착이 없고 통증이 없다.
- 시술 후 세안, 메이크업이 가능하다.

O_2 Therapy는 최근 개발된 옥시젠 oxygen이란 기계를 이용하여 피부에 순수 산소를 투입하는 방법이다. oxygen은 피부에 산소압력을 이용하여 산소를 피부 깊숙한 곳에 투입할 뿐 아니라 약물이나 영양물질 또한 투입이 가능하다. 즉, 그냥 약제를 발랐을 때보다 기기를 이용한 경우 즉각적인 침투 속도와 침투량이 30~40배 증가한다.

그러므로 잔주름 제거나 피부 탄력 회복에 좋으며 탈색제나 비타민C, 알부틴 등의 물질을 투입시키는 경우와 기미나 색소 침착을 없애는 데도 탁월한 기능을 발휘하며, 필링 후 산소요법을 시행할 때에는 피부재생도 기대할 수 있다.

- 통증이나 부작용이 전혀 없다.
- 피부가 더 맑아지고 화장도 잘 받는다.
- 시술 후 곧 피부가 깨끗해진다는 것을 느낄 수 있다.

4) Micro dermabrasion

노화피부일 경우 피부표면의 각질층이 젊은 피부에 비해 상대적으로 두터워져 있으므로 박피술을 시행하여 재생력을 촉진시킨다.

① 크리스탈 필링(crystal peeling)

전기 압축을 이용한 크리스탈 필링 crystal peel은 일명 런치 필이라 하며 표피의 죽은 각질을 제거하는 기계이다. 크리스탈은 다이아몬드 다음으로 단단한 광물로 미세 크리스탈은 정교하고 미세하게 피부층에 작용한다. 이 미세한 크리스탈 입자를 피부의 가장 바깥층에 강하게 분사하여 피부를 세밀하게 갈아내는 것과 동시에 입자와 조직을 흡입하여 미세한 박피가 일어나도록 하는 방법으로 노화된 각질을 제거하고 막힌 모공을 뚫어주어 거칠고 탄력을 잃은 칙칙한 피부나 기미, 여드름 등의 치료에 효과적이며 또한 진피에서 콜라겐의 생성을 증가시켜 여드름 흉터, 넓어진 모공, 잔주름 기타 흉터 등의 치료에도 탁월한 효과를 보인다.

핸드 피스에서 알루미나 옥사이드라 불리는 미립 광물질을 연속적으로 투사하여 각질이 흡입되는 원리를 이용하는데 강한 진공에너지에 의해 크리스탈 파우더를 피부에 부딪히게 하여 피부조직을 탈피시키는 방법이다. 치료에 사용되는 미세 크리스탈은 천연광물에서 얻어지며 화학적 반응을 일으키지 않고 인체에도 무해하다. 주된 효과는 미세한 선이나 잔주름(노화 관리), 확장된 모공 축소 관리, 여드름 자국, 흉터 완화, 과잉 생성된 각질제거 관리에 효과가 크다.

크리스탈 필링은 강도와 속도 조절에 따라 통증의 정도와 시술 효과가 달라진다. 약하고 빠르면 통증이 거의 없는 표면적인 박피 효과를 볼 수 있고, 강하고 느리면 따끔거리는 정도의 통증 대신 깊숙한 박피 효과가 있으며 시술 후 진정팩 또는 마스크를 병행하면 피부 재생효과가 한층 높아진다.

② 다이아몬드 필링

다이아몬드는 가장 단단한 천연광물로 화학적 반응을 일으키지 않고 인체에 무해한 물질로 알려져 있다. 다이아몬드 필링은 팁에 고정된 다이아몬드 입자와 강한 진공압을 이용하여 조직을 탈피시키는 필링기로서 피부의 가장 겉에 있는 층인 각질층과 표피의 일부를 깎아내고, '바큠 프로그램'을 이용해 재생을 촉진시킴으로써 더욱 더 건강하고 탄력적인 피부를 얻게 해준다.

매우 안전하고 통증이 거의 없으며 피부에 잔유물 없이 얇게 피부를 필링시키므로 바로 화장이나 세안이 가능하므로 일상생활에 지장이 없다. 특히 시술 후 피지와 각질이 제거되는 것을 시술 과정에서 직접 확인할 수 있어 환자들로부터 반응이 좋다.

5) 레이저 치료

출력되는 파장의 종류와 매개물질에 따라 구분하며 레이저의 파장과 종류에 따라 사용되는 범위도 달라진다. 재생이나 주름 완화, 모세혈관확장, 박피 등의 용도로 레이저가 많이 사용되고 있다.

① 점, 검버섯, 한관종, 흑자, 쥐젖, 주름제거술 등

Er:Yag Laser(2,936nm), CO_2 Laser(Ultra pulse), CO_3 Laser, COOL TouchLaser

② 모세혈관 확장증

- Dye(585nm) Long pulse laser
- Q/S Nd:Yag Laser
- Copper Vaper Laser(578nm)
- Photoderm Laser(550,570,590nm)

③ Iontophoresis & sonophoresis 요법

유효성분의 피부 흡수를 높이는 방법으로 이온성 물질과 비이온성 물질을 침투시킨다.

6) MTS

MTS는 피부를 벗겨내어 손상된 피부가 재생되는 것을 이용하여 주름이나 색소 침착이 치료되는 기존의 시술법(레이저, 박피 등)과는 달리 표피를 제거하거나 손상시키지 않고 자체 콜라겐 생성을 유도하는 신개념 세포 복원 시스템이라 할 수 있다. 부작용 없이 간편하고 안전한 MTS는 마이크로 니들 microneedle이 피부에 침투되면서 발생하는 자연적 상처치유 wound healing 작용으로 인하여 진피조직이 새로이 구성되고 재배열되기 때문에 흉터가 얕아지고, 피부가 건강한 상태로 되돌아갈 수 있다. 또한 192개의 마이크로 니들 microneedle이 단 5분 적용 시에 15~20만 개의 엄청난 통과 통로를 제공하여 최신 활성 펩타이드 등의 유효성분을 전달함으로써 치료 효과를 더욱 극대화시킬 수 있다.

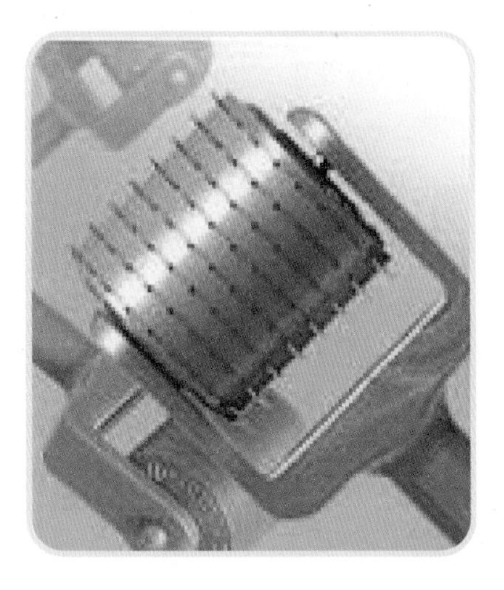

- 눈가나 입가의 주름 치료
- 촉촉하고 생기 있는 피부로 환원
- 여드름 자국으로 울퉁불퉁한 피부결
- 흉터, 상처자국의 치료
- 셀룰라이트, 튼 살의 치료

7) 주사요법

✲ 필러(filler)란?

주름살이나 여드름 흉을 교정하기 위해 피부의 피하조직 내에 주입하는 물질을 필러(filler)라고 하는데 외래에서 간단한 주입술로 주름살을 교정할 수 있어 최근 피부미용 영역에서도 각광을 받고 있다. 필러는 주름살이 있는 부분을 외부물질로 채워서 올려줌으로써 주름을 치료하는 것을 말하며 필러에는 콜라겐, 히아루론산(레스틸렌, 필레인), 아테콜, 오토로겐(자가 콜라겐) 등 다양하다.

① 보톡스

보톡스 Botox 는 부패된 음식에서 검출되는 보툴리늄이란 박테리아에서 분비되는 신경독소 botulinum toxin 를 이용한 주름제거용 치료제이다. 이 독소는 표정근육을 담당하는 신경전달물질인 '아세틸콜린'의 분비를 억제하여 일시적으로 근육을 마비시키는 것으로 원래 안면 경련, 사시 및 눈떨림의 치료 목적으로 개발되었다.

이후 독소의 근육 마비 작용을 이용하여 안면 근육에 의한 주름 제거에 응용하기 시작하였고, 이러한 위험한 독소를 유익하게 이용하여 명약이 되었다. 현재 보톡스 Botox 라는 상품명으로 보급되고 있는 이 독소는 적정 농도로 희석하여 사용하기 때문에 전신적으로 전혀 문제가 없고, 주사 놓은 근육에만 선택적으로 작용하여 그 근육을 움직이지 못하게 함으로써 주름을 펴주게 되며 안전성이 입증되어 1989년 FDA로부터 안전성을 공인받아 전 세계적으로 사용되고 있다.

이 주사는 효과가 5~10개월 정도(평균 6개월)만 유지되어 그 시기가 지나면 재치료를 해야 하는 단점이 있지만 수술로 해결하기 어려운 안면 부위의 주름을 펴는 것에 탁월한 효과가 있으며 시술 후 부작용이나 통증이 적고 시술이 간단하다는 장점이 있다.

시술 부위에 따라 약 5~10분 정도면 충분하고 바로 정상적인 생활을 할 수 있으며 2~3일 후면 효과가 나타나게 되고 신기할 정도로 주름이 자연스럽게 완화된다.

수술에 대한 두려움이 많거나 수술을 받을 시간이 충분치 못한 사람들에게 매우 유용한 시술이며 주름 제거술에 이용될 때는 수술로써 교정하기 힘든 부위의 주름에 주로 적용된다. 이마의 수평주름, 양미간 사이 내천(川) 자의 주름이나 눈꼬리의 까치발 모양의 주름 등에 효과가 뛰어나다.

② 히아루론산 필러

인체의 피부 내에 정상적으로 존재하는 히아루론산은 피부의 볼륨유지, 피부보습, 윤활작용 등 중요한 역할을 하는 것으로 알려져 있는데 노화나 자외선의 영향 등으로 히아루론산의 분비가 감소되면 피부의 볼륨유지 기능도 떨어지게 되고 탄력섬유와 교원섬유 등의 퇴화가 동반되면서 주름이 형성되고 깊어지게 된다.

정제한 히아루론산을 피부의 주름 부위 진피층에 주입하여 부피를 증가시킴으로써 주름이 펴지도록 해주는 물질로 시간이 지나면서 서서히 흡수, 분해되지만 줄어든 부피만큼 수분을 끌어들여 초기의 부피를 계속 유지하려는 특징이 있어서 평균 1~2년 동안 그 효과가 지속되며 반복 주입 시 소량의 추가 주입만으로도 효과를 지속시킬 수 있다.

주로 이마주름, 미간주름, 눈꼬리주름, 입가의 주름 등에 사용되고 있으며, 또한 입술선의 윤곽을 뚜렷이 하거나 입술의 볼륨을 증가시키기 위한 목적으로 사용되기도 한다.

③ 콜라겐 필러

진피의 정상성분인 콜라겐을 피부나 연조직에 경미한 결손이나 흉터 부위에 주입, 피부를 올려서 흉터를 교정하는 방법으로 시술 즉시 효과를 볼 수 있다. 최근에는 즉각적인 윤곽교정 효과와 함께 콜라겐, 엘라스틴 생성을 통해 장시간 피부 리모델링 효과를 보이는 콜라겐 필러가 주목받고 있다. 그러나 시간이 지나면서 체내로 흡수되기 때문에 주기적으로 주입해야 한다.

④ 로테이션 필링

칙칙한 얼굴색을 비롯해 여드름, 기미, 각질, 노화탄력 등의 복합적인 피부 문제가 생겼을 때 집중적인 관리가 필요한데 이 경우에 효과적인 시술이다. 로테이션 필링이란 고농축의 천연 성분 7가지를 각 개인의 피부상태와 치료 목적에 따라 선택해 매주 1~2회 돌아가며 사용하는 피부 관리법으로 가벼운 여드름과 뾰루지를 개선해 줄 뿐만 아니라 기미나 흉터 자국, 모공 축소, 보습, 턴력 강화 등의 효과가 동시에 나타나 투명한 피부로 개선될 수 있다.

✲ 써마지리프팅(thermage lifting)

고주파를 이용해 피부 진피 깊이까지 충분한 열을 전달하여 노화된 조직을 새로운 조직으로 대체시켜 많은 콜라겐 재합성을 증가시킨다.
그러므로 노화피부를 개선하고 처진 피부를 당겨주는 능력이 뛰어나다.
레이저와 달리 훨씬 피부 깊숙이까지 필요한 열을 전달하고 첨단 팁 장치를 통해 치료 후 정상생활이 가능할 정도로 안정성을 가진다. 또한 레이저치료와는 달리 고주파를 쏘아주는 치료이므로 검은 피부색깔의 피부에도 적용할 정도로 안전하고 편리한 치료법이다.

노화 피부 관리법(고주파 관리)

No	관리 순서	적용 제품	사용 방법	참고 사항
1	색조 화장 클렌징	더모 에센셜 아이리무버	• 화장솜 3장에 적당량을 묻혀 눈두덩, 눈썹, 입술라인에 약 10초간 적용 • 눈두덩, 눈썹, 입술라인 순서로 가볍게 색조 제거	– 마스카라, 아이라이너는 면봉을 이용하면 제거 용이
	안 면 클렌징	DMS® 크린싱 밀크	• 적당량(3ml)의 크린싱 밀크를 이용하여 가볍게 핸들링한 후 해면으로 노폐물 제거	
2	딥 클렌징	DMS® 필링크림	• 적당량의 제품을 덜어 얼굴에 도포하여 5분간 방치 후 가볍게 핸들링하여 해면으로 정리	– 각질 정리
3	토 너	훼이스 토닉	• 탈지솜을 이용하여 얼굴 전체에 도포	
4	집중 케어	비타민 E 나노파티클스	• 얼굴 전체적으로 도포하여 흡수시킨다.	
5	리프팅 관리	고주파 기계 적 용 (10~15분)	• 비타민마스크 도포 • 얼굴 근육결 방향대로 고주파 기계 적용 • 눈가, 입가 주의 • 마무리 5분 전에 목 부위 적용	
6	1차마스크	거즈마스크	• 젖은 거즈 + 훼이스 토닉 5ml	– 고주파 시 많은 양의 크림이 이미 흡수되어 토너만 묻힌 거즈 사용

No	관리 순서	적용 제품	사용 방법	참고 사항
7	2차마스크	더모 레쥬비네이션 보타민 모델링 마스크	• 파우더 30ml를 고무볼에 덜어 준비 • 시원한 정제수(또는 생수) 50cc를 부어 스파츌러를 이용하여 곱게 갠다. • 약간 건조된 거즈마스크 위에 고무마스크를 균일하게 도포(눈가는 얇게 도포한다-부종 및 충혈 예방)	– 거즈마스크 위에 고무마스크를 적용하며 부수적인 앰플 사용이 필요 없다(경제적).
8	토　너	훼이스 토닉	• 고무마스크 잔여물 제거	
9	마무리 단계	아이크림 도포	• 소량의 제품을 이용하여 눈주위 흡수	– 예민한 경우 아이젤 도포 후 올레오젤 플러스를 덧바른다.
		히아루론산 콘센트레이트	• 얼굴 전체적으로 도포	
		DMS® 비타민 마스크	• DMS® 비타민 마스크 0.5ml 도포 • HE-NE 5~10분 적용	
		더모 프로텍션 선 레스큐 크림	• 2ml 정도의 제품을 얼굴 전체 꼼꼼하게 도포(눈가, 입가 도포)	– 30분 전에 도포
		더모 프로텍션 리바이벌 밤	• 두들기며 펴 바른다. • 피부 톤을 아름답게 정리	
		더모 프로텍션 리바이벌 쿠션		

주의사항 ① 무리한 각질제거나 스크럽제 등은 사용하지 않는 것이 좋다.
② AHA 성분을 함유한 제품은 피하는 것이 좋다.
③ 사우나 및 땀이 날 정도의 운동을 금하는 것이 좋다.
④ 진정과 보습을 충분히 해주는 것이 좋다.

노화 피부 관리법(스케일링 & 산소관리)

No	관리 순서	적용 제품	사용 방법	참고 사항
1	색조 화장 클렌징	더모 에센셜 아이리무버	• 화장솜 3장에 적당량을 묻혀 눈두덩, 눈썹, 입술라인에 약 10초간 적용 • 눈두덩, 눈썹, 입술라인 순서로 가볍게 색조 제거	– 마스카라, 아이라이너는 면봉을 이용하면 제거 용이
	안 면 클렌징	DMS® 크린싱 밀크	• 적당량(3ml)의 크린싱 밀크를 이용하여 가볍게 핸들링한 후 해면으로 노폐물 제거	– 예민, 건조, 노화 피부
2	딥 클렌징	DMS® 필링크림	• 적당량의 제품을 덜어 얼굴에 도포하여 5분간 방치 후 가볍게 핸들링하여 해면으로 정리	
3	토 너	훼이스 토닉	• 탈지솜을 이용하여 얼굴 전체에 도포	
4	스케일링		G.A 30% 원장 시술	
5	후처치	G.A 중화	• 크린싱 젤(3ml)을 이용하여 가볍게 핸들링한 후 해면정리 • 훼이스 토닉으로 pH 밸런스	
6	마스크	DMS® 비타민 마스크	• 3ml 정도를 얼굴 전체 도포 • 색소 부위는 소량 추가 도포 • 15~20분 적용 • 시간 적용 후 가볍게 흡수시킨다. – 5가지 비타민 성분 함유의 나노파티클스 형태로 안정적 침투와 72시간 지속 효과 • 흡수시키는 형태로 제거할 필요가 없다.	

No	관리 순서	적용 제품	사용 방법	참고 사항
7	컬러테라피	BTT, 바이옵트론 (5~10분)	• DMS® 비타민 마스크 위에 적용하면 좋다. • 피부 진정, 재생 효과	– 전용안경으로 눈 보호
8	마무리 단계	아이크림 도포	• 소량의 제품을 이용하여 눈주위 흡수	
		올레오젤 플러스	• 얼굴 전체적으로 도포하여 흡수	
		더모 프로텍션 선 레스큐 크림	• 2ml 정도의 제품을 얼굴 전체 꼼꼼하게 도포	
		더모 프로텍션 리바이벌 밤	• 두들기며 펴 바른다. • 피부 톤을 아름답게 정리	– 외출 30분 전에 도포
		더모 프로텍션 리바이벌 쿠션		

참 고
- 기본 5회 관리를 실시하며 2회가 넘어가면 건조함을 호소하기 때문에 수분을 늘려줄 수 있는 성분을 홈케어용으로 처방해 주어야 한다.
- 혹, 가피나 각질이 일어날 경우 밀어내거나 떼어내서는 절대 안 된다.
- 가벼운 박피라 생각하여 재생관리와 보습관리를 소홀히 하면 장벽구조의 이상으로 세균감염과 소양감 염증을 일으키는 경우도 있으니 주의해야 한다.

주의사항
① 무리한 각질제거나 스크럽제 등은 사용하지 않는 것이 좋다.
② AHA 성분을 함유한 제품은 피한다.
③ 사우나 및 땀이 날 정도의 운동은 금하는 것이 좋다.
④ 진정과 보습을 충분히 해준다.

노화 피부 관리법(스웨덴식 마사지)

No	관리 순서	적용 제품	사용 방법	참고 사항
1	색조 화장 클렌징	더모 에센셜 아이리무버	• 화장솜 3장에 적당량을 묻혀 눈두덩, 눈썹, 입술라인에 약 10초간 적용 • 눈두덩, 눈썹, 입술라인 순서로 가볍게 색조 제거	– 마스카라, 아이라이너는 면봉을 이용하면 제거 용이
	안 면 클렌징	DMS® 크린싱 밀크	• 적당량(3ml)의 제품을 이용하여 가볍게 핸들링한 후 해면으로 노폐물 제거	– 예민, 건조, 노화피부
		크린싱 젤		– 지성, 여드름
2	딥 클렌징	DMS® 필링 크림	• 적당량(3ml)의 제품을 얼굴에 도포 (10분간 적용) • 제거 시에만 손끝에 물을 묻혀 꼼꼼하게 핸들링한 후 해면으로 제거	– 극도로 예민한 경우는 딥클렌징을 생략하도록 한다.
3	토 너	훼이스 토닉	• 탈지솜을 이용하여 얼굴 전체에 도포	
4	마사지	DMS® 베이스 크림 하이클래식 + 조조바 오일 (1~1.5ml)	• DMS® 베이스 크림 하이클래식과 조조바 오일을 배합하여 얼굴 도포 • 근육결 방향으로 테크닉	– DMS® 베이스 크림 하이클래식은 영양 성분 흡수시키는 크림 유형으로 제거할 필요가 없다. – 온습포 적용이 필요 없다.
5	토 너	훼이스 토닉	• 탈지솜을 이용하여 얼굴 전체에 도포 • 유분기 살짝 정리	
6	집중 케어	코엔자임 큐텐 나노파티클스	• 얼굴 전체적으로 충분하게 흡수	

No	관리 순서	적용 제품	사용 방법	참고 사항
7	마스크	벨벳마스크	• 고객 얼굴형에 맞게 벨벳 재단 • 시원한 정제수 준비 • 기포가 생기지 않도록 밀착 • 스파츌러를 이용하여 기포 제거 • BTT 또는 바이옵트론 기계를 적용하여 10~15분 적용 후 자연방치 15~20분 • 가볍게 위→아래로 제거	– 벨벳이 찢어지지 않도록 주의하여 밀착시킨다. – 눈이 잘 붓는 고객 대처 : 마른 탈지솜을 눈가에 밀착하고 벨벳 도포
8	마무리 단계	아이크림 도포	• 소량의 제품을 이용하여 눈주위 흡수	– 예민한 경우, D–판테놀 도포 후 아이젤
		히아루론산 콘센트레이트	• 얼굴 전체적으로 도포	
		DMS® 비타민 마스크	• 얼굴 전체적으로 반펌프(0.5ml) 도포	
		더모 프로텍션 선 레스큐 크림	• 2ml 정도의 제품을 얼굴 전체 꼼꼼하게 도포(눈가, 입가 도포)	– 외출 30분 전에 도포
		더모 프로텍션 리바이벌 밤	• 두들기며 펴 바른다. → 피부 톤을 아름답게 정리	
		더모 프로텍션 리바이벌 쿠션		

MTS & CRYO 관리

No	관리 순서	적용 제품	사용 방법	참고 사항
1	색조 화장 클렌징	더모 에센셜 아이리무버	• 화장솜 3장에 적당량을 묻혀 눈두덩, 눈썹, 입술라인에 약 10초간 적용 • 눈두덩, 눈썹, 입술 라인 순서로 가볍게 색조 제거	– 마스카라, 아이라이너는 면봉을 이용하면 제거 용이
	안 면 클렌징	DMS® 크린싱 밀크	• 적당량(3ml)의 제품을 이용하여 가볍게 핸들링한 후 해면으로 노폐물 제거	– 예민한 경우
		크린싱 젤		– 지성, 여드름
2	딥 클렌징	DMS® 필링 크림	• 적당량(3ml)의 제품을 얼굴에 도포(10분간 적용) • 제거 시에만 손끝에 물을 묻혀 꼼꼼하게 핸들링한 후 해면으로 제거	
3	토 너	훼이스 토닉	• 피부결에 따라 정리한다.	
4	전 처 치	마취 연고	• 눈가, 입가를 제외한 모든 피부에 연고 도포 제거 5~10분 후 마취 여부에 따라 시술 진행 → 빠른 시간 내 실행을 원할 시 초음파, MTS롤러를 살짝 밀어주는 것도 좋다.	
5	시술	MTS 원장 시술	• 여드름 피부 – 그린티 익스트랙트, 리포좀 콘센트레이트 플러스, CM–글루칸	

No	관리 순서	적용 제품	사용 방법	참고 사항
5	시술	MTS 원장 시술	• 색소, 노화 피부 – 코엔자임 큐텐 나노파티클스, 보스벨리아 나노파티클스, CM-글루칸, 비타민 E 나노파티클스, 비타민 A 나노파티클스, 비타민 C 리포좀 콘센트레이트, 플란트 리포좀 콘센트레이트 • 피부 상태에 따라 롤링으로 침투하여 준다.	
6	CRYO	냉동요법	• 훼이스 토닉 15ml + 플란트 리포좀 콘센트레이트 1ml + 보스벨리아 나노파티클스 1ml + 증류수 23ml를 섞어 얼린다. • 베이스로 DMS® 베이스 크림 하이클래식(1ml)을 가볍게 도포한다. • 마른 거즈를 얼굴 위에 올린다. • 미리 준비한 재생 얼음을 핸드피스에 부착하여 마른 거즈위에서 피부결 따라 굴려준다. • 3~5분 적용 후 얼굴이 얼어 있는 동안 롤로만 이용하여 리프팅 모드로 적용	– 얼음이 녹으면서 물이 흐를 수 있기에 사전에 타월을 감싸고 시행한다. – 얼음이 녹은 후 리프팅 모드 일 경우 강한 전류를 느낄 시 mA를 낮추어 적용
7	컬러 테라피	BTT(He-Ne) 또는 바이옵트론 (5~10분)	• CRYO 적용 거즈 위에 사용하면 좋다. • 피부 진정, 재생, 성분 침투 효과	– 전용 안경으로 눈 보호
8	고무마스크	(15~25분) 30ml	• CRYO 적용 거즈 위에 사용하면 좋다. • 피부 진정, 재생, 성분 침투 효과	– 차갑게 적용

No	관리 순서	적용 제품	사용 방법	참고 사항
9	마무리 단계	DMS® 비타민 마스크	• 2ml 정도를 얼굴 전체 도포 • 색소 부위는 소량 추가 도포 • 15~20분 적용 • 시간 적용 후 가볍게 흡수시킨다. – 5가지 비타민 성분 함유의 나노 파티클스 형태로 안정적 침투와 72시간 지속 효과 – 흡수시키는 형태로 제거할 필요가 없다.	
		더모 프로텍션 레스큐 크림	• 2ml 정도의 제품을 얼굴 전체 꼼꼼하게 도포(눈가, 입가 도포)	– 외출 30분 전에 도포
		더모 프로텍션 리바이벌 밤	• 두들기며 펴 바른다. • 피부 톤을 아름답게 정리 • 붉은 피부 커버 효과	
		더모 프로텍션 리바이벌 쿠션		

참 고 CRYO SYSTEM 이란?

–얼음과 전리요법을 통한 새롭고 혁신적인 방법

–영양 물질을 –5℃~0℃로 냉각시켜 롤러를 사용해 피부에 심층 투과

–비수술 요법으로 통증이 없고 부작용이 없으며 다양한 의학 및 미용 분야에 적용 가능

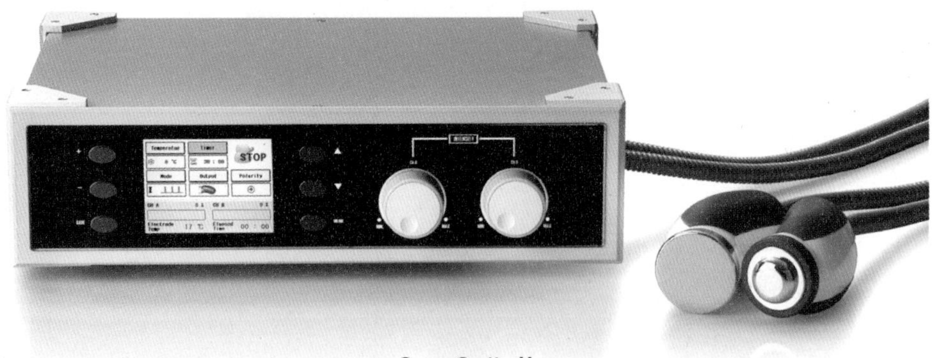

▲ CryoCell-II

chapter 7 화학박피

1 화학박피의 기원
2 화학박피제의 종류
3 TCA의 특징

화학박피의 기원

01

Medical Skincare

화학박피라 하면 우리가 가볍게 행하던 각질정리의 차원이 아닌 강하고 깊은 필링의 종류이며 외피와 진피 유두층 일부까지 자극을 주어 새로운 조직의 생성과 재배열을 통하여 문제점을 개선하고자 하는 방법으로 한 가지 혹은 여러 가지 화학적 박피제를 이용하여 표피의 일부 또는 전체를 제거하고 재생시키는 과정이다.

화학 박피술 chemical peeling, chemoexfoliation은 한 가지 혹은 여러 가지의 화학적 약물 chemical agent을 이용하여 표피의 일부 또는 전체를 제거하고 진피의 교원질에 영향을 주어 새로운 표피를 형성하게 하고 진피의 섬유를 재생시키는 작업으로 일광손상, 주름살, 흉터, 색소장애를 제거하는 것이다. 박피술의 기원은 정확히 기술되어 있지 않지만 3,500년 전 이집트 에베르스 파피루스 Ebers papyrus에서 이미 화학물질을 이용한 피부 박피술에 대하여 기술되어 있어 그 역사가 매우 오래되었음을 알 수 있다.

1882년 독일 피부과 의사인 운나 Unna는 salicylic acid, resorcinol, phenol, trichloroacetic-acid(TCA) 등의 성상을 기술하였고 이후 20세기 초반에 페놀과 TCA를 이용한 화학박피술이 사용되었다.

1926년	trichloroacetic acid가 피부질환에 치료목적으로 사용되었다는 최초의 문헌 보고
1930년	Mackee가 phenol을 여드름 흉터 치료에 사용하면서 chemical peeling이 환자치료에 이용
1945년	각종 농도의 TCA를 피부 질환에 사용하여 탁월한 효과를 관찰한 문헌 보고
1965년	"Ayres" 노화피부에 적용하여 안전하고 효과적인 치료방법임을 확인

02 화학 박피제의 종류

Medical Skincare

종 류	관리 내용
Resorcinol	• 매우 소량 사용하여 진통제와 고통 완화제로 쓰임, 살균작용 • 주로 페놀에서 추출 • 케라틴의 수소 결합력을 와해시키는 작용으로 각질탈락 유도 • 여드름 연고제로도 사용
Phenol	• 강력한 효과를 보장하는 필링제이지만 반면에 부작용이 크다. (장기에 흡수 시 사망, 멜라닌 세포의 파괴) • 독성 가능성을 지닌 부식성 화학 물질 • 1882년 독일 피부과 의사 Unna의 연구 • 99%의 C_6H_5OH로 이루어짐 • 페놀 자체는 투명한 크리스탈 형태 • 물과 친화력이 높다. • 다량 사용 시 독극물로 취급 • 15g 이상 경구 투여 시 5분내 즉사 • 흔히 화학적 얼굴 필링제로 사용 • 유해산소를 제거하고 방부제로 사용 • 3~4% 소독제로 사용 • 4~7% 벤젠 포함 – 박피제로 사용
Trichloroacetic acid	• 박피제로 가장 대중적으로 사용 • Phenol보다 안전 • 단백질 응고작용이 있는 아세틴산의 일종 • 100% TCA는 Phenol보다 부식성이 강함. • TCA의 작용은 피부에만 국한되어 신체적 독성이나 알러지를 일으키지 않음

TCA의 특징

03

Medical Skincare

TCA는 아세틴산의 일종을 단백질을 변성시키는 특징을 가지며 1926년에 처음으로 사용되었으며 1945년에 피부질환에 이용되었다고 문헌에 전해지고 있다.

표피와 진피 상부를 괴사시켜 손상받은 조직의 아래에 있는 모낭으로부터 표피 세포가 이동되어 표피를 재생시키고 2~3주 내에 진피도 재생되어 일반적으로 피부에 흉터를 남기지 않고 관리를 하는 것으로 진피 내 침투는 표피의 두께에 따라 다르며 피부에 바르면 프로스팅 frosting(하얗게 일어나는 반응)이 생기는 것을 관찰해야 하며 frosting을 보고 필링이 완성되었음을 알 수 있고 후에 조직의 변화에 따라 조절하여 시술할 수 있다. 프로스팅은 일시적인 혈관 수축과 산에 의한 피부 단백질 변화와 관련이 있는 것으로 보이며, 약물의 농도(%)와 바르는 양 등에 따라 박피의 깊이를 조절하여 환자의 관리 목적에 맞는 시술을 행해야 한다.

재생기간은 상태에 따라 다르지만 7~14일 정도 소요되며, 시술 후 바로 가피가 생성되는 것이 아니라 3~4일이 지나면서 서서히 생성되기 시작한다.

형성된 가피는 시간이 경과됨에 따라 재생되는데 전부 떨어지기 전에 2~3번 진정관리가 필요하며 인위적으로 가피를 밀어내거나 떼어내는 행위는 금물이다. 현재 병원에서 효과적인 면에서 TCA를 대중적으로 이용하는 것은 장기 흡수의 위험이 없이 피부에만 국한되고 색소 세포의 파괴가 아닌 염증 후 과색소 침착 PIH: post inflammatory hyper-pigmentation이 부작용으로 나타나기 때문에 좀 더 안전성이 부여된다. 이때 생긴 색소는 일시적으로 생긴 색소이기에 관리를 통해 없어질 수 있기 때문이며 이 또한 관리를 소홀히 할 때에는 영구적인 색소가 될 수 있기에 주의하여야 안전한 관리가 될 수 있다.

TCA의 침투력은 농도(%)에 따라 적용 피부와 치료의 목적을 달리 사용할 수가 있으며 얼굴 표면 전체를 때로는 표층박피, 중층박피, 심층박피 등 다양하게 치료 목적에 따라 사용하며 때로는 여드름 흉터에 가장 많이 적용하는 부분적 박피인 도트필링 dot peel 시술이 들어가는 경우도 있다.

예를 들면 남자와 여자가 피부 두께와 피부톤, 피지 분비량이 다르므로 정확한 피부 진단으로 농도를 적용하는 것이 올바르다.

1. TCA의 작용

- 표피층에 멜라닌 색소의 양 감소 : 미백효과
- 표피의 비후 : 표피가 어느 정도 두께로 보호막 역할
- 진피 유두층의 두께 증가 : 주름 완화
- 신생 콜라겐과 엘라스틴 섬유의 증가 : 재생, 탄력, 주름 완화
- 조직의 재배열과 세포의 활성화로 피부 재생

TCA는 단백질을 응고시키는 기전이 있어 체내에 흡수되어 신체적인 독성이라든가 알러지를 일으키지 않는 것으로 되어 있고, 또한 피부에만 국한되어 사용하고 있다.

① frosting(whitening), 단백질 변성

② 진피층까지 침투되면서 섬유아세포가 더 활성화 (3~4일)

③ 활성화된 섬유아세포가 새로운 세포를 생성

④ 표피층의 단백질 변성 부분은 가피가 되어 떨어짐(7~10일)

TCA 도포

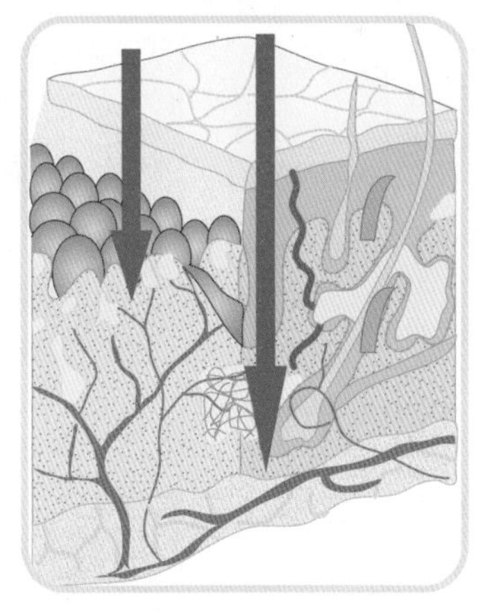

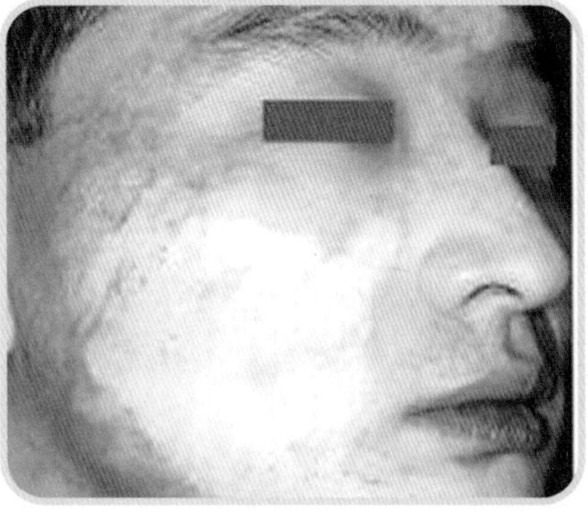

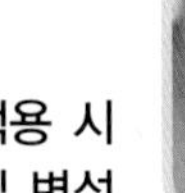

TCA박피 50% 적용 시
frosting 단백질 변성

2. 박피의 종류

종 류	특 징
표피 박피술 (superficial peeling)	• 10~20% 정도 • 각질층~과립층 정도의 표피만 탈락시킴 – 약 0.06mm 정도까지 침투 • 약한 10%는 Coombe's와 비슷한 강도
중층 박피술 (midium depth peeling)	• 20~30% 정도 • 모든 표피층과 진피 상부까지 자극 – 약 0.45mm 정도까지 침투
심층 박피술 (deep depth peeling)	• 30~50% 정도 • 진피 하부 망상층까지 자극 – 약 0.6mm 이상 침투

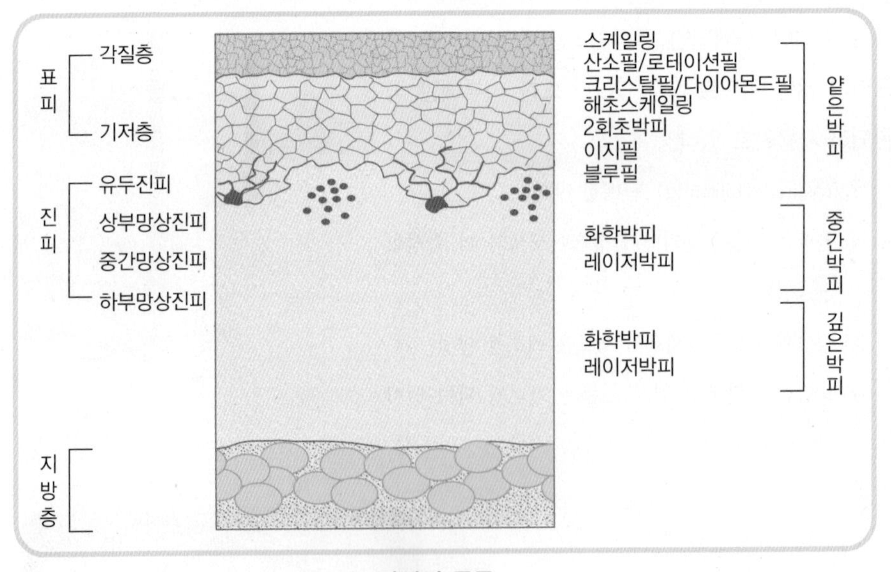

박피의 종류

3. TCA의 적용 범위

1) 광노화로 유발된 잔주름

진피 내 섬유아조직의 빠른 생성 촉진으로 콜라겐 조직과 엘라스틴 조직이 빠른 재생을 하므로 피부 탄력도를 높여 준다.

2) 표피성 주근깨

TCA를 사용하여 단백질 변성의 기전으로 표피층의 색소를 완화시킨다.

3) 지루각화증(seborrheic keratosis)

검버섯은 햇볕에 의한 일종의 노화현상으로서 표피세포와 멜라닌색소가 특정 부위에 과다 침착되는 것을 말한다. 이는 나이가 들면서 피부의 회복능력과 방어 능력이 떨어지기 때문에 생기며 따라서 햇볕에 많이 노출되는 얼굴이나 팔에 잘 생기며 크기는 몇 mm에서 몇 cm에 이르기까지 다양하다. TCA와 같은 화학약물을 이용하여 제거하기도 한다.

4) 표피성 흉터(acne scar)

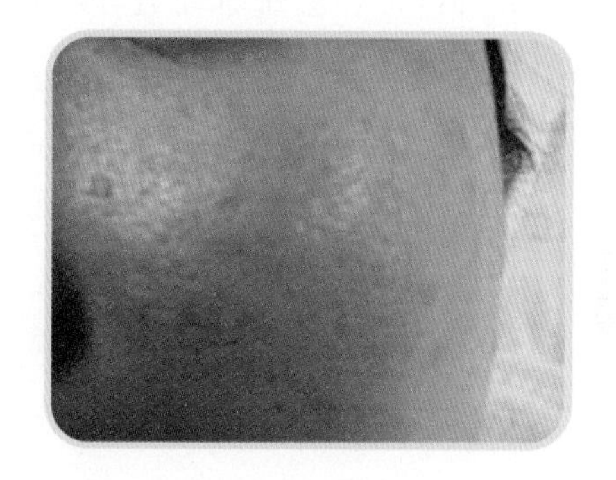

움푹 파인 흉터, 즉 여드름 치료 후에 주위의 정상 피부와 비교해 깊이가 차이 나는 것으로서 화농성 여드름, 낭포성 여드름 치료 후에 나타나며 저절로 치료되지 않아서 수술적 요법이 필요하다. 크로스요법이라 불리는 방법을 이용하여 TCA 등의 화학약품을 흉터 부위에 발라 일부러 상처를 낸 다음 새살이 나오게 하는 화학박피술이다. 효과는 시술 3개월 후부터 나타나며 1~2개월 간격으로 3회 이상 치료해야 한다. 얕은 흉터의 경우 반복 치료하면 효과가 좋다.

4. 시술 전 주의해야 할 피부

1) 비타민 유도체를 복용한 경우

비타민A 합성 유도체 복용한 경우 피부가 건조하며 얇아져 있으므로 약한 자극에도 피부가 민감하게 반응을 나타낼 수 있다.

2) 흡연

활성산소의 생성을 증가시키며 혈관 수축으로 인해 영양 공급이 잘 이루어지지 않으며 비타민C의 파괴로 인해 재생능력이 떨어진다.

3) 경구용 피임제

여성호르몬으로 인해 멜라닌이 과다하게 생성될 수 있다.

- 에스트로겐estrogen hormone - 멜라닌 세포 자극
- 프로게스트론progestrone hormone - 멜라닌 세포를 분사시킴.

* 자외선에 대한 민감도가 높다. 시술전에 꼭 한번 확인해 볼 필요가 있다.

4) 재발성 단순 포진의 병력이 있는 경우

피부 면역력이 떨어져 있으므로 세균이나 바이러스의 감염이 쉬우니 주의해야 한다(심한 경우엔 항바이러스제 복용 후 시술을 권함).

5) 켈로이드성 피부

의례적으로 재생의 능력이 과다한 경우 시술 후 재생의 탁월함 때문에 피부가 튀어 올라올 수 있기에 주의를 요한다(항상 시술 전 확인해야 함).

6) 심장 질환

TCA 도포와 피부 침투 시 통증과 작열감이 온다. 참을성 없는 사람과 예민한 사람일수록 그 느낌의 차이는 클 수 있다. 사전 충분한 상담과 동의 하에 시술에 들어가야 한다(호흡 장애가 올 수 있기에 사전 주의 요망).

7) 정신적 기대치가 높은 사람

시술 전 상담을 통해 기대의 수치가 높은 환자는 시술 전후의 차이를 정확히 알려줘야 하며 심한 경우 시술을 하지 않는 것이 서로에게 더욱 좋다.

5. 박피 후 생길 수 있는 부작용

1) 심한 홍반

얼굴 피부색이 하얗수록 홍반은 심하게 나타나며 박피술을 깊이 하고 여러 번 할수록 붉은기는 심하게 나타난다. 하지만 약간의 홍반은 얼굴 전체에 나타나며 그것 자체는 부작용이라고 할 수 없고 일시적인 반응으로 볼 수 있다.

이렇듯 일시적인 홍반은 며칠에서 몇 주까지 가는 경우도 있으며 홍반의 빠른 완화를 위하여 피부 관리와 약물요법을 병행하기도 한다.

2) 색소 침착

얼굴색이 어둡거나 검은 피부일수록 색소 침착은 잘 나타나며 특히 동양인에게서 많이 나타나며 때로는 박피를 깊게 들어갔을 경우 나타날 수도 있다.

3) 비후성 반흔

비후성 반흔은 주로 깊은 박피술을 한 부위이거나 오랫동안 딱지가 남아 있던 부위, 또한 피부가 연약한 곳이나 인위적으로 딱지를 뜯거나 긁어서 피부에 상처가 났을 때 생기기 쉽다. 대부분 흉터가 남기 전부터 조기에 치료를 요한다.

4) 감염

과도한 약물의 침투로 인해 수포가 형성되면 바이러스에 의한 감염이 진행될 수도 있음을 주의한다.

5) 켈로이드

국한된 피부가 두꺼워지며 도드라지는 현상을 박피 전 상담을 통해 켈로이드성 체질여부 확인이 중요하다. 역시 치료는 약물을 이용한 주사요법 등이 사용되며 가장 중요한 것은 예방이다.

6) 영구적 변색

비정상적인 색소 침착이 수술 전부터 있거나 또는 기계적인 phenol을 이용하여 깊은 박피술을 한 경우 발생할 수 있다.

6. 시술 전 고려사항

<table>
<tr><td rowspan="2">피부 색깔</td><td>white skin</td><td>대부분 예민 피부이며 깊은 박피는 피하는 것이 좋다. 붉은 기운이 오래 유지된다.</td></tr>
<tr><td>brown skin</td><td>피부의 부속 기간이 잘 발달되어 재생력이 뛰어나지만 반면에 색소침착의 우려가 있으니 주의가 필요하다.</td></tr>
<tr><td rowspan="2">피부 두께</td><td>표피가 얇은 사람</td><td>피부가 흰 경우와 대부분의 여성의 피부가 해당되며 때로는 지나친 박피를 적용한 경우도 해당될 수 있으므로 너무 깊은 박피는 피하며 표피 정도의 박피 정도만 시술한다.</td></tr>
<tr><td>표피가 건강한 사람</td><td>중층 박피 정도는 무관하며 표피가 두꺼운 사람, 건강한 남자의 경우 심층 박피도 가능하다.</td></tr>
<tr><td rowspan="4">적용 시 피해야 할 부위</td><td>눈 주변</td><td>피지선, 한선, 땀샘이 없고 혈관과 신경조직의 분포도가 높아 박피시술 시 많은 자극과 민감을 호소하므로 주의해야 한다.</td></tr>
<tr><td>콧방울</td><td>혈관이 늘어난 경우, 골이 깊은 경우엔 박피가 강하게 적용될 수 있기에 피해야 한다.</td></tr>
<tr><td>하악골</td><td>얼굴 전면을 넘는 턱선 이하까지 적용할 때에는 재생이 잘 안 된다.</td></tr>
<tr><td colspan="2">* TCA시술 전에 눈주위와 입가에는 올레오젤을 발라 약물이 침투되지 않게 한다.</td></tr>
<tr><td>시술 전 처치</td><td colspan="2">▪ retinoic acid, hydroquinone(2~5%) 제제로 된 에센스나 연고를 1~2주 정도 적용하여 각질을 정리한다.
▪ 연구의 사용이 힘들 경우 Iontophoresis로 비타민 A를 정기적으로 침투한 후 박피 적용
▪ 스케일링 시술(피부 상태에 따라 Coombe's, salicylic acid, AHA를 일주일에 1번씩 3회 정도 시술 후 박피 적용)
▪ 박피를 바로 적용하는 경우보다 전처치를 적용 후 박피에 들어가는 경우가 훨씬 재생의 능력도 좋으며 만족스러운 효과도 가능하다.</td></tr>
</table>

7. 시술 후 피부 변화

1) 피부변화

- 붓기 - 시술 후 1~2일 정도 붓기가 지속된다.
- 가피 형성 - 시술 당일부터 가피가 생기는 것은 아니며 2~3일 후부터 서서히 생성되어 피부상태에 따라 7일에서 14일까지 가는 경우도 있다.

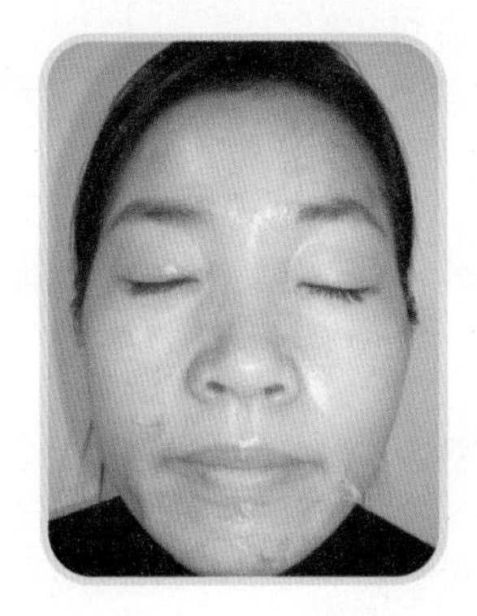
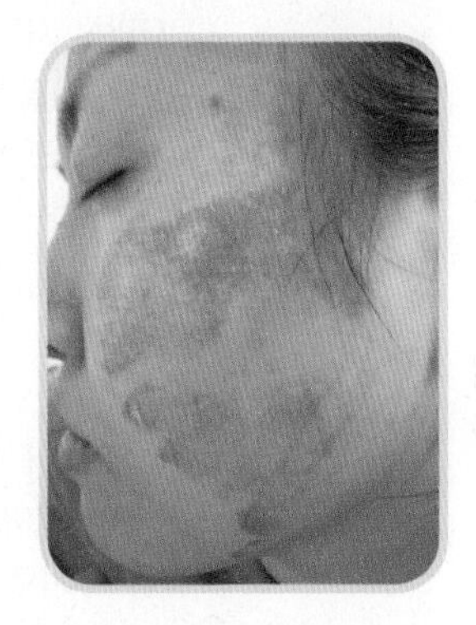

▲ 가피가 탈락되고 있는 모습

- 얼굴의 땅김 - 가피의 생김과 동시에 땅김의 증세가 좀 더 심화된다.
- 가려움증, 작열감 - 건조함과 땅김의 현상으로 인해 소양증과 따가움의 현상이 지속적으로 동반된다.

2) 화학박피 시술 후 피부변화와 관리적용시기

시술일차	피부 상태	변화 상태
시술 당일 1일차	• 심한 홍반, 피부의 부종, 눈의 침침함 동반 〈관리 순서〉 ① DMS® 크린싱 밀크 또는 크린싱 젤 ② DMS® 필링크림 ③ TCA 시술 – 피부에 frosting 변화에 따라 시간을 체크한다. ④ 냉타월 ⑤ 거즈마스크(20분 정도) – DMS® 베이스 크림 하이클래식 + 비타민 A 나노파티클스 + 조조바 오일 + 비타민 E 나노파티클스 + D–판테놀	• 심한 작열감과 홍반이 어느 정도 유지된다. 환자는 편안한 심리상태와 안정을 요하며 심한 통증과 부종을 호소할 경우는 약물요법을 병행하기도 한다. • 충분한 수면과 균형된 음식 섭취, 안정된 심리상태와 외적 피부자극 (자외

시술일차	피부 상태	변화 상태
시술당일 1일차	⑥ 자외선 차단제 마무리 당일 시술관리와 4일차 관리 시에는 고무/벨벳 마스크는 생략	선, 세안방법, 바람, 온도)의 감소가 재생과 직결될 수 있다.
시술 2일차	• 홍반 지속, 눈의 시림, 얼굴 땅김, 약간의 부종 지속 〈고객 홈케어 철저〉 • DMS® 베이스 크림 하이클래식 또는 배합 크림을 수시로 바른다. 자외선 차단제는 필수.	• 홍반상태가 지속되며 작열감과 부종이 있으며 얼굴이 땅기는 증상도 시작된다. • 심한 화끈거림을 나타내며 시원한 거즈를 이용하여 열감을 감소시킨다.
시술 3일차	• 약간의 가피 형성, 눈의 시림, 홍반 감소, 부종감소, 더 심하게 땅김, 작열감 감소 〈고객 홈케어 철저〉	• 가피가 부분적으로 서서히 생성되기 시작하며 그로 인한 건조함 심화 • 부분적으로 갈색 색소가 형성된 듯 하나 시간이 지나면서 가피로 형성되어 떨어진다.
시술 4일차	• 대부분 가피 형성, 건조함 심화, 피부는 심한 땅김을 느낌 • 부분적으로 가피의 분리(가뭄에 논바닥이 갈라지듯 분리됨) 〈고객 내원〉 • 재생 1회째(거즈, 비타민 마스크 사용) • 일반 재생 관리를 적용	• 가피의 생성과 갈라짐이 동시에 일어난다. • 재생 관리 적용
시술 5일차	• 대부분 가피가 형성된다. • 가장 활발히 가피가 떨어진다. • 수시로 재생 크림을 덧바른다. • 지저분한 가피는 가위로 자른다. 〈고객 홈케어 철저〉	• 가피가 인위적으로 떨어지지 않도록 주의하며 밀어내는 행위 또한 삼가야 안전하다. • 가피의 빠른 탈락과 피부 유연성 증대

시술일차	피부 상태	변화 상태
시술 6일차	• 50% 이상의 가피가 제거됨. • 가장 활발히 가피가 떨어진다. • 수시로 재생 크림을 덧바른다. • 지저분한 가피는 가위로 자른다. 〈고객 홈케어 철저〉	• 근육의 움직임이 많은 입 주변부터 빨리 떨어짐.
시술 7일차	• 70% 이상의 가피가 제거됨 • 수시로 재생 크림을 덧바른다. • 지저분한 가피는 가위로 자른다. 〈고객 홈케어 철저〉	
시술 8일차	〈고객 내원〉 • 재생 2회째(거즈마스크 또는 DMS® 비타민 마스크 사용) • 일반 재생 관리를 적용	• 가피가 모두 제거된 후부터는 콜라겐벨벳 마스크와 고무 마스크 등 특수 케어를 병행해 준다.
시술 9일차	〈고객 홈케어 철저〉	• 재생 크림으로 인해 건조함이 덜하며 피부가 맑고 투명함을 볼 수 있다.
시술 10일차	• 눈의 침침함, 건조함 등 불편한 점들이 거의 사라진다. 〈고객 홈케어 철저〉	• 피부의 탄력이 증가하고 모공이 작아진다.
시술 11일차	〈고객 홈케어 철저〉	
시술 12일차	• 가피가 어느 정도 정리가 되며 헤어라인 쪽으로만 남게 된다. 〈고객 내원〉 • 재생 3회째(거즈 · 비타민 마스크 사용) • 일반 재생관리를 적용	

시술일차	피부 상태	변화 상태
시술 13일 ~15일차	• 재생 크림과 선크림으로 피부 보호	
시술 16일차	〈고객 내원〉 • 재생 4회째(거즈 · 비타민 마스크 사용) • 일반 재생관리를 적용	• 색소 방지를 위하여 비타민이 침투를 하며 콜라겐 벨벳 마스크와 고무 마스크 등 특수 케어를 병행해 준다.

참 고

- 화학박피와 재생의 비율은 1:4를 기본으로 1회 박피에 4회 재생관리가 들어갔을 때 가장 안정 범위이다.
- 사람마다 재생의 능력이 다르므로 가피의 소멸 시간은 다르지만 평균적으로 재생력이 좋은 사람 7~10일, 재생력이 떨어지는 피부는 12~15일 정도 소요된다.
- 박피 후 2주 동안의 피부 관리가 가장 중요하며 케어가 잘 되면 박피도 성공적이라 할 수 있다.

TCA 적용 순서

1) TCA 농도 선택과 pH 레벨 테스트

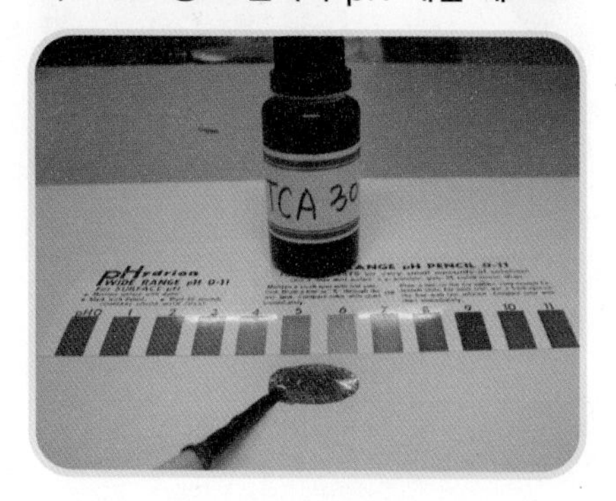

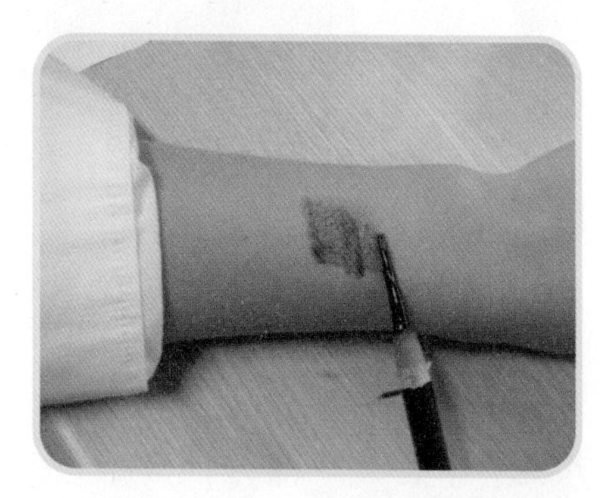

2) 준비 단계

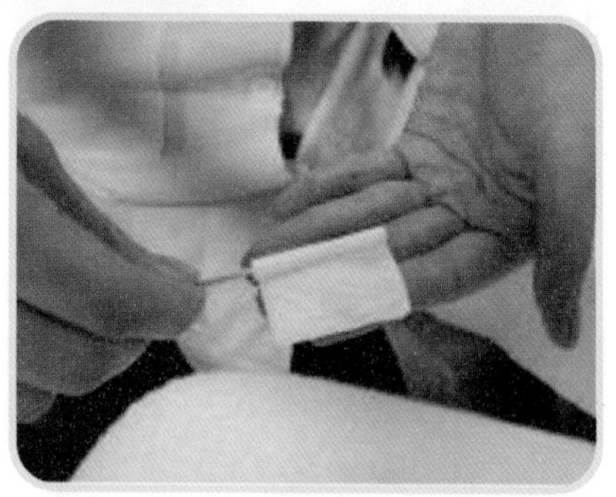

3) 클렌징 단계

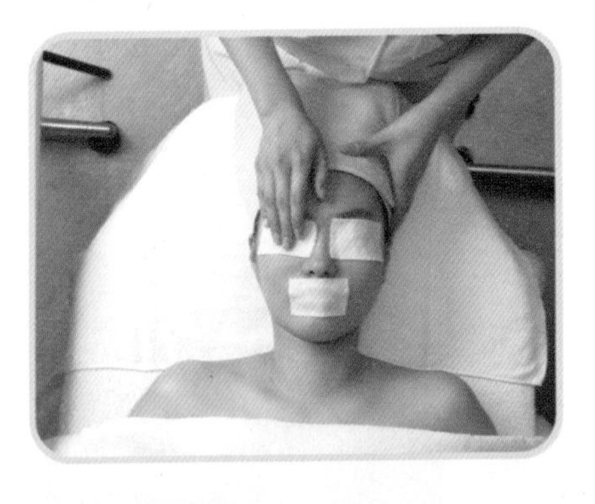

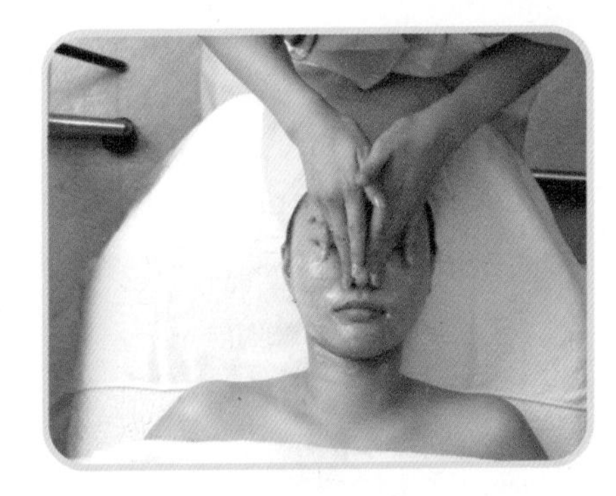

4) 올레오젤 도포

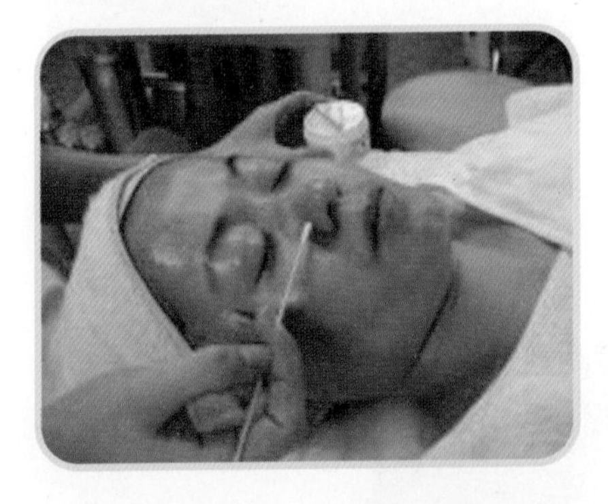

5) TCA 도포

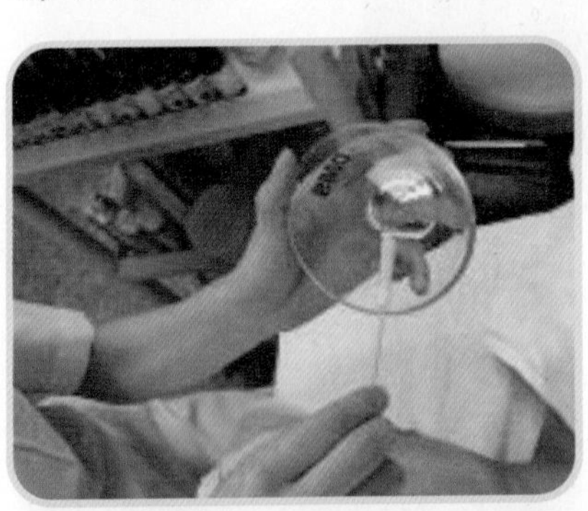

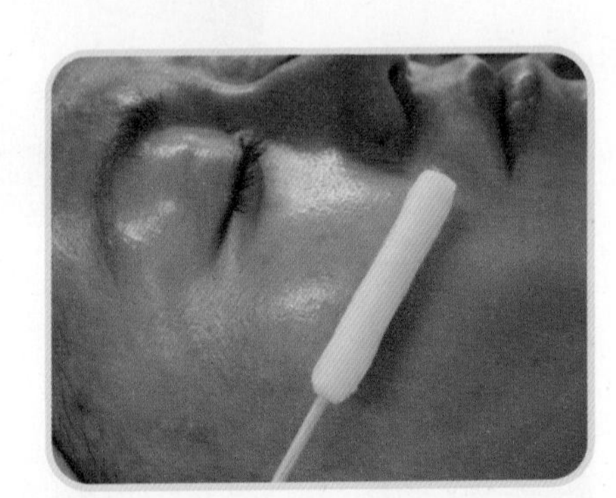

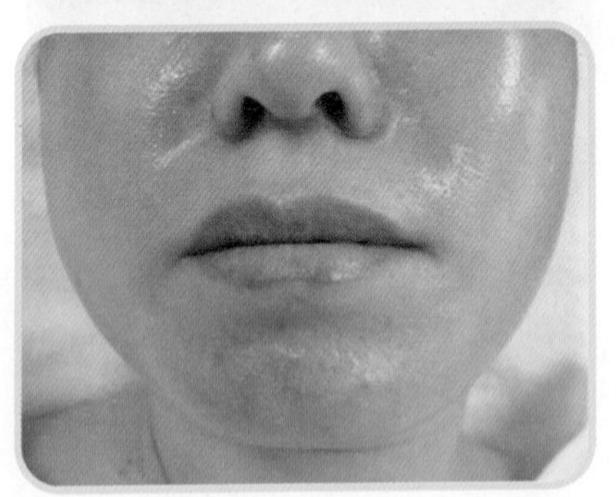

6) 아이스팩 또는 냉타월 적용

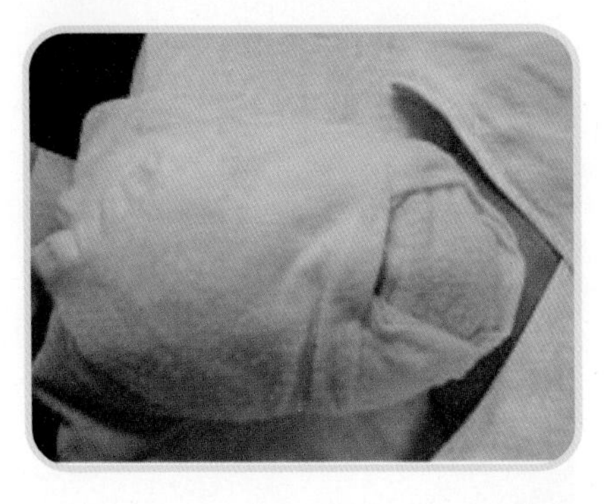

7) 거즈마스크 적용

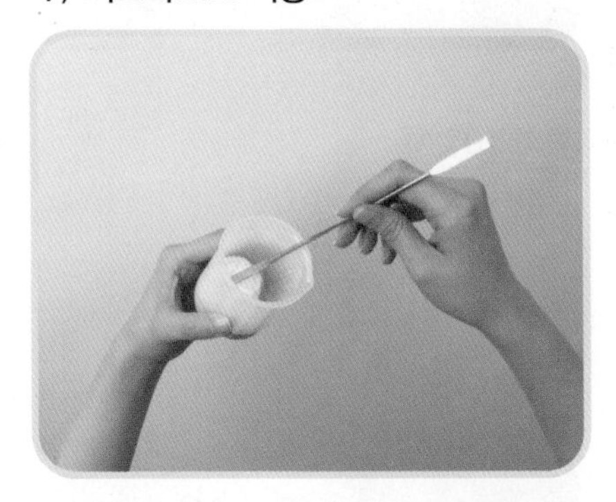

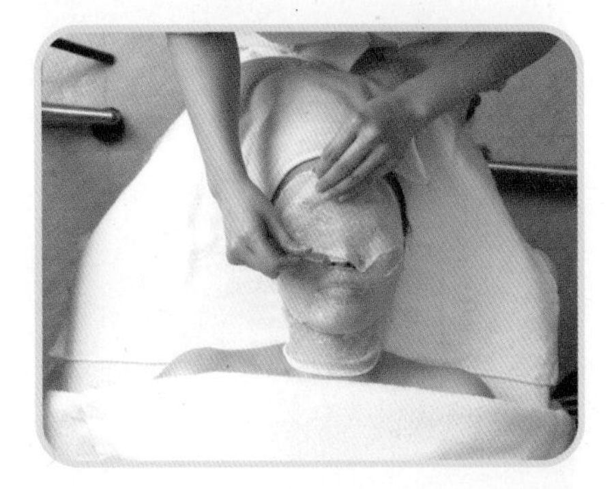

8) 기계 적용(BTT, 바이옵트론)

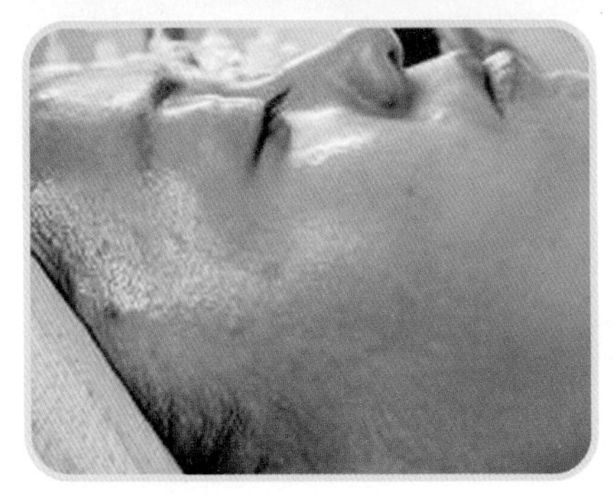

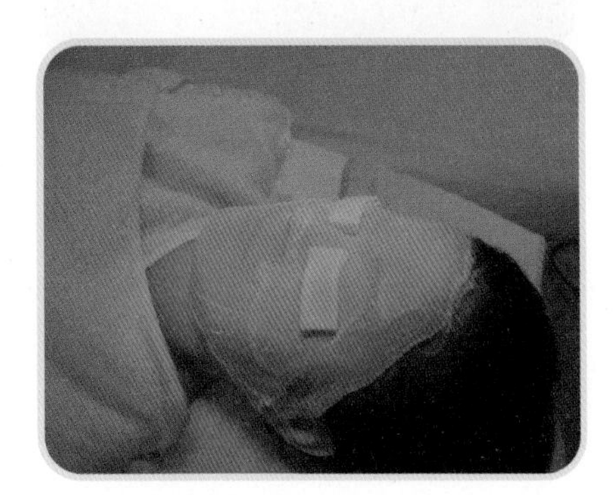

TCA 시술 후 피부변화

박피 시술 당일

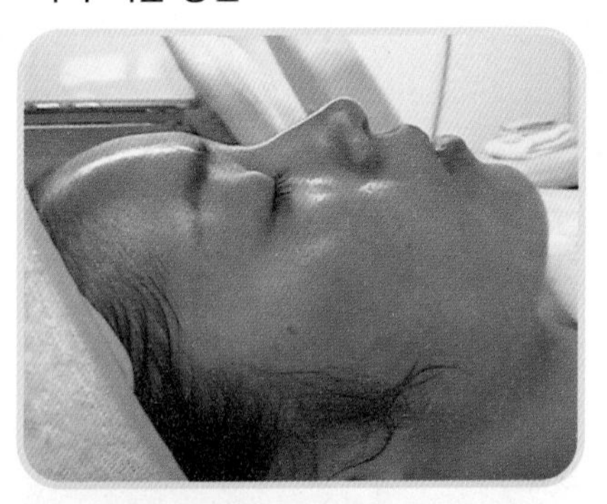

박피 3일차

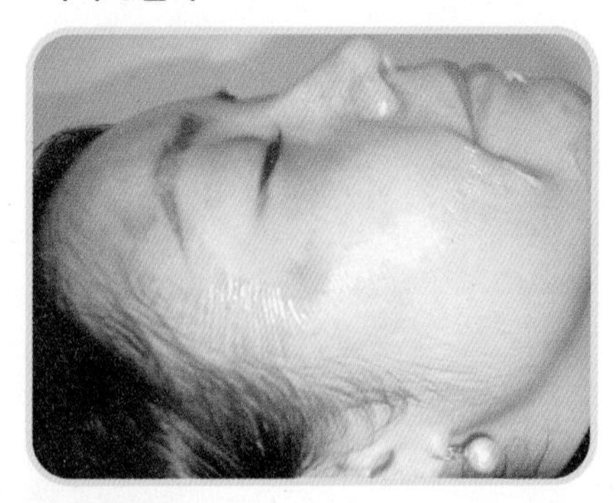

박피 6일차

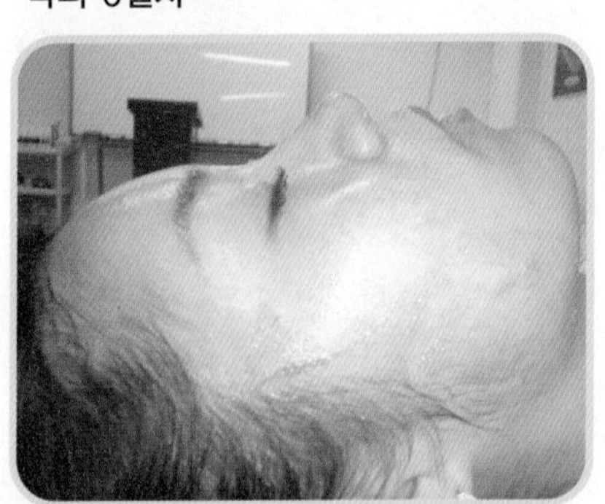

박피 10일차

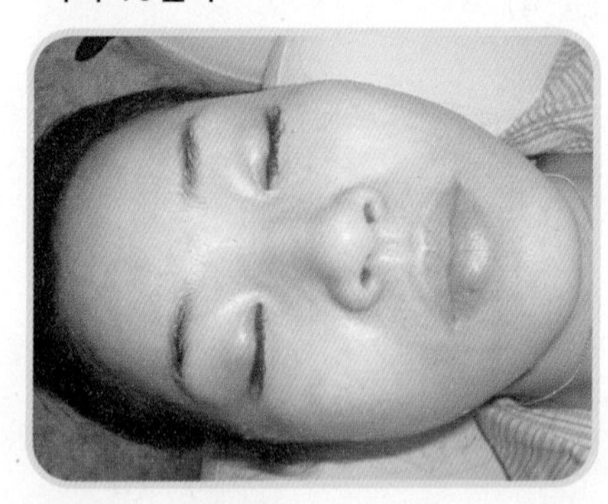

TCA(당일 관리)

No	관리 순서	적용 제품	사용 방법	참고 사항
1	색조 화장 클렌징	더모 에센셜 아이리무버	화장솜 3장에 적당량을 묻혀 눈두덩, 눈썹, 입술라인에 약 10초간 적용 • 눈두덩, 눈썹, 입술 라인 순서로 가볍게 색조 제거	– 마스카라, 아이라이너는 면봉을 이용하면 제거 용이
	안 면 클렌징	DMS® 크린싱 밀크	• 적당량(3ml)의 제품을 이용하여 가볍게 핸들링한 후 해면으로 노폐물 제거	– 예민, 건조, 노화피부
		DMS® 크린싱 젤		– 지성, 여드름
2	딥 클렌징	DMS® 필링 크림	• 적당량(3ml)의 제품을 얼굴에 도포(10분간 적용) • 제거시에만 손끝에 물을 묻혀 꼼꼼하게 핸들링한 후 해면으로 제거	– 극도로 예민한 경우는 딥클렌징을 생략하도록 한다.
3	TCA 시술	원장 시술	• 피부 상태에 적합한 농도 선택 • 전체적으로 가볍게 도포 후 프로스팅(frosting)이 생기는 것을 관찰한 후 재도포 • 피부 변화에 따른 시간 체크	
4	열감완화	아이스팩 또는 냉타월	• 얼굴의 열감 완화	– 냉타월에 물기가 흘러내리지 않도록 주의
5	집중 케어	부처스 브룸 나노파티클스	• 얼굴 전체적으로 충분하게 도포(0.5ml)	
6	1차마스크	거즈마스크	• 거즈 마스크 배합 ① DMS® 베이스 크림 하이클래식(2ml) – 예민한 경우 : 노브리텐® ② 활성성분 – 비타민 E 나노파티클스(0.5ml)	

No	관리 순서	적용 제품	사용 방법	참고 사항
6	1차마스크	거즈마스크	- 히아루론산 콘센트레이트 (0.25ml) - 코엔자임 큐텐 나노파티클스 (0.25ml) ③ 훼이스 토닉(5ml) - 홍반이 심한 경우 : 쥬스문® 로션N • ①,②,③을 비커에 배합한 후 준비된 젖은 거즈를 넣어 성분을 흡수시킴. - 성분이 흡수된 거즈를 얼굴에 맞게 밀착	
7	기계 적용	BTT(He-Ne) 또는 바이옵트론	• 피부 진정 및 재생효과(15~20분 적용)	당일 사용 시 열감이 있는 기계는 피한다.
8	2차마스크	DMS® 비타민 마스크	• 3ml 정도를 얼굴에 전체 도포 • 색소 부위는 소량 추가 도포 • 15~20분 적용 • 시간 적용 후 가볍게 흡수시킨다. - 5가지 비타민 성분 함유의 나노파티클스 형태로 안정적 침투와 72시간 지속효과 - 흡수시키는 형태로 제거할 필요가 없다.	
9	마무리 단계	아이크림 도포	• 소량의 제품을 이용하여 눈주위 흡수	
		올레오젤 플러스	• 가피가 형성된 부위에 도포 - 손상된 피부에 보호막 형성 피부 재생 탁월	
		더모 프로텍션 선 레스큐 크림	• 2ml 정도의 제품을 얼굴 전체 꼼꼼하게 도포(눈가, 입가 도포)	

No	관리 순서	적용 제품	사용 방법	참고 사항
9	마무리 단계	더모 프로텍션 리바이벌 밤	• 두들기며 펴 바른다. → 피부톤을 아름답게 정리	– 외출 30분 전에 도포
		더모 프로텍션 리바이벌 쿠션		

참 고 • 시술 당일 박피가 강하게 들어간 경우 : 예민이 1~2일 정도 지속될 수 있으나, 자극이 될 수 있는 부분만 주의하고 진정 관리로 완화될 수 있다.

TCA(재생관리-4일차)

No	관리 순서	적용 제품	사용 방법	
1	색조 화장 클렌징	더모 에센셜 아이리무버	• 화장솜 3장에 적당량을 묻혀 눈두덩, 눈썹, 입술 라인에 약 10초간 적용 • 눈두덩, 눈썹, 입술 라인 순서로 가볍게 색조 제거	– 마스카라, 아이라이너는 면봉을 이용하면 제거 용이
	안 면 클렌징	DMS® 크린싱 밀크	• 적당량(3ml)의 DMS® 크린싱 밀크를 이용하여 가볍게 핸들링한 후 해면으로 노폐물 제거	– 가피가 떨어지지 않도록 핸들링과 해면 동작 시 주의
2	토 너	쥬스문® 로션N	• 탈지솜 또는 손을 이용하여 눈을 보호한 후 전체적으로 분사	– 건조완화, 면역력 강화
3	1차마스크	거즈 마스크	• 거즈 마스크 배합 ① DMS® 베이스 크림 하이클래식 (2ml) – 예민한 경우 : 노브리텐® ② 활성성분 – 조조바 오일(0.25ml)	– wash-off, Peel-off type 피한다. – 거즈 준비 시, 물기를 꽉 짠 상태로 이용한다.

No	관리 순서	적용 제품	사용 방법	참고 사항
3	1차마스크	거즈 마스크	– D–판테놀(0.25ml) – 리포좀 NMF 콘센트레이트 (0.25ml) – 리포좀 비타민 E 나노파티클스(0.25ml) ③ 훼이스 토닉(5ml) – 홍반이 심한 경우 : 쥬스문® 로션N • ①,②,③을 비커에 배합한 후 준비된 젖은 거즈를 넣어 성분을 흡수시킴. – 성분이 흡수된 거즈를 얼굴에 맞게 밀착	
4	2차마스크	DMS® 비타민 마스크	• DMS® 비타민 마스크(2ml)를 얼굴 전체 도포	– 5가지 비타민 성분 함유, 나노파티클스 공법으로 침투력과 안전성이 뛰어난 크림 형태의 수면마스크 제거할 필요가 없다.
5	기계적용	BTT(He–Ne) 또는 바이옵트론	• 피부 진정 및 재생효과 (15~20분 적용)	
6	마무리 단계	아이크림 도포	• 소량의 제품을 이용하여 눈주위 흡수	
		노브리텐®	• 얼굴 전체적으로 도포	– 면역력 강화, 장벽 복구
		올레오젤 플러스	• 가피가 형성된 부위에 도포 – 손상된 피부에 보호막 형성 피부 재생 탁월	
		더모 프로텍션 선 레스큐 크림	• DMS® 썬프로텍션 크림 SPF 18 도포. 1ml 정도의 제품을 얼굴 전체 꼼꼼하게 도포(눈가, 입가 도포)	– 외출 30분 전에 도포

No	관리 순서	적용 제품	사용 방법	참고 사항
6	마무리 단계	더모 프로텍션 리바이벌 밤	• 두들기며 펴 바른다. → 피부톤을 아름답게 정리	
		더모 프로텍션 리바이벌 쿠션		

참 고 • 가피가 형성되어 있는 경우 : 물리적으로 자극이 되는 테크닉은 피하는 것이 좋다(해면 동작, 습포…).
• 팩이나 마스크 선정 시 : peel off type 타입은 가피를 인위적으로 떨어지게 할 수 있으므로 가피가 있는 상태에서는 피하는 것 이 좋다.

TCA(재생관리-8일차)

No	관리 순서	적용 제품	사용 방법	참고 사항
1	색조 화장 클렌징	더모 에센셜 아이리무버	• 화장솜 3장에 적당량을 묻혀 눈두덩, 눈썹, 입술라인에 약 10초간 적용 • 눈두덩, 눈썹, 입술 라인 순서로 가볍게 색조 제거	– 마스카라, 아이라이너는 면봉을 이용하면 제거 용이
	안 면 클렌징	DMS® 크린싱 밀크	• 적당량(3ml)의 크린싱 밀크를 이용하여 가볍게 핸들링한 후 해면으로 노폐물 제거	– 가피가 떨어지지 않도록 핸들링과 해면 동작 시 주의
2	토 너	쥬스문® 로션N	• 탈지솜 또는 손을 이용하여 눈을 보호한 후 전체적으로 분사	– 건조완화, 면역력 강화
3	1차마스크	거즈 마스크	• 거즈 마스크 배합 ① DMS® 베이스 크림 하이클래식(2ml) – 예민한 경우 : 노브리텐® ② 활성성분 – 조조바 오일(0.25ml)	– wash-off, Peel-off type 피한다. – 거즈 준비 시, 물기를 꽉 짠 상태로 이용한다.

No	관리 순서	적용 제품	사용 방법	참고 사항
3	1차마스크	거즈 마스크	– D–판테놀(0.25ml) – 리포좀 NMF 콘센트레이트(0.25ml) – 리포좀 비타민 E 나노파티클스 (0.25ml) ③ 훼이스 토닉(5ml) – 홍반이 심한 경우 : 쥬스문® 로션 N • ①,②,③을 비커에 배합한 후 준비된 젖은 거즈를 넣어 성분을 흡수시킴. – 성분이 흡수된 거즈를 얼굴에 맞게 밀착	
4	초음파 기 계	스킨 마스터 또는 스킨스크러버	• 거즈마스크 위에 초음파를 5~10분 정도 적용	– 45° 각도 유지 – 눈가, 입가는피한다. → 충혈 예방 – 손목에 힘을 뺀다.
5	2차마스크	더모 센스티브 보타민 모델링 마스크	• 가루 30ml를 고무볼에 덜어 준비 • 시원한 정제수(또는 생수) 50cc를 부어 스파츌러를 이용하여 곱게 갠다. • 약간 건조된 거즈 마스크 위에 고무마스크를 균일하게 도포(눈가는 얇게 도포한다–부종 및 충혈 예방)	– 거즈마스크 위에 고무마스크를 적용하며 부수적인 앰플 사용이 필요 없다(경제적).
6	기계 적용	BTT(He–Ne) 또는 바이옵트론	• 피부 진정 및 재생효과 (15~20분 적용)	
7	마무리 단계	아이크림 도포	• 소량의 제품을 이용하여 눈 주위 흡수	
		부처스브룸 나노파티클스	• 얼굴 전체적으로 도포	– 혈관 강화, 재생

No	관리 순서	적용 제품	사용 방법	참고 사항
7	마무리 단계	DMS® 베이스 크림 하이클래식	• 얼굴 전체적으로 도포(0.5ml)	
		더모 프로텍션 선 레스큐 크림	• 2ml 정도의 제품을 얼굴 전체 꼼꼼하게 도포(눈가, 입가 도포)	– 외출 30분 전에 도포
		더모 프로텍션 리바이벌 밤	• 두들기며 펴 바른다. → 피부톤을 아름답게 정리	
		더모 프로텍션 리바이벌 쿠션		

TCA(재생관리–12일차)

No	관리 순서	적용 제품	사용 방법	참고 사항
1	색조 화장 클렌징	더모 에센셜 아이리무버	• 화장솜 3장에 적당량을 묻혀 눈두덩, 눈썹, 입술라인에 약 10초간 적용 • 눈두덩, 눈썹, 입술 라인 순서로 가볍게 색조 제거	– 마스카라, 아이라이너는 면봉을 이용하면 제거 용이
	안 면 클렌징	DMS® 크린싱 밀크	• 적당량(3ml)의 크린싱 밀크를 이용하여 가볍게 핸들링한 후 해면으로 노폐물 제거	– 가피가 떨어지지 않도록 핸들링과 해면 동작 시 주의
2	토 너	쥬스문® 로션N	• 탈지솜 또는 손을 이용하여 눈을 보호한 후 전체적으로 분사	– 건조완화, 면역력 강화
3	이온토 포레시스	더모 브라이트 이온토 앰플	• 적용 방법 더모 브라이트 이온토 앰플 2ml를 이온토 포레시스 기기를 이용하여 피부에 침투시켜 준다. (5~10분 적용)	– 파우더 타입의 비타민 C : pH가 낮으므로 오랜 기간 사용 시 피부 장벽 손상으로 건조와 예민이 동반될 수 있다.

No	관리 순서	적용 제품	사용 방법	참고 사항
4	1차마스크	DMS® 비타민 마스크	• DMS® 비타민 마스크(2ml)를 얼굴 전체 도포	– 5가지 비타민 성분 함유, 나노파티클스 공법으로 침투력과 안전성을 높임 – 크림 형태의 수면마스크로 제거할 필요가 없다.
5	2차마스크	벨벳 마스크	• 고객 얼굴형에 맞게 벨벳 재단 • 시원한 정제수 준비 • 기포가 생기지 않도록 밀착 • 스파츌러를 이용하여 기포 제거 • 산소마스크 적용(10~15분) • 위 → 아래로 제거	– 벨벳이 찢어지지 않도록 주의하며 밀착시킨다. – 눈이 잘 붓는 고객대처 : 마른 탈지솜을 눈가에 밀착하고 벨벳 도포
6	마무리 단계	아이크림 도포	• 소량의 제품을 이용하여 눈주위 흡수	
		그린티 익스트랙트	• 얼굴 전체적으로 도포	– 부종 완화, 세포 재생
		DMS® 베이스 크림 하이클래식	• 얼굴 전체적으로 도포(0.5ml)	
		더모 프로텍션 선 레스큐 크림	• 2ml 정도의 제품을 얼굴 전체 꼼꼼하게 도포(눈가, 입가 도포)	– 외출 30분 전에 도포
		더모 프로텍션 리바이벌 밤	• 두들기며 펴 바른다. → 피부톤을 아름답게 정리	
		더모 프로텍션 리바이벌 쿠션		

해초박피(당일)

No	관리 순서	적용 제품	사용 방법	참고 사항
1	색조 화장 클렌징	더모 에센셜 아이리무버	• 화장솜 3장에 적당량을 묻혀 눈두덩, 눈썹, 입술라인에 약 10초간 적용 • 눈두덩, 눈썹, 입술 라인 순서로 가볍게 색조 제거	– 마스카라, 아이라이너는 면봉을 이용하면 제거 용이
	안 면 클렌징	DMS® 크린싱 밀크	• 적당량(3ml)의 제품을 이용하여 가볍게 핸들링한 후 해면으로 노폐물 제거	– 예민, 건조, 노화피부
		DMS® 크린싱 젤		– 지성, 여드름
2	딥 클렌징	DMS® 필링 크림	• 적당량(3ml)의 제품을 얼굴에 도포 (10분간 적용) • 제거 시에만 손끝에 물을 묻혀 꼼꼼하게 핸들링한 후 해면으로 제거	– 극도로 예민한 경우는 딥클렌징을 생략하도록 한다.
3	해초 박피	해초 박피 시술	• 솔루션과 가루를 적당한 비율로 배합 • 이마부터 소량 배분하며 압력, 테크닉을 주의하며 시술	
4	마스크	DMS® 비타민 마스크+ 차가운 탈지솜 (냉동 요법)	• DMS® 비타민 마스크를 넉넉하게 도포(3~5ml) • 차가운 생수(정제수)에 담가둔 탈지솜을 얼굴에 맞게 밀착 – 열감 완화 • 10분 정도 경과 후 탈지솜으로 해초 가루와 DMS® 비타민 마스크 제거	
5	1차마스크	거즈 마스크	• 거즈 마스크 배합 ① DMS® 베이스 크림 하이클래식(2ml) ② 활성성분 – 조조바오일(0.5ml) – D-판테놀(0.25ml) – CM-글루칸(0.25ml) ③ 훼이스 토닉(5ml) • ①,②,③을 비커에 배합한 후 준비된 젖은 거즈를 넣어 성분을 흡수시킴. – 성분이 흡수된 거즈를 얼굴에 맞게 밀착	

No	관리 순서	적용 제품	사용 방법	참고 사항
6	2차마스크	더모 센스티브 보타민 모델링 마스크	• 가루 30ml를 고무볼에 덜어 준비 • 시원한 정제수(또는 생수) 50cc를 부어 스파츌러를 이용하여 곱게 갠다. • 약간 건조된 거즈마스크 위에 고무 마스크를 균일하게 도포 (눈가는 얇게 도포한다-부종 및 충혈 예방)	– 거즈 마스크 위에 고무 마스크를 적용하며 부수적인 앰플 사용이 필요 없다(경제적).
7	컬러테라피	BTT 또는 바이옵트론 (5~10분)	• 고무 마스크 제거 후 사용 • DMS® 비타민 마스크를 소량 도포한 후 기계 적용하면 진정, 재생 효과 상승	– 수분, 항산화
8	마무리 단계	아이크림 도포	• 소량의 제품을 이용하여 눈 주위 흡수	– 손상된 피부보호막 형성
		플란트 리포좀 콘센트레이트	• 얼굴 전체적으로 도포	– 외출 30분 전에 도포
		올레오젤 플러스	• 얼굴 전체적으로 도포(0.5ml)	
		더모 프로텍션 선 레스큐 크림	• 2ml 정도의 제품을 얼굴 전체 꼼꼼하게 도포(눈가, 입가 도포)	
		더모 프로텍션 리바이벌 밤	• 두들기며 펴 바른다. → 피부톤을 아름답게 정리	
		더모 프로텍션 리바이벌 쿠션		

참 고
- 기본 5회 관리 실시
- 2회 시술 정도가 되면 피부 건조함을 호소할 수 있으며 이때는 유 · 수분의 관리를 적절히 하는 것이 좋다.
- 반드시 홈케어 제품을 권유
- 가피나 각질이 일어날 경우 밀어내거나 떼어내지 않도록 주지시킨다.
- 재생관리와 보습관리를 소홀히 하면 장벽 구조의 이상으로 세균 감염과 염증을 일으킬 수 있다.

chapter 8 스킨 스케일링

1 필링의 정의
2 필링의 분류

01 필링의 정의

Medical Skincare

피부의 노화는 25세를 기점으로 시작된다고 한다. 한 살 한 살 나이가 들수록 노화의 가속도가 붙어 더욱 신경을 써야 젊게 아름답게 살 수 있는 것이다.

평소 피부관리를 게을리하거나 자외선에 자주 노출되면 피부에 각질이 쌓여 칙칙해 보이고 진피층의 콜라겐 collagen, 엘라스틴 elastin에 손상이 일어나 피부는 푸석해지고 탄력이 떨어지게 된다. 이로 인해 피부가 표정을 자주 짓게 되는 곳의 근육을 따라 점차 골이 만들어져 주름살이 생기게 된다.

피부의 원리는 끊임없이 세포 분열하는 표피세포가 각질로 떨어져나가 새로운 표피로 대체되는 것을 이용하는 것으로, 문제가 있는 표피만 제거해도 진피에 손상만 없다면 새로운 피부가 재생된다. 이러한 피부의 원리를 이용하여 우리는 고대부터 현재의 필링의 모태가 되는 성분들로 효과를 보았으며 그 토대로 전통적인 피부미용법에 대한 과학적인 규명이 현대에 들어와 활발히 연구되어 AHA 발견을 시작으로, 현재는 수십 종에 이르는 필링제가 개발되어 사용되고 있다. 그렇다고 누구나 전부 깨끗이 아기피부처럼 되는 것은 아니다. 피부타입, 피부색깔, 피부두께, 피지선의 활성에 따라 하기 전보다 더 안 좋은 결과를 초래할 수 있기에 주의해야 하며 과다 사용하거나 잘못된 방법으로 적용할 때에는 문제가 될 수 있다는 것을 명심해야 한다.

적용해야 할 곳에 사용을 잘한다면 약이 되지만 남용하거나 피부에 적절히 사용을 하지 못하였을 때에는 문제가 발생하므로 주의해야 하며 필링의 후유증과 효과의 증대를 위해서 필링 후 관리 post skincare, post peel care가 반드시 필요함을 알려주어야 한다.

불과 몇 년 전만 하더라도 필링 후 진정관리 없이 돌려보냈는데 그로 인해 클레임 claim이 많이 발생하다 보니 지금은 병원 내 스킨케어실에서 필링 후 post skin care가 널리 보급되어 행해지고 있다.

필링의 분류

02 Medical Skincare

peeling제의 종류와 깊이에 따라 분류가 가능하며 간략히 정리하고자 한다.

형태에 따른 분류		깊이에 따른 분류
물리적 필링	화학적 필링	
• Diamond Peeling • Dermabrasion • Crystal Peeling	• AHA(Alpha-Hydroxy Acid) • Coombe's(쿰스) = Jessner's Solution • AFA(Amino Fruit Acid) • Easy Peel(TCA peel, Citric acid, L-Ascrobic Acid) • BHA(Beta-Hydroxy Acid, Salicylic Acid) • Resorcinol • ASA • Combination Peel	1. 표층 필링 • Crystal Peel • Diamond Peel • AHA(alpha-hydroxy acid) 2. 중층 필링 • Coombe's(쿰스) • Sea Herbal Peel • Resorcinol Peel • G.A 70~90% 3.심층 필링 • Laser Resurfacing ※중층, 심층으로 필링의 깊이를 조절하여 시술 가능.

현재 다양한 이름으로 시술되는 필링의 기본성분은 위의 도표에 있는 것들이다. 환자의 다양한 선택의 폭과 특별함을 더하고자 기본성분에 첨가물들을 조금씩 더하고 빼서 새로운 필링의 제품이라 소개하고 있다.

그것들이 전부 다른 이름의 필링이지만 기본적인 성분은 변하지 않았다는 사실을 염두에 두고 성분을 관찰해 볼 필요가 있다.

치료하고자 하는 피부질환의 특성, 피부병변의 깊이, 회복시간, 환자의 개인 사정 등을 고려하여 다양한 필링 방법 중 가장 적절한 방법으로 선택하여 시술하는 것이 바람직하다.

1. 물리적 스케일링(Microdermabrasion)

기존의 필링 방법과는 전혀 다른 방법의 미세 박피술 Microdermabrasion이다. 이 치료는 1970년대에 개발되었지만 그동안 이용이 뜸하다가 최근 피부미용에 아주 효과적이라는 사실이 밝혀지면서 다시 미국과 유럽 등지에서 새로운 안면 박피 방법 facial resurfacing technique으로 각광받고 있다.

크리스탈은 세계에서 다이아몬드 다음으로 단단한 광물로 미세 크리스탈은 정교하고 미세하게 피부층에 작용한다. 치료에 사용되는 미세 크리스탈은 알루미늄 옥사이드라 불리는 의료용 파우더로 화학적 반응을 일으키지 않고 인체에 무해하다. 크리스탈은 소독이나 출혈방지 기능 약품에 쓰이는 물질이기도 하다. 미세한 크리스탈 입자들을 피부에 강하게 분사하여 피부의 각질층을 세밀하게 갈아내면서 입자와 조직들을 다시 흡입하여 미세한 박피가 일어나게 하며, 진공의 압의 강도에 따라 박피의 깊이를 조절할 수 있다.

시술과정에서 각질도 벗겨내고 진피층의 섬유아세포를 자극해 피부를 회복시키는 효과가 있다.

크리스탈 필링과 다이아몬드 필링은 일명 런치필이라고도 불린다. 그 이유는 직장인들이 점심시간을 이용하여 시술받은 뒤 바로 화장하고 직장생활로 복귀할 수 있게 된 데서 붙여진 이름이다.

1) Crystal Peeling

Crystal Peeling의 특징

원 리	미세한 크리스탈 입자를 피부의 가장 바깥층에 강하게 분사하여 피부를 세밀하게 갈아내는 것과 동시에 입자와 연마된 조직을 흡입하여 제거하게 된다. 즉 강한 진공 에너지에 의해 크리스탈 파우더를 피부에 부딪치게 하여 피부 조직을 탈피시키는 방법이다.
적용 피부	• 미세한 선이나 잔주름(노화관리) • 확장된 모공 축소 관리 • 여드름 흉터 acne scar 피부에 적용 • 지루성, 각질이 많이 생성되고 두터운 피부 • 튼살, 닭살

금지해야 할 피부	• 극예민 피부 • 염증성 acne • 표면이 얇은 피부 • 혈관확장 피부 • 상처가 노출된 피부
시술 적용	• 상태에 따라 달라지지만 일반적으로 회당 시술 간격은 10~15일 정도로 한다. • 티켓 환자 시 특별한 이상이 없으면 10~15일 간격으로 5회까지 집중 관리로 들어간다. • 문제가 생길 시에는 시술 간격을 피부에 맞게 조절한다.

2) Diamond Peeling

우리 피부는 죽어 있는 세포가 아니라 끊임없이 재생과 분해를 반복하기 때문에 미세박피술로 피부표면을 깎아내어 피부재생을 유도하면 보다 젊고 건강한 피부로 바뀌게 되므로 피부노화치료나 피부개선에 효과적이다. 보통 '미세박피술' 이라고 하면 소위 '크리스탈 필링' 이라고 부르는데 그 이유는 현재까지 개발된 미세박피술이 거의 대부분은 알루미늄 옥사이드라는 크리스탈 분말을 사용하기 때문이다. 기존의 크리스탈 분말을 사용하던 크리스탈 미세 박피술의 단점을 극복하여 천연다이아몬드를 이용하여 보다 정교하고 부작용 없는 박피가 가능한 미세박피술로 크리스탈 파우더 대신 팁에 부착된 다이아몬드를 이용해 필링을 하는 방법이다.

다이아몬드 필링 기기의 특징

원 리	다이아몬드를 입힌 wand로 표피를 가볍게 밀어내면 연마된 각질은 진공펌프에 의해 자동으로 제거 흡입한다.
장 점	• 박피의 부작용이 거의 없다. • 마취가 전혀 필요 없고 1회 시술 15분 내외이다. • 여러 가지 다이아몬드 wand로 정밀/미세박피가 가능하다. • 시술 시 따가움이나 통증이 전혀 없다. • 시술 후 피부안정이나 휴식시간이 필요 없고, 즉시 외출 및 일상생활이 가능하다(시술 후 즉시 세안 및 화장이 가능하다).
적용 피부	• 미세한 선이나 잔주름 • 건성 노화 피부 • 여드름 흉터 acne scar 피부에 적용 • 거친 피부 • 색소, 잡티 피부 • 지루성, 각질이 많이 생성되고 표피가 얇은 사람

금지해야 할 피부	• 극예민 피부 • 혈관 확장 피부 • 염증성 acne, 상처가 노출된 피부
시술 적용	• 상태에 따라 달라지지만 일반적으로 시술 간격은 10~15일 정도로 한다. • 티켓 환자 1~5회까지 특별한 이상이 없으면 10~15일 간격으로 5회까지 집중관리로 들어가며 예민, 홍반의 유발을 주의한다. • 문제가 생길 시에는 시술 간격을 피부에 맞게 조절한다. • 크리스탈보다 각질 탈락 정도는 미약하다.

참/고/사/항

최근엔 크리스탈 기기만, 또는 다이아몬드 기기만 단독 시술이 들어가는 경우는 드물며 두 가지 필이 한 기계에 같이 붙어 있는 복합기의 경우가 많다.
T존-크리스탈, U존-다이아몬드를 복합적으로 사용하는 경향이 있다.

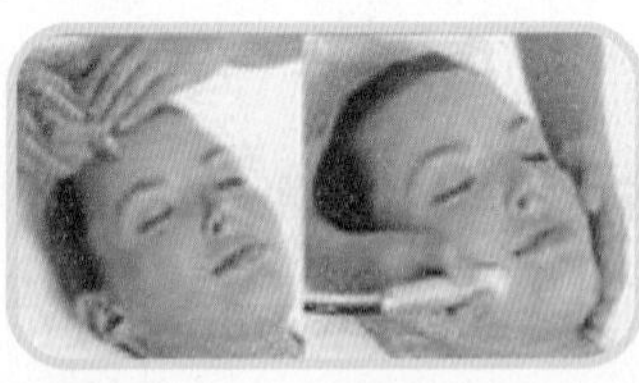

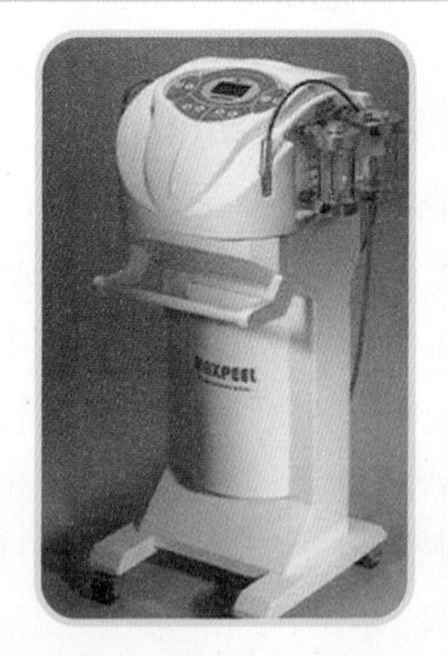

2. 화학적 스케일링(약물에 의한 박피)

고대 이집트의 유명한 피부미용의 선구자였던 클레오파트라 여왕은 당나귀의 젖을 발효시킨 후 목욕을 하였고 프랑스의 귀부인들은 오랫동안 저장된 포도주를 발라서 피부의 윤기를 더했다고 한다. 화장품 학자들이 연구한 결과 그러한 비밀스러운 작용을 하던 성분이 AHA Alpha-Hydroxy-Acid라는 사실을 알게 되었다.

맑고 고운 아름다운 피부를 갖고자 하는 욕구는 고대나 현대에서나 끊임없이 지속되어 왔는데 전통적인 피부미용법에 대한 과학적인 규명은 현대에 들어와 활발히 연구되어 AHA라는 작용성분의 발견을 토대로 현재는 수십 여종에 이르는 필링제가 개발되어 사용되고 있다. 이후 여러 학자들에 의해 현재는 AHA뿐만 아니라 여러 형태의 화학적인 peeling이 이용되고 있다.

필링의 가장 주목할 만한 효능은 피부노화의 지연 과정을 유도하는 것이며 더불어 조직학적으로 진피의 콜라겐과 엘라스틴이 증가하고 기저층이 두터워져 수분 보유력을 증대시키는 것이다.

각질정리의 원리를 이해하려면 먼저 피부의 구조 및 생리를 알아야 한다. 피부의 원리는 끊임없이 분열하는 표피세포가 각질로 떨어져나가 새로운 표피로 대체되는 것을 이용하는 것으로 문제가 있는 표피만 제거하여도 진피에 손상만 없다면 새로운 피부가 재생된다. 그렇다고 누구나 전부 깨끗이 아기처럼 되는 것은 아니며 피부타입, 피부색깔, 피부두께, 피지선의 활동에 따라 하기 전보다 더 안 좋은 결과를 초래할 수도 있기에 주의하여야 하며 과다 사용하거나 잘못된 방법으로 적용할 때에는 문제가 될 수 있다.

1) AHA(Alpha-Hydroxy Acid)

스케일링 중 AHA가 가장 널리 사용되며, AHA는 화장품, 박피제 등 다양한 쓰임이 이루어지고 있다.

AHA는 유기산(카르복시산)의 첫 번째 탄소에 수산기 hydroxy group가 붙어 있는 물질들을 총칭하는 말이다.

AHA는 각질층의 아래 부분에서 각질세포들 사이의 응집력에 영향을 주어 각질층의 pH변형을 통하여 피부에 작용하는 것으로 카르복시산 구조에서 AHA에 해당되는 물질은 Glycolic Acid를 비롯하여 총 다섯 가지를 들 수 있는데, 필라델피아의 피부과 전문의사인 반 스코트 박사에 의해 AHA가 개발되어 1900년대 초 미국과 유럽 등에서 크게 각광을 받으며 상용화가 되었다.

피부노화에 많이 이용되는 AHA나 BHA는 농도에 따라 박피의 정도가 달라지는데 높은 농도로 사용될 경우 살아 있는 세포까지 탈락시키는 작용을 하는 반면에 낮은 농도의 경우는 과립층 위의 죽은 세포나 각질세포의 결합력을 약화시켜 각질층의 두께를 얇아지게 하여 세포의 재생을 촉진하는 것으로 알려져 있다. AHA는 FDA에 의해 공인받고 있지는 못한 상태로 현재 FDA에는 Lactic Acid를 고농도로 제작한 물질이 피부노화 개선의 효과가 있음을 인정받기 위해 신청 중에 있다고 한다. 이는 Lactic Acid 30% 농도의 Lac-Hydrin30이라는 제품이며, 이 제품이 레틴-A처럼 방대한 자료를 바탕으로 FDA에 의해 인정을 받는다면 레틴-A 다음으로 확실한 효과가 인정되는 물질이다.

우리나라에서는 1990년대 초 본격적으로 사용되었으며 노화에 의해 필요 이상으로 남아 있는 오래된 각질을 제거하여 피부를 재활성화시켜 새로운 피부가 생기게 하는 역할을 한다.

AHA는 천연추출물이며 안전하고 농도 조절(홈케어용 10%, 살롱 관리용 30%)이 자유롭고 베이스를 다양하게 하여 건조증을 줄이면서 각질 탈락을 유도할 수 있다.

여러 가지 과일, 사탕수수 등에서 쉽게 구할 수 있고 과일산이라고 부르기도 하며 AHA라 하면 대개 Glycolic Acid라 통하는데 그 이유는 AHA의 여러 종류 중 가장 입자가 작아 사용이 많기 때문이지만, 'Glycolic Acid = AHA' 가 아니며 그중 한 종류인 것을 알아야 한다.

가끔 AHA와 GA는 다른 것으로 착각하는 경우를 볼 수 있는데 GA는 AHA의 한 종류인 것이다.

AHA의 종류와 특징

AHA의 한 종류	구조식	특 징	적용피부
글리콜산 (Glycolic Acid)	$C_2H_4O_3$ H | HO–C–COOH | H	• 사탕수수에서 추출 • AHA 중 분자량이 가장 적어 피부 침투율이 가장 뛰어나다. • AHA중 가장 많이 사용한다. (AHA = GA)라 한다.	• 여드름 • 색소, 기미, 잡티 • 각질이 많은 피부 • 안색이 어두운 피부 • 노화, 건조 피부 • 주름이 많은 피부
젖 산 (Lactic Acid)	$C_3H_6O_3$ OH | CH_3–C–COOH | H	• 쉰 우유에서 추출(락토오즈에서 산화효소를 가해 발생함) • 자연 보습인자 중 하나로 보습 효과 탁월	• 건조, 노화피부 • 색소, 기미, 잡티 • 각질이 많은 피부 • 안색이 어두운 피부

AHA의 한 종류	구조식	특 징	적용피부
사과산 (Malic Acid)	$C_4H_6O_5$ H H | | HOOC-C-C-COOH | | H OH	• 사과, 복숭아 등에서 추출 • 능금산이라고도 불린다.	• 단독 사용보다 화장품의 pH조절, 천연 방부제, 미용 각질제 등으로 함께 사용된다. • Glycolic Acid, Latic Acid에 첨가하여 흡수율을 증대시킨다.
주석산 (Tartaric Acid)	$C_4H_6O_6$ HO H | | HOOC-C-C-COOH | | H OH	• 포도주 앙금물질에서 추출 • 포도산이라고도 불린다.	
구연산 (Citric Acid)	$C_6H_8O_7$ CH_2COOH | HO-C-COOH | CH_2COOH	• 오렌지, 레몬 등에서 추출 • 화장품의 pH조절제로 많이 사용	

AHA의 장 · 단점 비교

장 점	단 점
1. 재료를 쉽게 구할 수가 있다. 2. 피부의 보습 작용이 뛰어나다. 3. 방부 작용으로 박테리아 성장의 억제가 가능하다 4. 농도에 따라 다양하게 피부에 적용이 가능하다. 5. 알레르기가 없다.	1. 불안정한 각화주기를 갖는 피부에는 극도의 부작용 유발이 가능하다. 2. 피지제거의 능력이 떨어진다. 3. 화농성 여드름에 사용 시 더욱 염증을 악화시킬 수 있다. 4. 장기 사용 시 피부가 예민과 홍반을 초래할 수 있다. 5. 중화가 제대로 제거되지 않을 경우 색소 침착의 우려가 있다.

AHA의 피부 메커니즘

① AHA의 필링 원리

AHA는 사탕수수나 오렌지 레몬 등에 함유되어 있는 천연성분으로 피부층 사이에 있는 불필요한 물질을 없애 표피에 쌓인 죽은 각질을 떨어지게 하여 신속한 세포교체를 하는 작용을 한다.

이것은 피부의 acantaholysis(케라틴 세포와 세포 사이에 연결고리를 차단해 주는 것)을 일으키는 것으로 알려져 있다.

그러므로 대부분 케라틴 층을 제거하는 데 사용되며 각질과 지질의 접합체 간 지질만 분리시켜 각질 탈락을 유도시키는 것이 올바른 정의일 것이다.

AHA를 여러 번 반복할 경우 약한 정도의 메디컬 화학박피 효과를 거둘 수는 있으나 피부 기저층 이하로 들어가기 어려우므로 오히려 피부장벽 손상으로 예민 피부로 만들 수 있다.

각질층에서만 작용이 일어나며 각질과 각질의 연결고리를 분리하는 역할밖에는 하지 못한다.

▶AHA의 작용 : 원활한 각질제거로 인한 피부 메커니즘(각화현상)을 촉진시킴.

✲ AHA 필링 후 중화의 필요성

약물의 독성을 순화시키며 작용을 차단시키며 작용시간을 변경하기 위하여 필요하다.
강한 산으로 필링을 한 후 알칼리성분으로 중화시키므로 pH를 약산성으로 되돌려주는 작용이다.

② AHA의 효능

- 각질탈락 유도 – 각질 탈락 작용이 원활하지 못한 피부에 죽은 세포가 쌓이는 현상을 막을 수 있다.
- 수분 증가(보습) – AHA는 각질탈락을 유도함과 동시에 적정 수분을 늘려주는 보습력의 역할을 한다. 단, 과도 시에 건조증, 홍반 등을 초래할 수 있다.
- 주름 제거의 효과가 있다 – 필링의 효과가 지속적으로 이루어지면 피부의 재생속도가 빨라지며 콜라겐의 생산량이 증가하여 탄력이 증가, 피부의 윤기가 더해지며 잔주름이 없어지게 된다.
- 색소, 잡티에 효과가 있으며 안색이 맑아진다 – 지속적인 필링에 의한 색소 침착세포의 각질 탈락과 피부재생에 의하여 색소들이 서서히 엷어지는 효과

가 나타난다.

- 면포성 여드름에 효과가 있다 – 과도한 각질 형성을 방지하므로 모공이 막혀 여드름이 발생할 확률이 줄어들며 중성 피부로 개선되는 시기도 빨라질 수 있다.
- 적정 농도로 적절하게 이용했을 때에만 효과를 기대할 수 있다.

③ AHA 사용 시 주의 사항

- 계절의 변화에 따라 농도 조절
- 화농성 여드름에 사용하면 염증을 더욱 악화
- 예민 피부에 사용 시 더욱 예민해짐
- 피부에 따라 농도를 적절히 적용
- 농도에 주의(pH에 따라 적용시간이 달라진다.) - 산과 염기의 세기를 나타내기 위한 수단으로 pH를 사용하며 산성인지, 알칼리성인지를 표시하기 위한 값이다. pH가 1만큼 변하면 H^+ 이온의 농도는 10배 변하며, pH 2인 용액의 산성도는 pH 3보다 10배 강하다.
- 장기간 연고 남용자는 시술을 금한다.

④ AHA의 부작용

- 장기간 사용 시 피부의 예민 초래
- 색소 침착
- 장기적인 홍반 유지

⑤ 시술시 필요한 물품

- 적용할 GA 농도 선택 - 약품의 농도 선택, 시술 횟수 등을 고려하여 피부에 적합한 농도를 선택하여 적용
- 소독된 긴 면봉 - 솜이 붙어 있지 않은 부분을 이용한다.
- 젖은 코튼 - 긴 면봉에 코튼을 평평히 말아준다.
- 유리볼 - GA를 덜어서 사용한다(오목한 유리볼 사용).
- 타이머 - 피부에 적용 후 시간을 확인하여 중화의 시기와 다음 관리 시 GA 선택에 참고

- 중화할 차가운 물과 해면 - 1차 크린싱 젤로 중화할 때 필요함.
- 냉타월 - 중화 후에 따가움을 빨리 완화하기 위해 냉타월로 올려준다.

GA 농도 pH 레벨 테스트

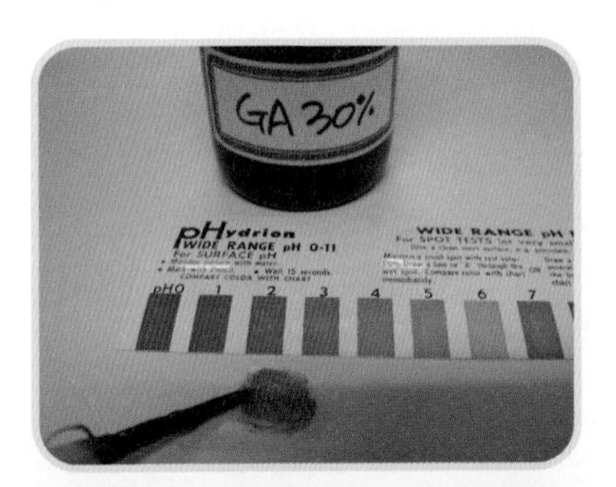

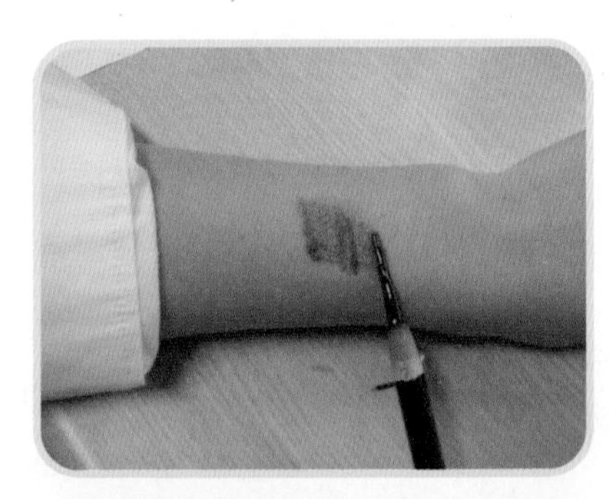

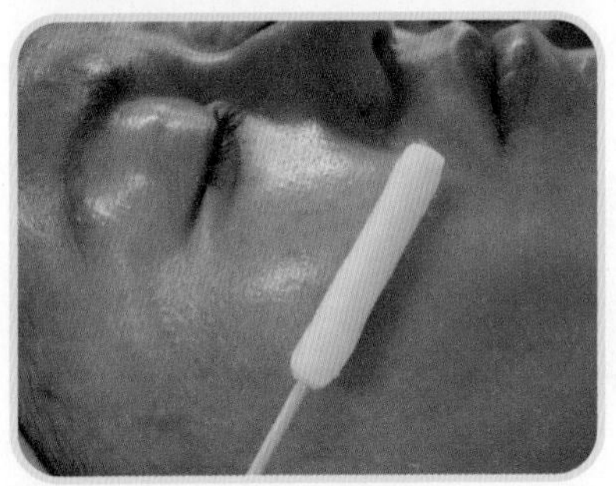

▲ GA 30% 도포 모습

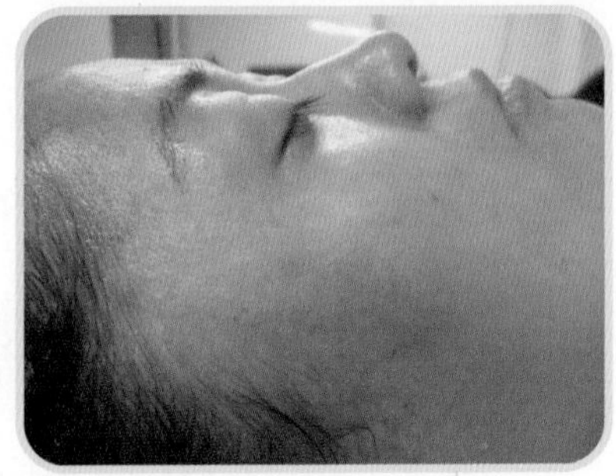

▲ GA 30% 관리 후

2) Coombe's(쿰스)

Jessner's Solution이라고 불리기도 하며 제스너 Max Jessner에 의해 1940년 후반에 제조되었으나 우리나라에서는 1990년대 말에 대중화되어 현재까지 가장 많이 사용되고 있는 여드름 치료제이다.

현재 병원에서 여드름을 치료할 때 기본적으로 사용하는 약품이 되었으며 이로 인해 여드름의 치료 효과가 좀 더 빠르게 나타나게 되었다.

AHA와 달리 단일물질이 아닌 복합성분이며 적용피부 또한 지루성이나 염증을 동반한 피부에 적용 가능한 필링제이며 필링 시술 후 피부가 약간의 홍반과 얼룩덜룩한 하얀 프로스팅 frosting으로 필링의 깊이와 효과를 어느 정도 가늠할 수 있으며 %는 없으므로 적용 시 피부상태나 솔루션을 도포할 때 압력, 솔루션의 양 조절로 필링의 깊이가 조절 가능하다.

① Coombe's(쿰스)의 구성성분

성 분	용 량	비 고
Salicylic acid(염증 소염작용)	14g	Ethanol Alcohol 100cc
Latic Acid(각질 탈락, 수분 증가)	14g	
Resorcinol(고통,염증 완화)	14g	

② Coombe's(쿰스)의 작용기전

- GA처럼 %가 있지 않은 혼합 약품이다.
- GA 30% 정도의 작용을 한다.
- 중화의 작용이 필요하지 않으며 도포 후 즉시 피부 표면에 흡수되어 각각의 효능을 하는 작용을 가지고 있다.
- 바르는 양, 압력, 터치에 의해 생기는 프로스팅 frosting을 육안으로 관찰하고 필링의 깊이와 효과의 차이를 만들 수 있다.

③ Coombe's(쿰스)의 효능과 적용 피부

효 능	적용 피부
1. 염증의 완화 2. AHA성분으로 각질의 탈락 유도 3. AHA성분으로 건조증 보호 4. 피지 분비 조절	1. 염증을 동반한 여드름 피부 2. 각질이 많은 피부 3. 지루성 피부 4. 지루성 피부염증 동반피부

④ Coombe's(쿰스) 사용 시 주의사항

사용 시 여드름 extraction 작업이 끝난 후 적용하는 것이 여드름의 치료가 훨씬 빠르지만 염증을 동반했거나 지루성이 심한 부위엔 가피나 각질이 일어나므로 세안 시 밀거나 떼어내는 행위는 금물이다.

인위적으로 밀어낼 경우 색소 침착의 부작용이 생길 수 있으므로 환자에게 주의를 시킬 필요가 있다. 필링 후에는 일시적으로 여드름이 더 많이 표면으로 올라오는 경우도 간혹 있으니 당황하지 말고 환자에게 설명해 주어야 한다.

⑤ Coombe's(쿰스) 사용 후 부작용

- 색소 침착
- 홍반, 예민 초래
- 염증

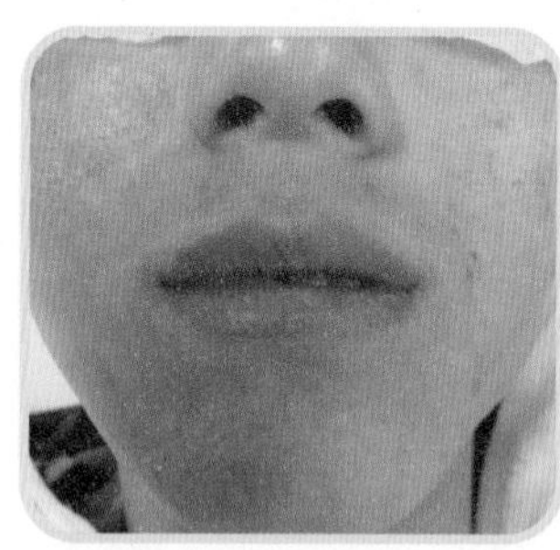

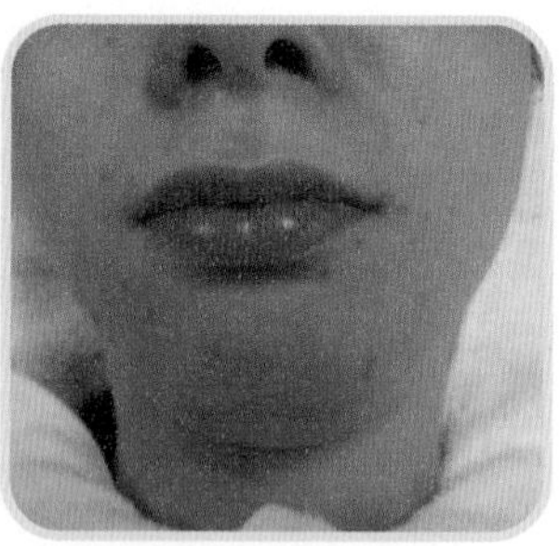

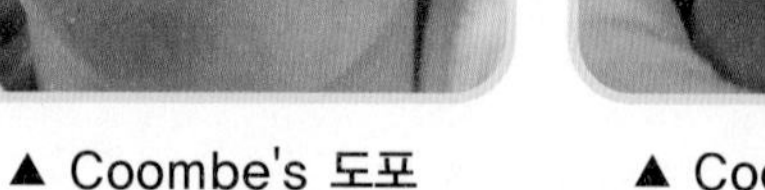

▲ Coombe's 도포　　▲ Coombe's 관리 후

3) BHA(Beta-Hydroxy Acid)

살리실산(SA)이라고 불리는 BHA는 베타히드록시산의 일종으로 알려져 있으며 흔히 사용되던 화학박피타입으로 제스너 용액의 구성성분과 세안제로도 많이 사용되고 있다. 살리실산은 지질에 친화력이 있어 모낭 내로 침투가 용이하므로 각질용해와 여드름 치료, 미백, 피부를 윤택하게 하고 잔주름에 효과가 있어 많이 사용된다.

BHA의 특징

원 리	화학약품처럼 일반 솔루션으로 이루어져 있으며 면봉으로 얇게 피부에 바르면 된다.
적용 피부	• 염증을 동반한 여드름 피부 • 각질이 많은 피부 • 지루성 피부염증 동반 피부 • 잔주름이 많은 피부 • 거친 피부 • 색소, 잡티 피부 • 안색정화를 원하는 피부
장 점	• AHA에 비해 자극이 덜하며 항염효과가 있어 효과적인 필링이 가능하다. • 지용성의 특징이 있어 모공안의 여드름을 용해시켜 줌으로써 여드름 씨앗을 감소시킨다. • 중화과정이 필요치 않아 안전하고 쉽게 사용이 가능하다. • 콜라겐 합성을 촉진시키는 작용을 한다.

단 점	• 예민피부나 농도에 주의하여 사용한다. • 넓은 부위에 많은 양을 사용할 때 살리실리즘이라는 독성이 생길 수 있다. • 임산부, 수유부에게는 적용을 금한다. • 일상생활에 지장이 있는 경우

4) Sea Herbal Peeling

'해초필링'이라 하면 해초박피는 보다 얇게 각질 탈락을 유도하며 성분적으로 화학적인 것이 아니라 천연의 식물에서 얻어지는 성분을 이용하기 때문에 피부에 좀 더 친화적이다.

주요 성분은 효소성분이 함유된 심해의 바다 속에서 채취된 해초 식물과 사해의 미네랄, 미량원소들이 미세 암석가루들로 구성되어 있다.

Sea Herbal Peeling의 특징

원 리	해초가루와 솔루션을 혼합하여 피부에 도포한 후 러빙하여 준다. 러빙, 강도, 시간에 따라 필링의 강도가 결정된다.
적용피부	• 미세한 선이나 잔주름 • 건성 노화 피부 • acne scar 피부에 적용 • 지루성, 각질이 많이 생성되고 표피가 얇은 사람 • 거친 피부 • 색소, 잡티 피부 • 안색정화를 원하는 사람
금지해야 할 피부	• 극예민 피부 • 혈관확장 피부 • 염증성 acne, 상처가 노출된 피부 • 일상생활에 지장이 있는 경우
시술 적용	• 면봉의 약품이 묻는 양, 바르는 테크닉, 압력 등에 필링의 차이가 있으므로 주의. • 1회 시술 후 보름에서 한 달 정도는 재생 관리가 충분히 들어가야만 큰 효과를 볼 수 있음. • 박피보다는 덜하지만 얇은 가피 3~7일 사이에 벗겨지는 현상이 있다. 절대 밀거나 떼어서는 안 된다.

참/고/사/항

가피가 전부 떨어졌다고 피부재생이 완전히 이루어진 것이 아니므로 꾸준한 관리가 필요함을 알려주어야 한다.

Sea Herbal Peeling의 효과

해초는 미네랄이 풍부하여 피부의 상처 회복과 재생에 도움을 주며, 보습기능과 피부를 깨끗이 해주는 기능을 한다. 또한 피부를 촉촉하고 투명하게 해주는데 탁월할 뿐 아니라 노화방지에도 효과적이다. 따라서 깊은 바다에서 추출한 천연 해초가루를 활성용액과 섞어 필링을 하면 피부의 죽은 세포와 침착된 세포를 벗겨낼 수 있다.

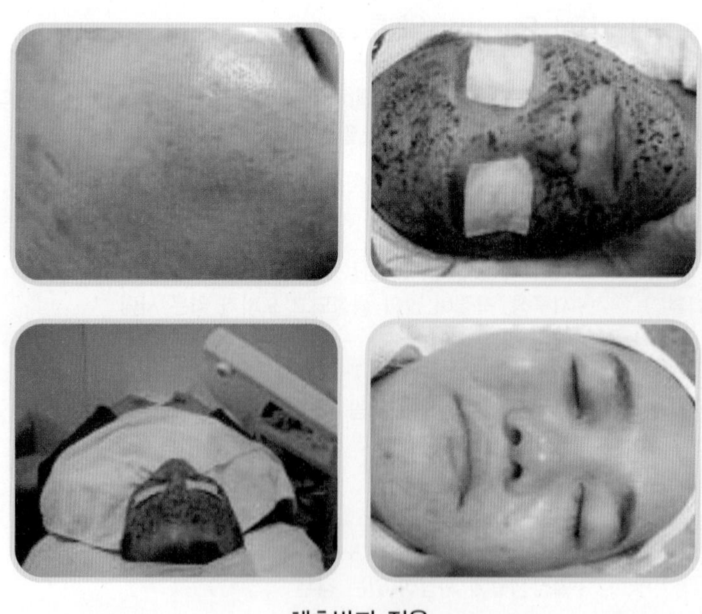

해초박피 적용

5) AFA(Amino Fruit Acid)

아미노 필링은 미국의 클레인 Marvin Klain이 개발한 방법으로, 피부의 천연 아미노산에 기초한 성분인 Amino Fruit Acid는 분자량이 작아 피부 침투성이 좋고 항산화효과가 뛰어난 새로운 성분이다. 기존의 피부 스케일링에 사용되는 글리콜산과는 다른 더 미세한 자연 아미노산 성분을 사용해 시술하기 때문에 수분 보존능력이 뛰어나 박피 후에도 건조해지지 않고 피부색이 맑아지며 광색소 침착피부나 얼룩진 피부, 칙칙한 피부, 미세한 주름피부, 예민 피부나 각질이 많은 피부에 효과적으로 적용된다. 강한 보습력을 가지면서도 자극이 적어 피부상태에 따라 다른 시술과 병행하면 더 좋은 효과를 볼 수 있다. 여드름 흉터가 있을 때에는 다이아몬드 필링 등 미세 박피술과 기미에는 바이탈이온트를 병행하여 시술하면 더욱 좋은 효과를 낼 수 있다.

① AFA의 장점

시술 후 일상생활에 전혀 지장이 없으며 자극이 적어 민감한 피부에도 적용이 가능하며 크리스탈 필링 후에 아미노 필링을 추가하여 동시에 하게 되면 일명 크리스탈 아미노 필링이 되며 더 좋은 효과를 얻을 수 있다.

② AFA의 효과와 적용

모공 청소 및 칙칙한 피부색소 제거, 미백, 잔주름 등이 개선되고 충분한 효과를 보려면 1주 간격으로 4~8회 정도 시술을 받고 피부 문제가 개선된 후에는 유지 관리를 위해 1개월에 1회씩 꾸준히 시술받는 것이 좋다

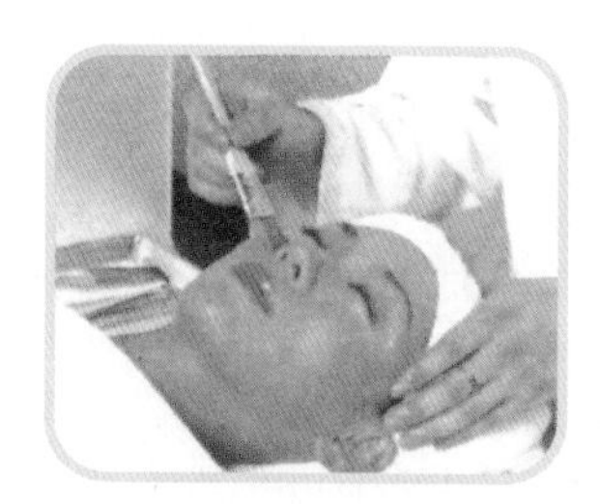

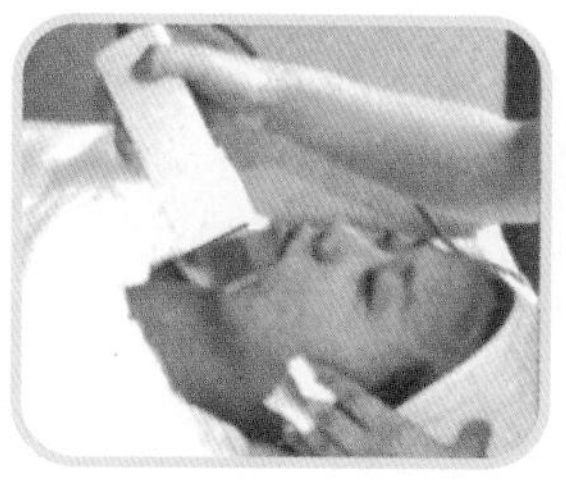

스케일링(G.A)

No	관리 순서	적용 제품	사용 방법	참고 사항
1	색조 화장 클렌징	더모 에센셜 아이리무버	• 화장솜 3장에 적당량을 묻혀 눈두덩, 눈썹, 입술라인에 약 10초간 적용 • 눈두덩, 눈썹, 입술 라인 순서로 가볍게 색조 제거	– 마스카라, 아이라이너는 면봉을 이용하면 제거 용이
	안 면 클렌징	DMS® 크린싱 밀크	• 적당량(3ml)의 제품을 이용하여 가볍게 핸들링한 후 해면으로 노폐물 제거	– 예민, 건조, 노화피부
		DMS® 크린싱 젤		– 지성, 여드름
2	딥 클렌징	DMS® 필링크림	• 적당량(3ml)의 제품을 얼굴에 도포(10분간 적용) • 5~10분 정도 스티머 조사 • 가볍게 테크닉을 하여 각질을 제거한다.	– 예민한 경우, 스티머 조사는 5분 이내로 한다.
3	스케일링	G.A (원장 시술)	• 준비된 용액을 면봉을 이용하여 균일하게 도포 • pH 값에 따라 시간 적용이 달라지므로 환자 피부상태 고려해 주의	
4	후처치	G.A 중화과정	• 크린싱 젤로 러빙하고 해면정리 • 훼이스 토닉(pH 5.5) 정리 – pH 밸런스 – 피부 안정화	– 중화과정이 제대로 이뤄지지 않으면 G.A의 작용으로 인해 피부 소양감과 발진상태가 생길 수 있다. – 피부가 너무 붉을 경우, 먼저 냉타월을 적용한 다음 중화과정에 들어간다.
5	집중관리	리포좀 NMF 콤플렉스	• 얼굴 전체적으로 충분하게 도포(0.25ml)	

No	관리 순서	적용 제품	사용 방법	참고 사항
6	1차마스크	거즈 마스크	• 거즈 마스크 배합 ① DMS® 베이스 크림 하이클래식(2ml) 또는 클래식(2ml) ② 활성성분 – 조조바 오일(0.5ml) – D-판테놀(0.25ml) – 리포좀 NMF 콘센트레이트(0.25ml) – 부처스브룸 나노파티클스(0.25ml) ③ 훼이스 토닉(5ml) • ①,②,③을 비커에 배합한 후 준비된 젖은 거즈를 넣어 성분을 흡수 시킴. – 성분이 흡수된 거즈를 얼굴에 맞게 밀착	
7	초음파 적 용	스킨 스크러버 또는 스킨 마스터	• 거즈 마스크 위에 스킨 마스터를 적용하여 흡수시킨다.	– 눈가, 입가 제외하고 적용 – 45° 각도 유지 – 압력 체크 – 근육결 방향대로 적용
8	2차마스크	DMS® 비타민 마스크	• 2ml 정도를 얼굴 전체 도포 • 색소 부위는 소량 추가 도포 • 15~20분 적용 • 시간 적용 후 가볍게 흡수시킨다.	– 5가지 비타민 성분 함유의 나노파티클스 형태로 안정적 침투와 72시간 지속 효과 – 흡수시키는 형태로 제거할 필요가 없다.
9	고무 마스크	더모 퓨어 보타민 모델링 마스크	• 가루 30ml를 고무볼에 덜어 준비 • 시원한 정제수(또는 생수) 50cc를 부어 스파출러를 이용하여 곱게 갠다. • 약간 건조된 거즈 마스크 위에 고무마스크를 균일하게 도포(눈가는 얇게 도포한다-부종 및 충혈 예방)	

No	관리 순서	적용 제품	사용 방법	참고 사항
10	컬러테라피	BTT 또는 바이옵트론 (5~10분)	• 고무 마스크 제거 후 적용 • 비타민 마스크를 소량 도포한 후 기계 적용하면 진정, 재생 효과 상승	
11	마무리 단계	아이젤 플러스 도포	• 소량의 제품을 이용하여 눈주위 흡수	– 예민한 경우, D–판테놀 도포 후 아이젤 플러스 도포
		C.M글루칸	• 얼굴 전체적으로 도포	– 면역력 강화, 자외선 중화
		노브리텐	• 얼굴 전체적으로 도포(0.5ml)	– 손상된 피부 보호막 형성
		더모 프로텍션 선 레스큐 크림	• 2ml 정도의 제품을 얼굴 전체 꼼꼼하게 도포(눈가, 입가 도포)	– 외출 30분 전에 도포
		더모 프로텍션 리바이벌 밤	• 두들기며 펴 바른다. • 피부 톤을 아름답게 정리	
		더모 프로텍션 리바이벌 쿠션		

참 고 – 기본 5회 관리를 실시하며 2회가 넘어가면 건조함을 호소하기 때문에 수분을 늘려줄 수 있는 성분을 홈케어용으로 처방해 주어야 한다.
– 혹, 가피나 각질이 일어날 경우 밀어내거나 떼어내서는 절대 안 된다.
– 가벼운 박피라 생각하며 재생관리와 보습관리를 소홀히 하면 장벽구조의 이상으로 세균 감염과 소양감 염증을 일으키는 경우도 있으니 주의해야 한다.

주의사항 ① 무리한 각질제거나 입자가 모난 형태의 스크럽제 등은 사용하지 않는 것이 좋다.
② AHA 성분을 함유한 제품은 피하는 것이 좋다.
③ 사우나 및 땀이 날 정도의 운동을 금하는 것이 좋다.
④ 진정과 보습을 충분히 해주는 것이 좋다.

스케일링(Coombe's)

No	관리 순서	적용 제품	사용 방법	참고 사항
1	색조 화장 클렌징	더모 에센셜 아이리무버	• 화장솜 3장에 적당량을 묻 혀 눈두덩, 눈썹, 입술라인에 약 10초간 적용 • 눈두덩, 눈썹, 입술 라인 순서로 가볍게 색조 제거	– 마스카라, 아이라이너는 면봉을 이용하면 제거 용이
	안 면 클렌징	DMS® 크린싱 밀크	• 적당량(3ml)의 제품을 이용하여 가볍게 핸들링한 후 해면으로 노폐물 제거	– 예민, 건조, 노화피부
		DMS® 크린싱 젤		– 지성, 여드름
2	딥 클렌징	더모 에센셜 수퍼 엔자임 파우더	• 소량의 제품을 유리볼에 덜어 거품을 낸다. • 눈가, 입가 제외하고 전체 도포 • 여드름과 피지 분비가 많은 곳을 얇게 도포/스티머 약 5분 조사	
3	스케일링	Coombe's (원장 시술)	• 준비된 용액을 면봉을 이용하여 균일하게 도포 • 피부 변화 상태(붉어지는 정도)확인하며 도포 • 시간 체크가 끝나면 바로 냉타월 • 간혹 염증이 심한 부위, 각질 과다 부위는 피부 프로스팅(frosting)이 나타날 수 있다.	– Coombe's 냄새가 강하고 열감이 나므로 부채질 또는 소형 선풍기를 이용하여 열감을 완화시켜 주는 것이 좋다.
4	토 너	쥬스문® 로션 P	• 눈가, 입가 젖은 탈지솜으로 보호 • 얼굴 전체적으로 분사	– 항염, 항세균, 각질 정리
5	집중관리	D-판테놀	• 얼굴 전체적으로 충분하게 도포 (1ml)	– 붉음과 거칠음 완화
6	1차마스크	거즈 마스크	• 거즈 마스크 배합 ① DMS® 베이스 크림 하이클래식(2ml)	

No	관리 순서	적용 제품	사용 방법	참고 사항
6	1차마스크	거즈 마스크	② 활성성분 - 조조바 오일(0.5ml) - 하마멜리스 익스트랙트 (0.25ml) - 리포좀 콘센트레이트 플러스(0.25ml) ③ 훼이스 토닉(5ml) • ①,②,③을 비커에 배합한 후 준비된 젖은 거즈를 넣어 성분을 흡수 시킴. - 성분이 흡수된 거즈를 얼굴에 맞게 밀착	
7	초음파 적 용	스킨 스크러버 또는 스킨 마스터	• 거즈 마스크 위에 스킨 마스터를 적용하여 흡수시킨다.	- 눈가, 입가 제외하고 적용 - 45° 각도 유지 - 압력체크 - 근육결 방향대로 적용
8	2차마스크	더모 퓨어 보타민 모델링 마스크	• 가루 30ml를 고무볼에 덜어 준비 • 시원한 정제수(또는 생수) 50cc를 부어 스파츌러를 이용하여 곱게 갠다. • 약간 건조된 거즈 마스크 위에 고무 마스크를 균일하게 도포(눈가는 얇게 도포)한다. - 부종 및 충혈 예방	- 거즈마스크 위에 고무마스크를 적용하여 부수적인 앰플사용이 필요 없다(경제적).
9	컬러테라피	BTT 또는 바이옵트론 (5~10분)	• 고무 마스크 제거 후 적용 • DMS® 비타민 마스크를 소량 도포한 후 기계 적용하면 진정, 재생 효과 상승	
10	마무리 단계	아이젤 플러스 도포	• 소량의 제품을 이용하여 눈주위 흡수	- 예민한 경우, D-판테놀 도포 후 아이젤 플러스

No	관리 순서	적용 제품	사용 방법	참고 사항
10	마무리 단계	비타민 B 리포좀 콘센트레이트	• 얼굴 전체적으로 도포	– 보습효과 증진
		플로티오덤®	• 얼굴 전체적으로 도포(0.5ml)	– 피지조절, 염증 완화
		더모 프로텍션 레스큐 크림	• 2ml 정도의 제품을 얼굴 전체 꼼꼼하게 도포(눈가, 입가 도포)	– 외출 30분 전에 도포
		더모 프로텍션 리바이벌 밤	• 두들기며 펴 바른다. • 피부 톤을 아름답게 정리	
		더모 프로텍션 리바이벌 쿠션		

크리스탈 필

No	관리 순서	적용 제품	사용 방법	참고 사항
1	색조 화장 클렌징	더모 에센셜 아이리무버	• 화장솜 3장에 적당량을 묻혀 눈두덩, 눈썹, 입술라인에 약 10초간 적용 • 눈두덩, 눈썹, 입술 라인 순서로 가볍게 색조 제거	– 마스카라, 아이라이너는 면봉을 이용하면 제거 용이
	안 면 클렌징	DMS® 크린싱 밀크	• 적당량(3ml)의 제품을 이용하여 가볍게 핸들링한 후 해면으로 노폐물 제거	– 예민, 건조, 노화피부
		DMS® 크린싱 젤		– 지성, 여드름
2	딥 클렌징	DMS® 필링 크림	• 적당량(3ml)의 제품을 얼굴에 도포 • 스티머 조사(5~10분 정도 적용) • 제거 시에만 손끝에 물을 묻혀 꼼꼼하게 핸들링한 후 해면으로 제거	– 극도로 예민한 경우는 딥 클렌징을 생략하도록 한다.

No	관리 순서	적용 제품	사용 방법	참고 사항
3	준비 단계		• 습기가 완전히 건조될 때까지 가볍게 두들겨 준다. • 습기 건조 후 의료용 테이프를 이용하여 눈가를 덮는다. – 크리스탈 가루가 들어가는 것을 미연에 방지 • 귀까지 터번으로 감싼다.	– 크리스탈, 다이아몬드의 경우 클렌징 후 토너 정리를 할 경우 수분 공급으로 인해 효과적인 연마작용을 볼 수 없다.
4	크리스탈 기 계	크리스탈 시 술	• 기계의 핸드피스를 점검한 후 피부에 적합한 레벨을 맞춘 후 시술 • 피부 근육을 스트레칭시켜 피부에 무리를 주지 않도록 한다. • 이마 부위부터 시작 (이마 → 볼 → 코 → 턱) • 가로세로 방향으로 꼼꼼하게 진행	
5	후 처치	크리스탈 가루 제거	• 부드러운 팩 브러시를 이용하여 가루를 털어낸다. • DMS® 크린싱 밀크를 이용하여 부드럽게 러빙 • 해면정리	
6	토 너	훼이스 토닉	• 탈지솜을 이용하여 얼굴 전체에 도포	– pH밸런스를 위해
7	산소 기계	산소 침투 (스프레이 건)	• 스프레이 건에 성분 배합 D–판테놀(1ml)+훼이스 토닉(1ml) • 스프레이건의 압력 레벨을 조절하여 분사 • 산소 분사	– 기계 마찰 없이 정화된 산소와 성분침투 – 비타민 마스크 도포 후 산소 마스크 틀을 덮는다.
8	마스크	벨벳 마스크	• DMS® 비타민 마스크 도포(1ml도포) • 고객 얼굴형에 맞게 벨벳 재단 • 시원한 정제수 준비 • 기포가 생기지 않도록 밀착	– 벨벳이 찢어지지 않도록 주의하며 밀착시킨다.

No	관리 순서	적용 제품	사용 방법	참고 사항
8			• 스파츌러를 이용하여 기포 제거 • BTT 또는 바이옵트론 기계를 적용 • 10～15분 적용 후 자연방치 15～20분 • 가볍게 위 → 아래로 제거	– 눈이 잘 붓는 고객 대처 : 마른 탈지솜을 눈가에 밀착하고 벨벳 도포 – 피부진정과 수분 증가
9	마무리 단계	아이젤 플러스 도포	• 소량의 제품을 이용하여 눈주위 흡수	
		히아루론산 콘센트레이트	• 얼굴 전체적으로 도포	
		DMS® 베이스 크림 하이클래식	• 얼굴 전체적으로 도포(0.5ml)	– 수분, 탄력증진
		더모 프로텍션 선 레스큐 크림	• 2ml 정도의 제품을 얼굴 전체 꼼꼼하게 도포(눈가, 입가 도포)	– 손상된 피부 보호막 형성
		더모 프로텍션 리바이벌 밤	• 두들기며 펴 바른다. • 피부 톤을 아름답게 정리	– 외출 30분 전에 도포
		더모 프로텍션 리바이벌 쿠션		

참 고 ① 기본 5회 관리를 실시

② 2회 시술 정도가 되면 피부 건조함을 호소할 수 있으며 이때는 유 · 수분의 관리를 적절히 하는 것이 좋다.

③ 반드시 홈케어 제품 권유

④ 가피나 각질이 일어날 경우 밀어내거나 떼어내지 않도록 주지시킨다.

다이아몬드 필

No	관리 순서	적용 제품	사용 방법	참고 사항
1	색조 화장 클렌징	더모 에센셜 아이리무버	• 화장솜 3장에 적당량을 묻혀 눈두덩, 눈썹, 입술라인에 약 10초간 적용 • 눈두덩, 눈썹, 입술 라인 순서로 가볍게 색조 제거	– 마스카라, 아이라이너는 면봉을 이용하면 제거 용이
	안 면 클렌징	DMS® 크린싱 밀크	• 적당량(3ml)의 제품을 이용하여 가볍게 핸들링한 후 해면으로 노폐물 제거	– 예민, 건조, 노화피부
		DMS® 크린싱 젤		– 지성, 여드름
2	딥 클렌징	DMS® 필링 크림	• 적당량(3ml)의 제품을 얼굴에 도포 • 스티머 조사(5~10분 정도 적용) • 제거 시에만 손끝에 물을 묻혀 꼼꼼하게 핸들링한 후 해면으로 제거	– 극도로 예민한 경우는 딥 클렌징을 생략하도록 한다.
3	준비단계		• 습기가 완전히 건조될 때까지 가볍게 두들겨 준다. • 습기 건조 후 의료용 테이프를 이용하여 눈가를 덮는다. • 귀까지 터번으로 감싼다.	– 크리스탈, 다이아몬드의 경우 클렌징 후 토너 정리를 할 경우 수분 공급으로 인해 효과적인 연마작용을 볼 수 없다.
4	다이아몬드 기 계	다이아몬드 필 시 술	• 피부 상태에 맞는 팁 선택 • 피부 근육을 스트레칭시켜 피부에 무리를 주지 않도록 한다. • 이마 부위부터 시작 (이마 → 볼 → 코 → 턱) • 가로세로 방향으로 꼼꼼하게 진행	
5	토 너	훼이스 토닉	• 탈지솜을 이용하여 얼굴 전체에 도포	

No	관리 순서	적용 제품	사용 방법	참고 사항
6	1차마스크	거즈 마스크	• 거즈 마스크 배합 ① DMS® 베이스 크림 하이클래식(2ml) ② 활성성분 – 마카더미아 너트 오일(0.5ml) – 비타민 C 리포좀 콘센트레이트(0.25ml) – D-판테놀(0.25ml) ③ 훼이스 토닉(5ml) • ①,②,③을 비커에 배합한 후 준비된 젖은 거즈를 넣어 성분을 흡수 시킴. – 성분이 흡수된 거즈를 얼굴에 맞게 밀착	– pH 밸런스를 위해
7	초음파 적 용	스킨 스크러버 또는 스킨 마스터	• 거즈 마스크 위에 스킨 마스터를 적용하여 흡수시킨다.	– 눈가, 입가 제외하고 적용 – 45° 각도 유지 – 압력 체크 – 근육결 방향대로 적용
8	2차마스크	더모 센스티브 보타민 모델링 마스크	• 가루 30ml를 고무볼에 덜어 준비 • 시원한 정제수(또는 생수) 50cc를 부어 스파츌러를 이용하여 곱게 갠다. • 약간 건조된 거즈마스크 위에 고무마스크를 균일하게 도포(눈가는 얇게 도포한다 – 부종 및 충혈예방)	– 거즈마스크 위에 고무마스크를 적용하여 부수적인 앰플 사용이 필요 없다(경제적).
9	컬러테라피	BTT 또는 바이옵트론 (5~10분)	• 고무 마스크 제거 후 적용 • DMS® 비타민 마스크를 소량 도포한 후 기계 적용하면 진정 · 재생 효과 상승	

No	관리 순서	적용 제품	사용 방법	참고 사항
11	마무리 단계	아이젤 플러스 도포	• 소량의 제품을 이용하여 눈주위 흡수	
		그린티 익스트랙트	• 얼굴 전체적으로 도포	– 세포 활성화, 항세균, 부종완화
		DMS® 베이스 크림 하이클래식	• 얼굴 전체적으로 도포(0.5ml)	– 손상된 피부 보호막 형성
		더모 프로텍션 선 레스큐 크림	• 2ml 정도의 제품을 얼굴 전체 꼼꼼하게 도포(눈가, 입가 도포)	– 외출 30분 전에 도포
		더모 프로텍션 리바이벌 밤	• 두들기며 펴 바른다. → 피부 톤을 아름답게 정리	
		더모 프로텍션 리바이벌 쿠션		

참 고 ① 기본 5회 관리를 실시
② 2회 시술 정도가 되면 피부 건조함을 호소할 수 있으며 이때는 유 · 수분의 관리를 적절히 하는 것이 좋다.
③ 반드시 홈케어 제품 권유
④ 가피나 각질이 일어날 경우 밀어내거나 떼어내지 않도록 주지시킨다.
⑤ 재생 관리와 보습 관리를 소홀히 하면 장벽 구조의 이상으로 세균 감염과 소양감, 염증을 일으킬 수 있다.

chapter 9 림프 드레나쥐

순환계

01

Medical Skincare

정 의

- 순환계는 물질의 흡수와 운반을 담당하는 체내 유일의 운송계통의 기관
- 소화기 및 호흡기를 통한 산소와 영양분을 흡수하여 이를 세포들에게 전달하고 반대로 세포들로부터 대사산물인 노폐물과 이산화탄소를 거두어 신장 · 폐로 운반하여 몸밖으로 내보내는 기능
- 내분비계통에서 형성되는 호르몬을 거두어 이를 필요한 부분에 전달하거나 배분하는 기능을 함

순환계의 종류

02

Medical Skincare

① **혈관계 :** 심장을 통해 배출된 혈액은 혈관을 통해 신체의 여러 조직에 운반되며 대사에 의해 만들어진 노폐물은 다시 혈관에 의해 심장으로 운반되는 폐쇄된 순환을 형성한다.

심장

- 불수의근으로 주먹만 한 크기의 근육주머니
- 산소와 영양분이 담긴 혈액 공급
- 이산화탄소와 노폐물을 걸러내는 역할

② **림프계 :** 조직액을 혈액순환으로 운반하는 보조계통으로서 순환계의 일부이다. 조직 공간에서 조직액이 이동할 수 있는 통로를 제공하여 조직으로부터 액체성분을 거두어 정맥에 연결시켜 혈관으로 합류되어 심장으로 들어간다.

제2의 순환계로 정맥의 보조 순환을 담당하고 있다.

1. 림 프

- 혈액 순환 도중 혈장의 일부는 모세혈관 벽을 통해 조직 세포 사이로 흘러나오는 액성분, 림프관을 흐르는 조직액
- 림프는 림프관 속을 흐르면서 혈액과 마찬가지로 물질의 운반, 식균 작용 등의 작용을 하며 결국은 정맥혈에 합류
- 모세혈관에서 빠져나온 중요 물질을 혈관으로 되돌려 보내는 기능
- 악성물질(병원균)을 림프절로 보내는 기능과 소화된 지방을 소장에서 흡수하는 기능

1) 림프구

① B림프구

- 세균이나 바이러스 침입 대응 - 항체 생산, 체액성 면역

② T림프구

- B림프구의 생성 촉진 또는 억제 - 세포성 면역

2) 림프관

① 모세 림프관

- 모세 혈관처럼 단층의 내피세포(높은 투과성)로 구성되고 많은 판막을 가짐.
- 조직액이 많아지는 경우나 단백질이나 이물질 등 모세혈관으로 투과되지 않는 성분은 모세 림프관을 통해 거두어짐.

② 림프관

- 여러 개의 모세 림프관이 합쳐져서 생성된 림프관은 얇은 판막을 정맥보다 더 많이 가지고 있어 림프의 역류를 방지하며 림프관 곳곳에는 팥알 모양의 크고 작은 림프절들이 흩어져 있다.
- 세포간질내의 물이나 단백질 기타 물질들을 혈액으로 환류시키는 작용.

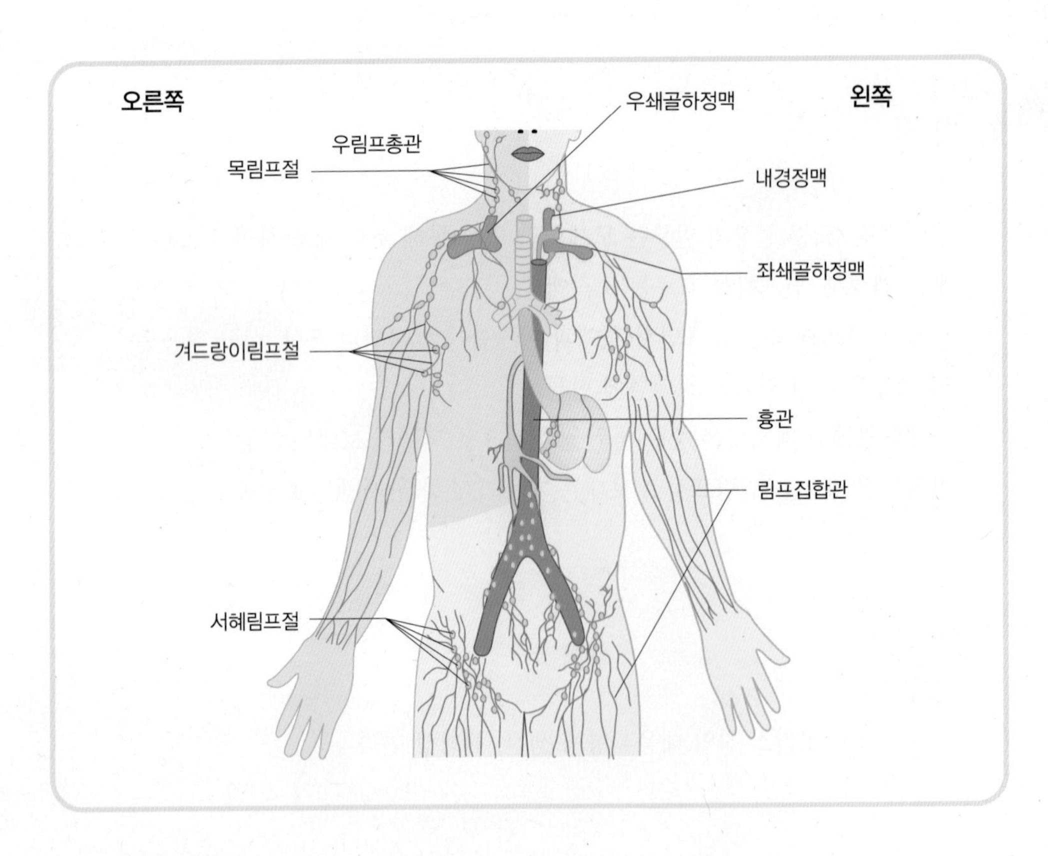

③ 림프절

- 세망조직으로 구성된 타원형, 콩팥형의 기관으로 크기는 쌀알부터 완두콩 크기 정도.
- 목, 생식기 주변(서혜부), 무릎뒤, 팔꿈치 안쪽, 겨드랑이 등 림프관을 경과하는 전신에 널리 분포되어 있음.
- 여과작용 : 림프 속의 유해물질을 걸러 혈액에 오염된 림프가 도달되지 않도록 림프절에서 도와줌.
- 면역학적 기능 : B, T림프구 생성, 림프구 교체

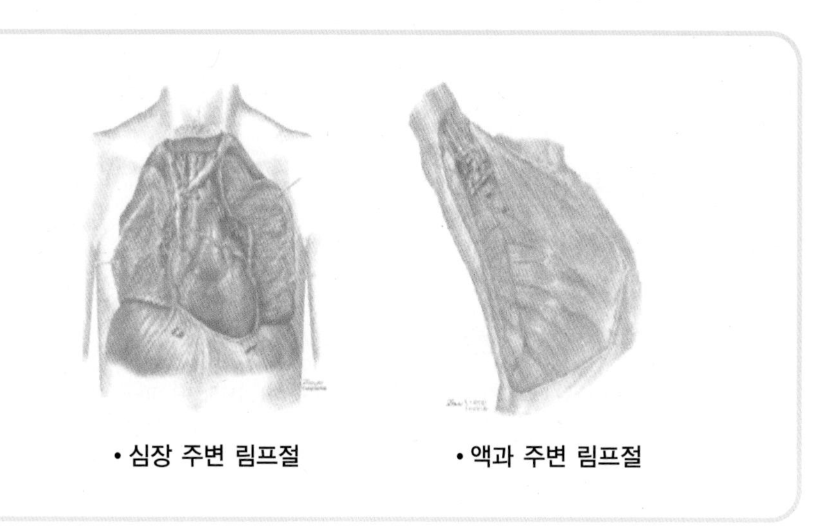

• 심장 주변 림프절 • 액과 주변 림프절

✲ 위치에 따른 명칭

- 혈 관 : 혈장
- 세포간극 : 조직액
- 림프관 : 림프

✲ 림프액과 혈장의 차이

혈장과 비슷하나 단백질량은 적고, 또 혈장 단백질보다 저분자의 것이 많다. 이것은 림프의 단백질이 혈장의 여과에 의하여 생긴 것이며, 분자량이 큰 것은 여과되기 어렵다는 것을 나타내고 있다.

04 림프 드레나쥐(Lymph drainage)

Medical Skincare

Lymph(림프) + Drainage(배액) = Lymph Drainage(림프 배액)

Drainage : 농경의학 용어에서 유래

'배수로' 라는 뜻 → 배수 · 배설의 뜻으로 관 체계를 통해 유동액이 통과하는 것을 의미한다.

1. 림프 드레나쥐 역사

1) 창 안

1930년대 덴마크 물리치료사면서 마사지사인 에밀보터 박사 Dr. Emil Vodder와 그의 부인 에스트리드 Estrid가 개발 보급하였으며, 1936년 파리에서 처음 발표하였다,

1957년 비엔나에서 시데스코CIDECSCO 세계대회에서 피부미용사들에게 소개되면서 대중화되기 시작하였다.

2) 림프 드레나쥐 효능

① 면역 기능 강화
② 부종 완화(통증 완화)
③ 자율 신경 조절 기능
④ 신진대사를 원활히 하는 기능(세포 재생력 촉진)
⑤ 염증성 여드름

3) 림프 드레나쥐 방법

천천히, 부드러움, 리듬감, 반복적, 가벼움, 낮은 압력

① **방향 :** 림프 흐르는 방향(그림 참조)

② **동작**

- 원동작 - 동일한 위치에서 서 있는 원을 그리는 듯한 동작
- 퍼올리는 동작 - 손목 관절을 회전시키는 나선형으로 퍼 올리듯이 하는 동작
- 펌핑 동작 - 펌핑하듯 퍼 올리듯이 하는 동작
- 밀어내기 동작 - 반복적으로 하여 림프 배출 방향으로 밀어내는 듯이 하는 동작

③ **압력 :** 1~40 mmHg

- 세게 하면 모세림프관이나 혈관에 영향을 미쳐 흐름 방해

④ **속도 :** 맥박이나 심장 박동수와 일치하게 한다.

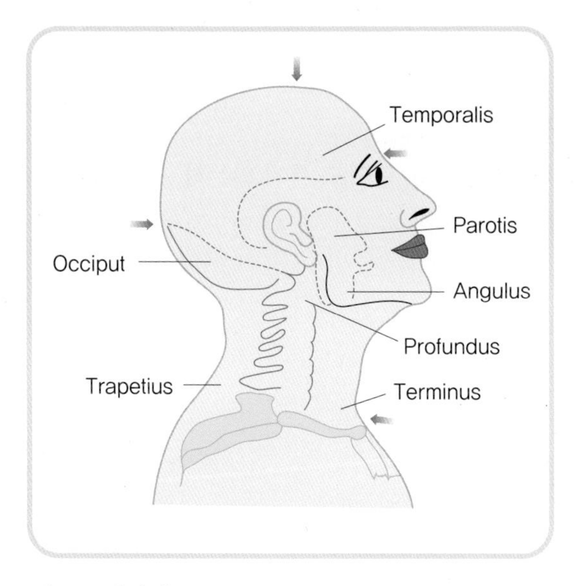

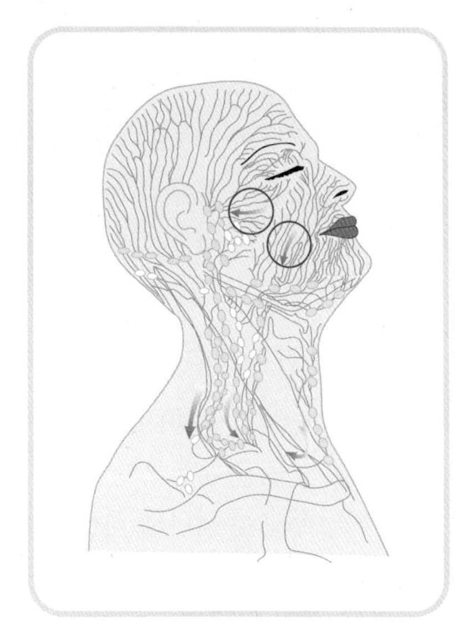

림프 드레나쥐

4) 림프 드레나쥐 준비사항

- 고객의 피부는 클렌징되어 깨끗이 준비되어야 한다.
- 고객의 자세는 앉거나 눕혀서 완벽히 편안하게 그리고 모든 근육들이 이완

된 상태로 한다.

- 시술자는 항상 자신의 손동작을 잘 관찰할 수 있는 자리에 위치한다.
- 시술자는 고객의 앞이나 뒤에서 실시하는데, 중요한 것은 고객 안면의 어떤 근육도 수축되지 않도록 한다.

5) 림프 드레나쥐 시 주의사항

- 손과 팔의 긴장을 푼다.
- 마사지하는 동안 말을 하지 않는다.
- 일정한 속도를 유지한다.
- 손놀림은 가볍게, 정확히, 리듬감 있게 하되 손 밑 조직을 느껴가며 실시한다.
- 담배와 잘못된 식습관을 버리고 충분한 운동을 하도록 한다.

6) 림프 드레나쥐 시 주위환경

- 조명은 너무 밝지 않게 한다.
- 적당히 따듯한 실내 온도를 유지한다.
- 소음을 없애고 손의 리듬이 깨지지 않도록 음악도 틀지 않는다.
- 침대는 편안하며 부드러운 촉감으로 몸의 긴장을 풀 수 있도록 한다.

7) 림프의 흐름을 촉진하는 인자

- lymph drainage
- 골격근 운동
- 동맥의 맥박에 의한 림프관의 수축과 이완
- 호흡에 의한 흉부의 압력차

8) 림프의 흐름을 방해하는 인자

- 스트레스
- 음주, 흡연
- 잘못된 자세
- 외과 수술에 의한 림프절 절단

- 과도한 피하지방
- x-ray

9) 림프 드레나쥐 금기 피부

- 급성 혈전증, 색전증
- 심장 부종
- 만성적 염증성 질환
- 갑상선 장애
- 악성 종양
- 천식
- 독감 임신부

림프 부종 예방 관리

- 조이는 스타킹, 장신구, 꽉 죄는 코르셋은 피한다.
- 꽉 조이는 신발을 피하고 편안한 신발을 신는 것이 좋다.
- 무리하게 사지를 이용하여 무거운 물건을 들지 않도록 한다.
- 다리에 의존한 채로 너무 오래 서 있지 않는 것이 좋다.
- 앉을 때 다리를 꼬지 않는다.
- 한자리에 같은 자세로 30분 이상 앉아 있지 않는다.
- 잠자기 전에 다리를 쿠션 위에 45° 각도로 올려놓는다(30분).
- 다리를 항상 깨끗하고 따뜻하게 유지한다.
- 다리를 자주 주무르도록 한다.
- 식사량을 알맞게 조절하여 비만해지지 않도록 한다.
- 비만은 림프 부종을 더욱 증가시킨다.

림프 드레나쥐

No	관리 순서	적용 제품	사용 방법	참고 사항
1	색조 화장 클렌징	더모 에센셜 아이리무버	• 화장솜 3장에 적당량을 묻혀 눈두덩, 눈썹, 입술라인에 약 10초간 적용 • 눈두덩, 눈썹, 입술 라인 순서로 가볍게 색조 제거	– 마스카라, 아이라이너는 면봉을 이용하면 제거 용이
	안 면 클렌징	DMS® 크린싱 밀크	• 적당량(3ml)의 크린싱 밀크를 이용하여 가볍게 핸들링한 후 해면으로 노폐물 제거	
2	딥 클렌징	DMS® 필링 크림	• 적당량(3ml)의 제품을 얼굴에 도포(10분간 적용) • 제거 시에만 손끝에 물을 묻혀 꼼꼼하게 핸들링한 후 해면으로 제거	– 극도로 예민한 경우는 딥 클렌징을 생략하도록 한다.
3	토너	쥬스문® 로션N	• 탈지솜 또는 손을 이용하여 눈을 보호한 후 전체적으로 분사	
4	림프 드레나쥐 (준비사항)		• 적용부위 : 얼굴에서 가슴 위(데콜테) 부위 정도 • 가운으로 갈아입거나 조이는 것은 풀고 편한 상태 유지 • 관리사는 손목, 손가락의 힘을 풀도록 한다. • 관리사는 손을 따뜻하게 유지	– 저혈압의 경우 수건을 말아 목뒤에 대거나 베개를 베게 한다.
5	림프 드레나쥐 적용 (10~15분)	DMS® 베이스 크림 하이클래식 + 조조바 오일	• DMS® 베이스 크림 하이클래식(3ml) + 조조바 오일(1ml)를 배합하여 얼굴 전체적 균일하게 도포	– 림프테크닉 참고 – 압력 체크 주의 – 속도 조절
6	1차마스크	거즈 마스크	• 거즈 마스크 배합 ① DMS® 베이스 크림 하이클래식(2ml) ② 활성성분 – CM 글루칸(0.25ml) – 프라임 로즈 오일 나노파티클스(0.25ml) – 에키나세아 익스트랙트(0.25ml) – 리포좀 NMF 콘센트레이트 (0.25ml)	– Wash-off, Peel-off type 피한다. – 거즈 준비 시 물기를 꽉 짠 상태로 이용한다.

No	관리 순서	적용 제품	사용 방법	참고 사항
6	1차마스크	거즈 마스크	③ 훼이스 토닉(5ml) • ①,②,③을 비커에 배합한 후 준비된 젖은 거즈를 넣어 성분을 흡수 시킴. – 성분이 흡수된 거즈를 얼굴에 맞게 밀착	
7	2차마스크	더모 센스티브 보타민 모델링 마스크	• 가루 30ml를 고무볼에 덜어 준비 • 시원한 정제수(또는 생수) 50cc를 부어 스파츌러를 이용하여 곱게 갠다. • 약간 건조된 거즈마스크 위에 고무마스크를 균일하게 도포(눈가는 얇게 도포한다–부종 및 충혈 예방)	– 거즈마스크 위에 고무마스크를 적용하며 부수적인 앰플 사용이 필요 없다(경제적).
8	마무리 단계	아이젤 플러스 도포	• 소량의 제품을 이용하여 눈주위 흡수	
		비타민 A 나노파티클스 (0.25ml)	• 얼굴 각 부위에 한 방울씩 떨어뜨려 흡수	– 건조피부 : 조조바 오일(0.25ml)→보호막형성, 건조방지
		노브리텐®	• 면역력 강화, 장벽 복구, 피부유연감 • 반 펌프 정도의 양을 얼굴 전체 도포	
		더모 프로텍션 선 레스큐 크림	• 2ml 정도의 제품을 얼굴 전체 꼼꼼하게 도포(눈가, 입가 도포)	– 외출 30분 전에 도포
		더모 프로텍션 리바이벌 밤	• 두들기며 펴 바른다. → 피부톤을 아름답게 정리	
		더모 프로텍션 리바이벌 쿠션		

주의사항 ① 무리한 각질제거나 입자가 모난 형태의 스크럽제 등은 사용하지 않는 것이 좋다.
② AHA 성분을 함유한 제품은 피하는 것이 좋다.
③ 사우나 및 땀이 날 정도의 운동은 금하는 것이 좋다.
④ 진정과 보습을 충분히 해주는 것이 좋다.

chapter 10 레이저와 메디컬 스킨케어

레이저의 특징

01

Medical Skincare

레이저 광선은 인간이 만들어 얻은 인공 광선이다. 여기서는 레이저가 다른 빛, 예를 들어 태양광선이나 전등 빛 등과 어떻게 다른가를 생각해 보자. 우리는 흔히 비가 온 후 일곱 가지 색으로 빛나는 무지개를 볼 수 있다. 이것은 실제로 여러 가지 빛이 혼합되어 있는 태양빛이 수증기에 굴절하기 때문에 일어나는 현상이다.

빛은 또한 일종의 전자파로서 그 파장의 장단에 따라 굴절하는 정도가 다르게 나타나는데 파장이 짧을수록 그 굴절하는 정도가 크고, 파장이 길수록 그 정도가 적다. 따라서 파장이 짧은 청색이 안쪽에, 그리고 녹색, 황색, 적색 순으로 하나의 띠를 만든다. 그러나 레이저의 경우는 같은 상태에 있어서도 굴절에 따라 진로는 굽어지지만 색상의 변화는 일어나지 않는다. 즉, 레이저의 빛은 단일 빛이다(레이저의 단색성).

1. 어 원

LASER(Light Amplification by Stimulated Emission of Radiation)

- 유도 방출에 의해 생성 증폭된 빛 에너지
- 1960년 maiman Ruby LASER의 개발
- 1964년 아르곤(Argon)과 이산화탄소(CO_2) 레이저 시작
- 1970년 CO_2 레이저 널리 보급 실용화

이외에도 다양한 매개체로부터 각기 다른 파장을 갖는 레이저가 개발되었다.

레이저란 말은 'Light Amplification by Stimulated Emission of Radiation'의 머리글자를 따서 만든 합성어로 외부에너지를 이용하여 유도 방출에 의해 광증폭으로 생기는 특수한 형태의 광선을 말한다.

레이저의 기본 개념은 1917년 아인슈타인에 의해 처음 기술되었고 의료용으로는 초창기부터 주로 피부과와 안과 분야 질환의 치료에 적용되었고, 그 결과 피부과 분야에서 많은 새로운 기술의 진보가 있었다. 레이저 광을 조직에 조사하면 레이저광은 반사, 산란, 통과, 흡수되는데 이 중 흡수가 가장 중요하며 이는 조직의 종류와 광파장에 따라 다르다.

레이저는 매질을 통과하여 빛이 만들어져 나오게 되는데 레이저 기기 종류마다 각각 매질이 다르고 만들어지는 광파장이 다르므로 피부 내에 있는 여러 가지 조직(예: 혈색소, 멜라닌색소, 문신색소, 물)에 특정 파장의 레이저광을 선택적으로 흡수시켜 파괴하여 피부질환의 치료에 활용하고 있다.

따라서 레이저 치료에 있어서 특정질환에 맞는 특정한 레이저를 선택해서 치료해야 결과가 좋고 부작용이 없게 된다. 예를 들어 혈관종과 같은 혈관질환은 혈색소에만 선택적으로 흡수되는 혈관레이저로 치료해야 하고, 문신을 없애기 위해서는 문신을 구성하는 성분만을 선택적으로 파괴하는 레이저를 이용해야 흉터 없이 없애고자 하는 병변만을 깨끗이 치료할 수 있는 것이다.

✻ 의료용 레이저 치료의 영역

① 색소성 병변 : 주근깨, 기미, 흑자, 오타모반
② 혈관성 병변 : 실핏줄, 혈관종, 딸기코
③ 레이저 박피 : 눈가, 입가, 잔주름, 여드름흉터, 수두(마마자국)
④ 헬륨-네온 레이저 : 상처 치유, 통증 완화
⑤ 반도체 레이저 : 수술 및 통증 치료

2. 레이저 광선의 특성

① 단색성(monochromatic)

태양광선은 파장이 다른 여러 가지 빛의 모임으로 프리즘을 통과하면 각 파장이 따라 분산되지만 레이저는 단일 파장으로 프리즘을 통과하여도 빛이 분산되지 않고 일정하게 진행한다.

② 응집성(coherent)

태양광선은 각기 다른 성분의 빛 에너지가 모여 있지만 레이저는 동일 성질의 빛 에너지만으로 구성되어 빛이 흩어지지 않고 공간적으로 일정한 위치를 지나며 시간적으로 동시에 진행하는 특성을 갖고 있다.

③ 평행성(collimated)

자연 광선인 태양광선이나 전구 빛은 방향성이 없어 모든 방향으로 흩어지지만 레이저 광선은 방향성이 있어 일정한 방향으로 평행된 빛만 방출하므로 먼 거리를 진행하여도 흩어지지 않고 일정하게 진행한다.

3. 레이저 광선의 발생

외부 에너지를 가함으로써 광자 에너지가 유도되고 증폭된 빛이 방출되는데 이를 유도방출 stimulated emission이라 하며 결과적으로 레이저가 발생하게 된다.

레이저 광선의 발생과정을 알아보면 모든 물질의 최소 단위인 원자 atom는 가운데 핵 nucleus이 위치하고 이 주위를 전자 electron가 일정한 궤도를 도는 형태를 나타낸다.

① 기저상태(ground state)

핵은 양성자 proton와 중성자 neutron로 구성되어 양극을 띠게 되며, 전자는 음극으로 전체적으로 원소는 양극과 음극의 평행상태를 유지하고 있는 상태를 기저상태 ground state라 한다.

② 흥분상태(excited state)

기저상태에서 외부에 에너지를 가하게 되면 원소 내의 에너지 준위가 높아져 전자가 핵으로부터 멀리 도는 흥분상태 excited state가 된다.

③ 광자 분출 후 기저상태로 복귀

에너지가 높아진 전자는 광자 Photon를 방출한 후 다시 기저상태로 돌아가지만 광자는 에너지를 가진 빛으로 방출된다.

4. 레이저 발생 장치

레이저 발생장치는 매질 medium을 담고 있는 통 모양의 에너지 튜브가 있으며 여기에 외부의 에너지원 energy source으로부터 에너지 튜브 안에 높은 에너지를 가한다.

5. 레이저의 종류

레이저는 출력되는 파장의 종류와 매개물질에 따라 구분할 수 있다.

- **고체 :** Ruby Laser, Alexandrite, Nd:Yag Laser, Er:Yag Laser, Ktp Laser
- **액체 :** Dye Laser
- **기체 :** CO_2 Laser, He-Ne Laser
- **기타 :** CO_3 Laser, IPL

레이저의 임상 적용은 그 빛의 파장에 의해 결정된다. 이 고유 영역의 파장은 각각의 고유한 성질을 가지며 이 성질은 주기율표를 가지는 것으로 알려져 있다.

레이저의 고유 파장은 다음과 같다.

- CO_2 Laser (10,600nm)
- Erbium · YAG LASER (2,094nm)
- Ruby LASER (694.3nm)
- Nd · YAG LASER (1,064nm)
- Alexandrite LASER (755nm)

6. 레이저의 특성과 적용

1) 이산화탄소 레이저(CO_2 Laser, 10,600nm)

피부과 영역에서 가장 유용한 레이저의 하나로 조직을 파괴시키거나 절개를 해야 할 때 사용한다. 수분에 흡수력이 높아 수분이 많은 피부 조직에 잘 반응하며 멜라닌이나 혈색소에는 흡수가 잘 안 되는 비선택적 흡수를 보인다. 조직의 침투 깊이는 0.1mm 이하로 침투력은 낮다.

이산화탄소 레이저 빛은 반사나 산란이 적어 대부분의 에너지를 표적에 집중시킬 수 있고 펄스를 매우 짧게 하여 표적 이외의 주위 조직에는 열 손상을 최소화하며 조사 부위를 순간적으로 기화시켜 출혈 없이 조직과 병변을 파괴시키고 절개할 수 있어 유용하고 편리하게 이용되고 있다. 또한 단지 피부를 벗기는 역할뿐만 아니라 진피 내의 콜라겐을 수축시키고 새로운 콜라겐 형성을 유도하기 때문에 여드름 흉터 acne scar, 천연두 반흔, 외상성 비후성 반흔에도 효과를 보인다.

적용 질환 : 점, 검버섯, 한관종, 비립종, 사마귀, 주름, 흉터 등

2) 어비움야그 레이저(Erbium-YAG LASER, 2,940nm)

물 분자에 대한 에너지 흡수율이 이산화탄소 레이저보다 10배나 높다. 이러한 특성 때문에 이산화탄소 레이저보다 더 확실하고 정교한 조직파괴가 가능하며 레이저를 이용한 피부 박피술을 한 단계 업그레이드시킨 훌륭한 레이저 장비이다. 피부에 매우 얇게 침투하여 주위 조직에 열 손상을 주지 않으면서 피부를 5~30um씩 정교하게 깎아낼 수 있어 섬세하며, 노화에 의한 주름이나 여드름 및 여러 가지 원인에 의한 흉터 제거 등을 위한 레이저 박피술에 가장 많이 사용되며, 점이나 검버섯 등의 제거에도 안전하고 효과적으로 사용될 수 있다. 이산화탄소 레이저에 비해서 정상조직의 열적 손상과 통증이 매우 적다는 것이 환자 치료에 있어서 매우 큰 장점이 된다.

적용 질환 : 주름, 흉터, 점, 검버섯, 흑자, 한관종 등

3) 루비 레이저(Ruby LASER, 694.3nm)

루비 크리스탈에서부터 방출된 레이저로 최초로 개발된 레이저이나 1970년대

중반 이후 임상에서 거의 이용되고 있지 않다. 694nm의 파장의 적색광으로 주로 멜라닌에 의해 흡수되고 일부는 혈색소에 의해서도 흡수된다. 멜라닌의 흡수력이 좋으며 흑인은 표피의 멜라닌이 많아 진피로 침투가 적지만 백인에게는 멜라닌 색소가 적기 때문에 루비레이저가 3~4mm까지 침투하여 효과를 나타낸다. 표재성 색소 병변뿐만 아니라 좀 더 깊은 진피성색소 병변에도 우수한 치료 효과를 나타낸다.

문신 치료 시 청색과 녹색 문신은 수차례 치료로 완전히 없어지며 황색 문신은 치료 효과가 떨어지며 적색에는 효과가 없다.

적용 질환 : 문신, 오타모반, 주근깨 등

4) 알렉산드라이트 레이저(Alexandrite LASER, 755nm)

알렉산드라이트 레이저는 chromium-doped chrysoberyl의 고체를 매질로 하여 발생하며 파장은 755nm 파장이 주가 된다. 피부의 색소성 병변에 사용하며 치료효과는 루비 레이저와 비슷하다.

특히 흑색, 청색 색소에 흡수력이 좋아 문신에 대한 효과가 뛰어나 타투tattoo레이저라고도 부르며, 반면 멜라닌에 흡수는 루비 레이저보다 낮아 모반에 대한 효과는 다소 떨어진다.

적용 질환 : 문신, 눈썹문신, 오타모반, 주근깨, 흑자, 밀크커피색 반점 등

5) 엔디야그 레이저(Nd-YAG LASER, 1,064nm)

Nd-YAG 레이저광은 Yttrium-Aluminum-Garnet 결정체와 Neodymium 이온의 고체를 매질로 하여 발생된 1,064nm 파장의 적외선으로 눈에 보이지 않는 specific color chromophore가 없는 것이 CO_2레이저와 비슷하나 물에 흡수되지 않는 점이 다르다. CO_2레이저보다 조직 침투가 깊고(4~6mm) 많은 에너지가 흡수되지 않고 주위 조직으로 반사, 산란되어 주위 조직의 열손상이 심하다. 매우 강력하고 효과적인 조직 파괴력은 있으나 주위 손상이 심해 피부질환의 치료에 제한적이다. 피부의 멜라닌, 혈색소, 수분의 흡수력이 적으며, 조직의 응고가 다른 레이저보다 뛰어나며 출력 밀도와 조사 시간을 높이면 조직의 기화를 만들 수도 있다. 해면상 혈관종, 결절성 화염상모반, 켈로이드 등 광범위한 열손상이 필요한 치료에 이용될 수 있다.

적용 질환 : 잔주름, 넓은 모공, 여드름 흉터, 홍조증 및 혈관 확장증, 다크써클, 정맥류, 주사비 등

6) Day 레이저(585nm)

Day레이저는 매질로 rhodamine G와 같은 색소를 사용하며 에너지원으로 flashlamp를 사용하며 분획광이 방출되어 Pluse Day Laser(PDL)이라 한다. PDL 광은 585nm의 황색 가시광선으로 대부분 혈색소에 의해 흡수된다. 또한 매우 짧은 시간에 고출력의 에너지가 방출되어 혈관에 선택적 광열 용해작용을 유발하여 혈관성 병변의 치료에 탁월한 효과를 보인다. 특히 짧은 시간 내에 방출되는 고출력 에너지는 조사 부위의 혈액과 혈관 벽에만 국한되어 주위 조직에는 손상이 없으므로 반흔의 위험성이 거의 없다.

PDL은 마취가 필요 없어 1개월 미만의 유아에게도 효과적인 치료가 가능하다. 경부, 구순, 사지 같은 고위험 부위나 spot의 크기가 커서 한번에 더 많은 부위를 치료할 수 있다. 아르곤 레이저보다 치료효과가 더 좋아 색소레이저로 대치되고 있으며 화염성 모반, 모세혈관 확장증, 작고 편평한 혈관성 병변에 가장 높은 성공률을 가지고 있다.

색소레이저는 다른 레이저와 매우 다른 독특한 성질을 지니고 있는데, 다른 레이저는 단일파장만을 발생시키는 데 비해 색소레이저는 일정한 범위 내의 모든 파장의 레이저가 발진 가능하다. 이것을 가변파장 레이저 tunable laser라고 하며, 여러 가지 염료가 레이저 물질로 사용되고 있지만 보통 분말 형태의 색소를 유지 용매로 녹여 레이저 매질로 쓰는데, 용매에 따라 발진 파장을 자외선에서 적외선까지 얻을 수 있다.

색소 레이저에는 검정색에 반응하여 멜라닌 색소를 파괴시키는 것과 붉은색에 반응하여 혈관을 파괴시키는 것이 있으나, 다른 레이저 기기보다 색소를 주기적으로 교체해 주어야 하고 유지 보수하는 데 비용이 많이 든다. 선택적인 광 열분해작용의 원리에 의해 혈관 속에 있는 적혈구, 그중에서도 헤모글로빈을 파괴시키는 것으로 혈관성 질환의 치료에 흉터를 남기지 않고 탁월한 치료 효과를 보인다.

적용 질환 : 갈색모반, 기미, 주근깨 등

7) 타이탄 레이저(Titan LASER)

기존의 고주파를 이용한 리프팅 시술이 몸을 매질로 하여 전류를 흘려주는 방식인 것과 달리, 물에만 흡수되는 특수한 빛을 이용하여 피부 손상이 전혀 없이 진피층의 콜라겐을 활성화시켜 주는 레이저로 표피를 투과한 레이저 빔은 멜라닌 색소와 헤모글로빈에 작용하여 진피층의 섬유아세포를 자극, 콜라겐 섬유를 재생시켜 피부를 맑고 투명하게 재생시킨다. 냉각장치로 인해 피부표면에 자극이 없으며 시술 후 피부의 리프팅 효과를 즉시 확인할 수 있는 장점을 가지고 있다.

적용 질환 : 탄력 부족으로 인한 피부 처짐, 팔자주름, 잔주름, 넓은 모공 등

8) 아르네브 씽크로 리프트(Arneb(tm) Synchro Lift)

주사요법이나 수술 없이 무통의 주름 탄력, 모공 치료의 피부 심부 재생술 NAR system : Non-ablative Rejuvenation이다.

3가지 에너지, 즉 고주파 RF + 다이오드 Laser + Vacuum의 기능으로 높은 페이스 리프팅 효과를 볼 수 있다.

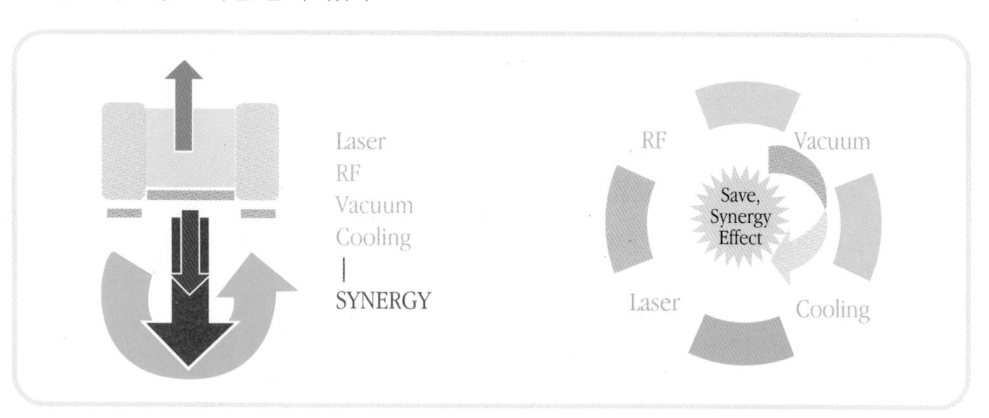

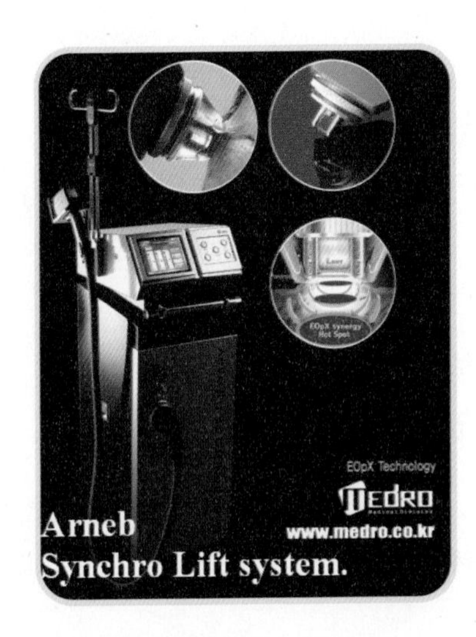

① Vacuum(Pneumatic Therapy)

1차적 RF 치료의 기반을 마련 Photo-pneumatic 에 의한 synergy 반응 유도(Laser에너지 효율성 증진-Chromophore의 밀도 증진을 위한 집속 및 유도)

② Laser : Chromophore(Hemoglobin, Melanin, Water) : 선택적 광열용해론

2차적 RF치료의 기반을 마련 - selective triggering effect(빛 에너지 특성인 Chromophore에 대한 선택성을 이용해 무차별 하게 자극을 주는 RF에너지의 가이드 역할 - 선택성 조율 selectivity toner)

- 예열 pre-heating : 더 낮은 저항을 만들어 RF 집속, 유도

③ RF : TREATED EFFECT

- 주 에너지원 energy source - 시너지 효과
- 부족한 빛 에너지의 보상

④ COOLING

- 피부 표면 보호
- RF에너지의 depth에 영향

NAR system(비수술적 피부 심부 재생술)이란

- 비수술 요법으로 한 단계 업그레이드된 리프팅시술법
- 통증이 거의 없어 통증에 대한 공포감이 없다.
- 마취가 필요 없어 안전하고 부작용이 없다.
- 시술 직후부터 치료효과를 느낄 수 있다.
- 타 시술법에 비교해 만족도가 높으며, 지속적이고 점진적인 피부재생 효과가 있다.
- 시술 후 즉각적인 일상생활이 가능하다.
- 시술 후 곧바로 세안이나 화장이 가능하다.

- 국내외에서 효과가 입증된 안전한 치료법이다.

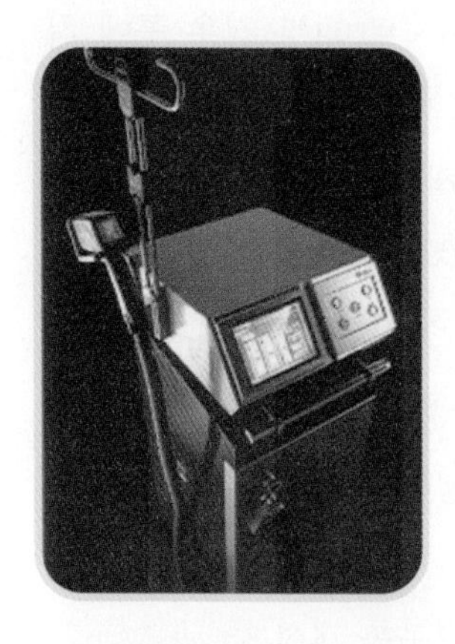

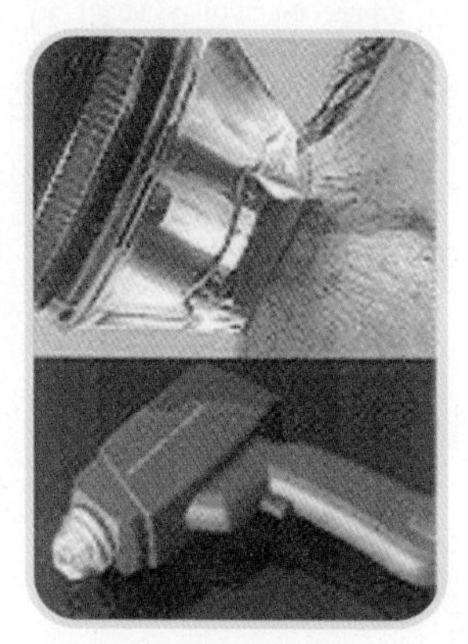

9) 프락셔널(프락셀) 레이저(Fraxel LASER)

프락셔널(프락셀)은 수천 개의 미세한 점을 통해 피부표면과 피부 속에 열을 침투시켜 피부를 재생하고 탄력을 높여주는 레이저로서 기존의 레이저와 달리 1×1cm 크기의 작은 면적에 2,000~3,000개의 미세한 구멍을 뚫어 주위를 미세한 열 치료 부분으로 만든 후 주변의 건강한 세포들이 손상된 피부의 빠른 재생을 도와주게 되어 전체 피부의 10~20% 면적에만 미세한 상처를 내게 되면 열 치료 부분 주위의 정상피부로부터 상처 재생이 빠르게 이루어지게 되므로 치료시간은 단축되고 효과는 증가하게 된다. 시술은 2~4주 간격으로 3~5회 정도 시행하게 된다.

적용 질환 : 여드름 흉터, 잔주름, 피부 리프팅, 피부톤 개선, 검버섯, 기미, 잡티 등

10) C_6레이저 토닝

기존의 엔디야그 레이저에서 한층 업그레이드된 레이저로 피부 깊은 곳에 침투하여 치료하기 힘들었던 기미, 특히 악성 기미에 좋은 치료법이다. 멜라닌 색소를 선택적으로 파괴하기 때문에 정상적인 피부에는 전혀 손상을 주지 않으면서 색소만 정교하게 파괴하므로 흉터가 남지 않고 탁월한 치료효과를 기대할 수 있다. 레이저 빛을 1억분의 1초 동안만 쏘아 주위의 정상 조직에 손상이나 부작용이 없고 얕은 기미의 경우 1회 시술로도 눈에 띄는 효과를 보이며 보통 3~5주 간격으로 4~6회 정도 시술한다. 이온자임이나 필링을 병행하며 더욱 빠른 시간 내에 효과를 볼 수도 있다.

적용 질환 : 기미, 잡티, 잔주름, 넓은 모공, 칙칙한 피부톤 개선 등

11) 릴랙스 F(Relax F) 고주파치료기

40.68MHz의 고주파를 이용하며 피부 표피층과 진피층을 동시에 자극하여 클라겐 활성화를 유도할 수 있는 주름치료 고주파이다. 시술 시 피부표면을 급속도로 냉각시키는 쿨링시스템이 있어 피부에 손상 없이 진피층에 55~60℃ 정도의 열을 균일하게 생성할 수 있게 하여 콜라겐 활성을 촉진시켜 준다. 열 에너지가 한곳에 모아지기보다는 피부에 전반적으로 균일하게 전달되어 자연스럽게 주름이 펴지는 효과가 있다.

적용 질환 : 눈가 입가 잔주름, 굵은 주름, 피부리프팅, 미백과 피부조직 개선, 모공 및 여드름 흉터 등

12) V-beam 레이저(595nm)

혈색소에 선택적으로 흡수되어 혈관 병변의 치료에 이용되는 장파장의 색소레이저이다.

펄스의 노출시간이 길어 기존의 색소 레이저로 치료가 잘 안 되던 성인의 화염상 모반과 하지의 혈관확장증에 높은 치료효과를 보이고 있다. 특히 기존의 색소 레이저로 인한 멍과 같은 자반이 별로 생기지 않고 피부 표면에도 손상을 주지 않아 일상생활에 지장을 주지 않으며 진피 내 산재되어 있는 혈관을 가열해 콜라겐 섬유의 재생으로 피부에 탄력을 주므로 잔주름, 특히 눈밑 잔주름의 치료에도 많은 효과를 보이고 있다.

적용 질환 : 안면홍조증, 혈관확장증, 화염상모반, 혈관종, 켈로이드, 비후성 반흔, 튼살, 잔주름, 사마귀 등

13) 스무드빔 레이저(Smooth Beam LASER, 1,450nm)

최근 새로 도입된 스무드빔은 1450nm의 장파장을 갖는 레이저로 표피를 보호하는 냉각 시스템(DCD)이 있어 피부의 표피에 변화를 주지 않으면서 더 깊은 진피층에 콜라겐 합성을 유도하는 레이저 에너지를 주어 여드름 흉터를 개선시키는 새로운 시술법이다. 시술 후 세안과 화장이 바로 가능하기 때문에 일상생활에 전혀 지장이 없으며 표피에 손상을 주지 않으므로 자외선이 강한 계절에도 시술받을 수 있으므로 계절과 관계없이 여드름 흉터 치료가 가능하다. 또한 치료 후 부작용이 거의 생기지 않고 홍반 현상이 거의 없으며 FDA 공인을 받은 첨단 시술로 국내외적으로 임상효과가 확인된 치료방법이다.

적용 질환 : 여드름 흉터, 주름개선, 콜라겐 합성

14) 헬륨네온 레이저(He-Ne LASER, 633nm)

레이저의 강도가 낮아 저출력 레이저에 속하며 적용증이 넓고 심각한 부작용이 없어 사용이 간편하다.

적용 질환 : 급성창상, 만성창상, 수술 후 창상, 상처회복

15) 아포지 레이저(Apogee LASER, 755nm)

피부 속 멜라닌 색소가 함유된 동양인의 털을 없애는 데 적합한 아포지 레이저 광선(긴 파장의 알렉산드라이트)을 피부에 투과시켜 피부 속 모낭을 파괴하는 영구제모 레이저이다. 피부 진피 깊숙이 존재하는 모낭의 멜라닌과 혈관에 선택적으로 흡수되어 레이저 펄스가 길게 작용하여 피부에는 거의 손상을 주지 않고 모낭만을 선택적으로 파괴한다.

16) Copper vapor LASER

Copper vapor 레이저광은 578,2nm의 황색광과 510,4nm의 녹색광으로 파장에 따라 578,2nm는 혈색소를 510,4nm는 멜라닌에 선택적 응고작용이나 기화를 유발시켜 혈관성 병변과 색소성 병변을 치료할 수 있다.

적용 질환 : 기미, 잡티, 안면홍조증, 혈관확장증 등

7. 기타 레이저의 특성과 적용

1) IPL(lntense Pulsed Light, 515~1,200nm)

IPL은 Intense Pulsed Light의 약자로서 이 세 단어에 모든 뜻이 함축되어 있다. 말 그대로 광선(빛)인데 레이저와는 달리 에너지를 나누어 줄 수 있다. 일반적으로 레이저는 레이저통 튜브에 들어가는 매질에 따라 각기 다른 파장이 나온다. 그러므로 사실상 모든 질환을 한 가지의 레이저로 해결하는 것은 쉽지 않다. 혈관성 질환에는 500nm의 파장이 좋으며, 색소성 질환에는 700nm의 파장이 효과적이다. 따라서 해당 파장의 영향을 받는 질환군들이 도움을 받는다. 반면에 IPL은 515~1200nm의 다양한 파장이 나오며 필터가 있어서 특정 파장의 필터는 그 파장 이하의 빛을 걸러낸다. 예를 들면 500nm의 필터는 590nm 이하의 파장은 모두 걸러내고 590~1200nm의 빛만을 방출한다. 따라서 낮은 파장으로 인한 표피손상을 줄이면서(파장이 커질수록 투과력이 좋아져 피부 깊숙이 효과를 주며 표피에 대한 영향은 줄임) 안면홍조는 물론 주근깨 등의 색소성 질환, 피부탄력(결국에는 모공, 흉터까지) 등 모두 도움을 받을 수 있다.

적용 질환 : 기미, 잡티, 잔주름, 칙칙한 피부톤 개선 등

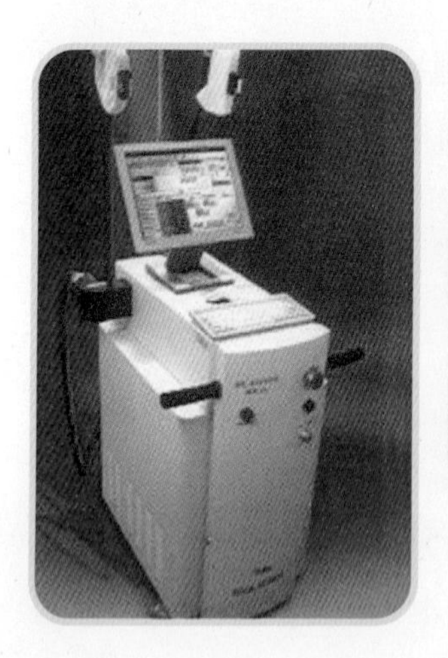

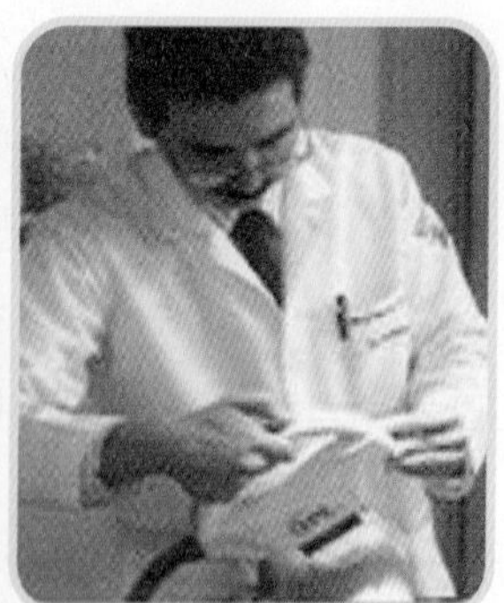

2) 써마지(Thermage Lifting)

써마지 Thermage Lifting는 고주파 Radio Frequency에너지를 이용해 진피의 깊은 조직에까지 콜라겐의 수축과 재생성을 촉진시키는 작용을 뜻한다.

써마지는 피부에 열을 가하여 재생성된 콜라겐을 이용하여 주름을 펴면서 피부에 리프팅 효과를 일으키게 된다. 입주위의 팔자주름, 이마 및 눈꺼풀 처짐, 늘어진 턱선의 회복과 목주름을 펴는 데 효과적이며 특히 여드름과 여드름 흉터에 탁월하다. 이처럼 써마지는 처음에 여드름 치료용으로 개발되었으나 임상에서 나타난 뛰어난 콜라겐 재생효과로 인하여 피부 리프팅에 더 많이 쓰이고 있으며 여드름 관리에 써마지는 탁월한 효과를 내고 있다.

적용 질환 : 입가의 팔자 주름, 늘어진 턱선, 눈가 입가 잔주름, 굵은 주름, 피부리프팅, 여드름, 여드름 흉터 등

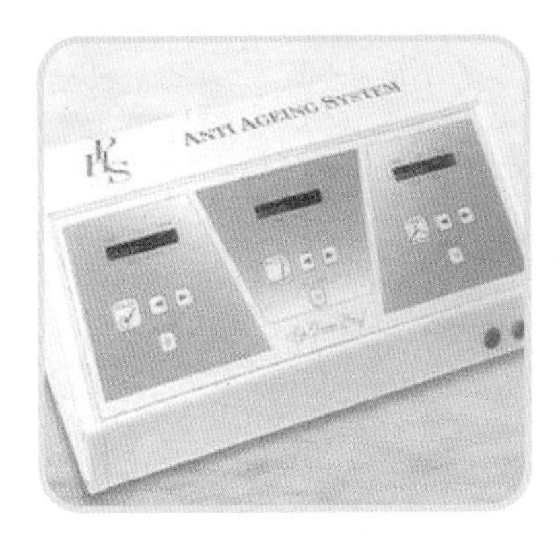

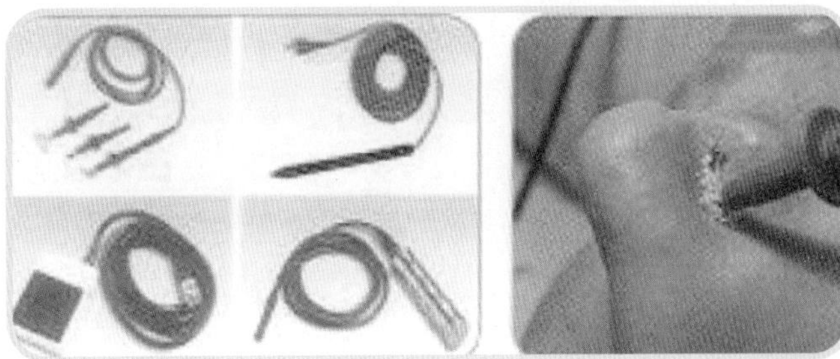

3) 클리어터치(Cleartouch, 405~425nm)

클리어 터치는 모공 속에 숨어 있는 여드름의 원인균을 IPL이라는 강한 초록색의 복합파장(405~425nm) 광선을 피부 깊숙이 침투시켜, 여드름균이 만들어내는 포피린 porphyrin이라는 물질을 독성물질로 변화하게 만들어, 결국 여드름 세균이 스스로 파괴되도록 유도하는 원리이다.

특히 클리어터치 시술법은 가임기 여성 혹은 어린 사춘기 전의 여드름 경우, 여드름치료제의 복용이 금지되어 있거나 또한 여드름 약물 부작용이 있거나 복

용을 꺼리는 경우, 약물을 먹지 않고도 치료할 수 있는 방법이다. 신체의 모든 부위에 적용할 수 있으며 특히 민감한 타입의 피부에도 아프거나 자극 없이 치료받을 수 있는 것이 특징이며 주로 염증성 여드름에 효과가 높은 것으로 알려져 있다.

적용 질환 : 염증성 여드름 치료

4) 쿨터치(Cooltouch LASER, 1,320nm)

쿨터치 레이저 피부 재생술은 레이저에 새로운 냉각 시스템을 이용하여 표피에 변화를 주지 않으면서 주름, 흉터 등을 치료하는 첨단 치료법이다. 1,320nm의 파장을 내는 이 레이저는 표피는 순간적으로 차갑게 하면서 깊은 진피에만 에너지를 전달하여 콜라겐 합성을 유도해 내는 방법이다.

적용 질환 : 주름, 여드름 흉터 등

02 레이저의 피부 적용

1. 레이저치료의 마취

일반적으로 Q-스위치레이저나 색소레이저로 치료하는 경우, 비교적 통증이 적기 때문에 마취 없이도 시술할 수 있으나 예민한 환자나 넓은 부위를 치료할 경우, 어린아이의 경우에는 마취가 필요하다. 마취는 일반적으로 바르는 국소마취제인 EMLA의 밀폐요법을 시행하나 1%나 2% 리도카인을 국소마취제로 사용하기도 한다. 환자가 예민하여 불안해 할 경우 진통제 약과 주사를 투여한 후 시행하기도 한다.

2. 레이저 후 부작용 및 합병증

1) 홍반 erythma

2) 색소 침착 hyper pigmentation

3) 부종

4) 여드름의 악화

5) 과립종 milia 형성

6) 비후성 반흔

7) 피부 표면의 변화 contour change

8) 염증 바이러스 herpes simplex - 진균 candidiasis, 세균 staphylococcus

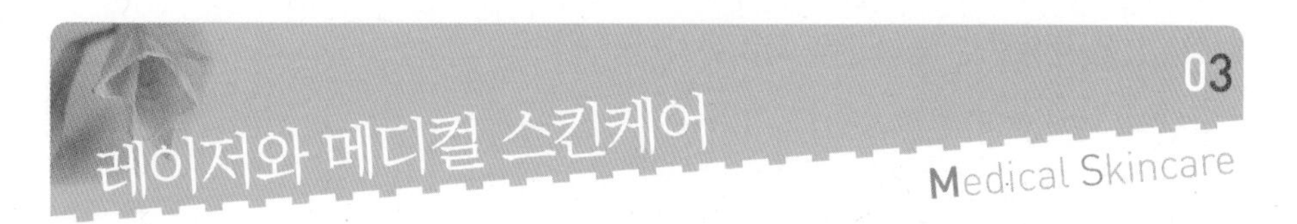

1. 피부에 맞는 레이저의 선별과 적용

- **문신 :** Tattoo Laser. Q/S Nd:Yag Laser, Q/S Ruby Laser
- **검버섯(지루 각화증) :** Q/S Er:Yag Laser, Q/S Ruby Laser
- **점 :** CO_2 Laser, Q/S Nd:Yag Laser, Er:Yag Laser, Alexandrite
- **오타반점 :** Q/S Ruby Laser
- **주근깨 :** Q/S Nd:Yag Laser, Q/S Ruby Laser
- **레이저 박피술 :** Er:Yag Laser(2,936nm), CO_2 Laser(Ultra pulse), CO_3 Laser
- **레이저 주름 제거술 :** Er:Yag Laser, CO_2 Laser
- **한관종 :** Er:Yag Laser, CO_2 Laser
- **모세혈관 확장증 :** Dye(585nm) Long pulse Laser, Q/S Nd:Yag Laser, copper Vaper Laser(578nm), Photoderm Laser(550,570,590nm)
- **레이저 제모술 :** Apogee Laser, Alexandrite, Nd:Yag Laser, Ruby Laser

2. 레이저 치료 환자의 피부관리

레이저 치료 후 피부를 깨끗이 유지하기 위해서 레이저 치료 전 · 후 피부관리가 중요하다. 백인에서는 색소 침착 hyper pigmentation이 문제되지 않으나 동양인에서는 대부분 색소 침착이 초래되며 한국인에서는 정도 차이는 있지만 약 80% 이상에서 나타난다. 레이저 박피 전에 전처치는 4~8주 정도가 바람직하지만 대개 2~4주 정도 전처치를 시행하며 기미가 있는 사람과 피부색이 검은 경우는 좀 더 길게 전처치를 할 필요가 있다.

레이저 전 · 후 처치에 사용하는 것은 비타민A 크림(retinoic acid 0.025~0.01%)이나 glycolic acid 등의 필링제나 hydroquinone 4% 미백제를 사용하며, 피부의 자극과 과민반응을 완화시키기 위해서 스테로이드(hydrocortisone 0.5~1%)을 사용하고 탈피와 미백을 하는 동안은 피부의 장벽복구와 자외선 차단제 sun block cream SPF15~30의 사용으로 부작용을 최소화시킨다.

3. 레이저 후 다양한 관리 프로그램

1) post skincare 프로그램

No	관리 종류	횟수	간 격
1	일반 재생관리	5회	3~4일 간격
2	Peeling(G.A) + ionto + 재생	10회	5~6일 간격
3	iontophoresis	10회	4~5일 간격
4	oxygen + 재생관리	10회	4~5일 간격
5	레이저 시술과 동시에 진행할 경우	5회 peeling시술 → 레이저 시행 → 5회 post skincare	

2) 일반 재생관리

일반 재생 관리	관리 내용
딱지 떨어진 후	1. DMS® 크린싱 밀크 2. 훼이스 토닉 3. DMS® 베이스 크림 하이클래식 4. 거즈마스크 적용 5. 컬러테라피(BTT, 옴니룩스 10분 적용) 6. DMS® 베이스크림 클래식 7. 더모 프로텍션 선 레스큐 크림

3) 클래식 필링 + ionto + 재생

Peeling(G.A) + ionto + 재생	관리 내용
10회 관리를 레이저를 전 · 후 나누어 적용한다.	레이저 전
	1. DMS® 크린싱 밀크 2. 훼이스 토닉 3. 클래식 필링 4. 거즈마스크 적용 5. 컬러테라피(BTT, 옴니룩스 10분 적용) 6. DMS® 베이스크림 클래식 7. 더모 프로텍션 선 레스큐 크림
	레이저 후
	1. DMS® 크린싱 밀크 2. 훼이스 토닉 3. iontophoresis(더모 브라이트 이온토 앰플) 4. DMS® 거즈마스크 적용 5. 컬러테라피(BTT, 옴니룩스 10분 적용) 6. DMS® 베이스크림 클래식 7. 더모 프로텍션 선 레스큐 크림

4) Iontophoresis

일반 재생 관리	관리 내용
딱지 떨어진 후	1. DMS® 크린싱 밀크 2. 훼이스 토닉 3. iontophoresis(더모 브라이트 이온토 앰플) 4. 거즈마스크 적용 5. 컬러테라피(BTT, 옴니룩스 10분 적용) 6. DMS® 베이스크림 클래식 7. 더모 프로텍션 선 레스큐 크림

5) Oxygen + 재생관리

Oxygen + 재생 관리	관리 내용
딱지 有	1. DMS® 크린싱 밀크 2. 훼이스 토닉 3. oxygen 스프레이 건 침투(고농축 작용성분 이용) 4. oxygen 마스크 적용 5. DMS® 베이스크림 하이클래식 6. 더모 프로텍션 선 레스큐 크림
딱지 無	1. DMS® 크린싱 밀크 2. 훼이스 토닉 3. 거즈마스크 적용 4. 컬러테라피(BTT, 옴니룩스 10분 적용) 5. oxygen마스크 적용 6. DMS® 베이스크림 하이클래식 7. 더모 프로텍션 선 레스큐 크림

레이저(시술 당일)

No	순서/적용시간	사용 방법
1	클렌징 단계	1. 크린싱 젤을 화장솜에 적셔 포인트(눈, 눈썹, 입술) 메이크업을 지운다. 2. DMS® 크린싱 밀크, 크린싱 젤을 이용하여 피부에 적당량을 도포 후 가볍게 테크닉 한 후 스펀지로 노폐물을 닦아낸다. 3. 피부 상태에 따라 적용하며 박피를 적용할 것이므로 강한 세안제는 피한다.
2	딥 클렌징 단계	• DMS® 필링크림(스크럽)을 얼굴에 도포 후 스티머 5분 정도 쏘인다. • 가볍게 테크닉을 하여 각질을 제거한다.
3	준비 단계 (전처치)	1. 깨끗한 피부상태를 유지한다. 2. 레이저의 기종과 피부 상태에 따라 마취제를 정한 후 마취한다(주로 연고마취). 3. 환자에게 레이저 시술절차와 피부 변화 등을 설명한 후 레이저실로 안내한다.
4	레이저 시술	• 열 발생이 많은 레이저의 경우 냉 습포를 준비한다.
5	열감 완화와 진정	• 아이스 팩을 이용하여 피부의 열감을 제거한다. • 붉은 피부상태가 진정될 때까지 진행한다.
6	토너(수분공급)	• 훼이스 토닉을 화장솜에 적셔 발라준다. • 훼이스 토닉은 피부 수분증가와 진정작용이 효과적이다.
7	1차 냉동 거즈마스크 (20분 적용)	1. 사각 캔에 피부에 맞게 재단된 거즈를 넣고 냉동수를 부어 놓는다. 2. 비커에 ⓐ+ⓑ를 배합 후 +ⓒ를 넣어 섞는다. ⓐ DMS® 베이스 크림 하이클래식 : 2ml(1/2 펌프) ⓑ 고농축 작용성분 : 조조바 오일 0.5ml CM글루칸 0.25ml D판테놀 0.25ml

No	순서/적용시간	사용 방법
7	1차 냉동 거즈마스크 (20분 적용)	ⓒ 훼이스 토닉 5ml(5번 펌프) 3. 유화됨을 확인한 후 냉동 거즈를 물기 없이 하여 비커에 있는 농축액에 거즈를 넣는다. 4. 거즈를 담가 흡수시킨 후 얼굴에 밀착시키며 붙인다. ※강한 박피로 인해 자극이 많이 되어 있으므로 해면으로 닦는 행위는 피한다.
8	2차마스크 (15분 적용)	1. DMS® 비타민 마스크를 얼굴 전체 도포한다. 2. 5가지 비타민 성분의 함유와 나노파티클 공법의 DMS® 비타민 마스크는 피부의 균형적인 침투와 72시간의 지속으로 피부재생과 미백작용이 효과적이다. 3. 진정과 재생을 도와주는 크림 형태의 마스크를 이용한다.
9	메디컬 컬러테라피 (10분 적용)	1. 단독 사용도 좋으나 마스크 위에 적용하면 시간도 단축 2. 피부의 진정, 재생효과와 Dry up 효능이 있는 컬러를 이용한다. 3. 주로 He/Ne 레이저, BTT 등을 이용한다.
10	올레오젤 플러스	1. 올레오젤 플러스를 스파츌러로 소량 덜어 피부에 직접 도포한다. 2. 손상된 피부에 보호막을 형성하며 피부 재생을 도우며 유연성을 준다.
11	자외선 차단제	1. 더모 프로텍션 선 레스큐 크림을 발라준다. 2. 자외선 A와 B의 이중차단과 피부재생을 동시에 한다.
12	피부연출 및 보호단계	1. 더모 프로텍션 리바이벌 밤 2. 아름다운 피부톤을 연출하며 피부재생 보호를 위해 소량 도포한다.

참 고 시술 당일 박피가 강하게 들어간 경우나 예민한 피부일 경우 약간의 홍반은 1~2일 정도 동반되나 일반 피부의 경우는 재생관리만으로도 충분한 진정이 된다.

일반 재생관리

No	순서/적용시간	사용 방법
1	클렌징 단계	1. 크린싱 젤을 화장솜에 적셔 포인트(눈, 눈썹, 입술) 메이크업을 지운다. 2. DMS® 크린싱 밀크, 크린싱 젤을 이용하여 피부에 적당량을 도포 후 가볍게 테크닉 한 후 스펀지로 노폐물을 닦아낸다. 3. 피부 상태에 따라 적용하며 자극적인 세안제는 피한다. ※딱지와 가피의 형성으로 해면이나 클렌징 동작으로도 피부자극을 줄 수 있으므로 주의를 요한다.
2	딥 클렌징 단계	• DMS® 필링크림(스크럽)을 얼굴에 도포 후 스티머 5분 정도 쏘인다. • 가볍게 테크닉을 하여 각질을 제거한다.
	토너(수분공급)	• 훼이스 토닉을 화장솜에 적셔 발라준다. • 훼이스 토닉은 피부 수분증가와 진정작용이 효과적이다.
3	이온토포레시스 (10분 정도)	• 비타민 C,E,Q10 용액과 토너를 혼합해서 침투시킨다. • 침투시킨 후 탈수현상을 막기 위해 천연보습인자를 바른다. 분말 형태로 나온 비타민 C는 pH가가 낮아 잘못 사용했을 경우 피부 화상 burn을 일으킬 수 있으므로 주의하여 사용해야 한다. 1. 고농축 작용성분(피부 타입별로 배합하여 적용)–1ml – 기미(리포좀 콘센트레이트–비타민 C, 플란트) – 노화피부(나노파티클스–코엔자임Q_{10}, 비타민 E) – 여드름(비타민 C 리포좀 콘센트레이트, 리포좀콘센트레이트 플러스) 2. 훼이스 토닉 – 1ml
4	1차 거즈마스크 (20분 적용)	1. 사각 캔에 피부에 맞게 재단된 거즈를 넣고 냉동수를 부어 놓는다. 2. 비커에 ⓐ+ⓑ를 배합 후 ⓒ를 넣어 섞는다. ⓐ DMS® 베이스 크림 하이클래식 : 2ml(1/2 펌프) ⓑ 고농축 작용성분 : 조조바 오일 0.5ml, CM글루칸 0.25ml, D–판테놀 0.25ml ⓒ 훼이스 토닉 5ml(5번 펌프) 3. 유화됨을 확인한 후 차가운 거즈를 물기 없이 하여 비커에 있는 농축액에 거즈를 넣는다. 4. 거즈를 담가 흡수시킨 후 얼굴에 밀착시키며 붙인다. ※강한 박피로 인해 자극이 많이 되어 있으므로 해면으로 닦는 행위는 피한다.

No	순서/적용시간	사용 방법
5	스킨마스터(스킨스크러버) 5분 정도	• 거즈마스크 위에 스킨 마스터를 사용하여 흡수력을 돕는다.
6	2차마스크 (15분 적용)	1. DMS® 비타민 마스크를 2번 펌프하여 얼굴 전체에 도포한다. 2. 5가지 비타민성분의 함유와 나노파티클스 공법의 비타민마스크는 피부의 균형적인 침투와 72시간의 지속효과로 피부재생과 미백작용이 효과적이다. 3. 진정과 재생을 도와주는 크림 형태의 마스크를 이용한다.
7	메디컬 컬러테라피 (10분 적용)	1. 단독 사용도 좋으나 마스크 위에 적용하면 시간도 단축 2. 피부의 진정, 재생효과와 Dry up 효능이 있는 컬러를 이용한다. 3. 주로 He-Ne 레이저, BTT 등을 이용한다.
8	활성 성분	• 홍반을 감소시키기 위하여 D-판테놀을 단독으로 얼굴 전체에 도포한다(0.1ml). - 색소예방은 플란트 리포좀 콘센트레이트를 단독 도포 - 보호막이 필요한 피부는 조조바 오일을 단독 도포
9	올레오젤 플러스	1. 올레오젤 플러스를 스파츌러로 소량 덜어 피부에 직접 도포한다. 2. 손상된 피부에 보호막을 형성하며 피부 재생을 도우며 유연성을 준다.
10	자외선 차단제	1. 더모 프로텍션 선 레스큐 크림을 발라준다. 2. 자외선 A와 B의 이중차단과 피부재생을 동시에 한다.
11	피부연출 및 보호단계	1. 더모 프로텍션 리바이벌 밤 2. 아름다운 피부톤을 연출하며 피부재생 보호를 위해 소량 도포한다.

참 고 ※ 마스크의 적용은 피부의 상태, 기호, 재생력에 따라서 벨벳, 고무마스크, wash off 타입 등을 적절히 적용하여 관리해 준다.

※ 기계 적용은 이온토기계, 초음파, 산소 기계 정도를 상태에 따라서 적용하되, 필링기계는 적용해서는 안 된다.

재생관리는 기본 4회 재생 관리를 필요로 한다.

피부의 병변 상태에 따라서 재생 마스크의 다양성을 추구할 수 있다.

레이저 후 – 시술당일

No	관리 순서	적용 제품	사용 방법	참고 사항
1	색조 화장 클렌징	더모 에센셜 아이리무버	• 화장솜 3장에 적당량을 묻혀 눈두덩, 눈썹, 입술라인에 약 10초간 적용 • 눈두덩, 눈썹, 입술 라인 순서로 가볍게 색조 제거	– 마스카라, 아이라이너는 면봉을 이용하면 제거 용이
	안 면 클렌징	DMS® 크린싱 밀크	• 적당량(3ml)의 제품을 이용하여 가볍게 핸들링한 후 해면으로 노폐물 제거	– 예민, 건조, 노화피부
		DMS® 크린싱 젤		– 지성, 여드름
2	딥 클렌징	DMS® 필링 크림	• 눈가, 입가 젖은 탈지솜을 이용하여 보호 • 적당량(3ml)을 유리볼에 덜어준비 • 도포 후 5~10분 정도 스티머 조사 • 스티머 제거 후 1~3분 정도 러빙 • 1~2분 방치 후 해면을 이용하여 제거	– 예민한 경우 스티머 조사는 5분 이내로 한다.
3	토 너	훼이스 토닉	• 탈지솜을 이용하여 얼굴 전체 도포	
4	준비 단계		• 유분기 없는 피부 상태 유지 • 레이저의 기종과 피부 상태에 맞는 마취제 도포(방치) • 고객에게 레이저 시술 절차 및 피부 변화 등을 설명한 후 레이저실로 안내 • 열 발생으로 인한 통증이 유발될 수 있는 고객의 경우는 사전에 냉타월 준비	
5	레이저 시술			
6	열감 완화와 진정	울트라사운드 젤	• 울트라사운드젤을 2~3ml 도포 후 크라이오 기기를 이용하여 부드럽게 롤링해 준다.	– 예민피부는 D-판테놀 0.5ml 혼합 후 사용

No	관리 순서	적용 제품	사용 방법	참고 사항
7	고무 마스크	더모 센스티브 보타민 모델링 마스크	• 가루 30ml를 고무볼에 덜어 준비 • 시원한 정제수(또는 생수) 50cc를 부어 스파츌러를 이용하여 곱게 갠다. • 약간 건조된 거즈마스크 위에 고무 마스크를 균일하게 도포(눈가는 얇게 도포한다-부종 및 충혈 예방)	– 거즈마스크 위에 고무 마스크를 적용하며 부수적인 앰플 사용이 필요 없다(경제적).
8	기계 적용	BTT(He-Ne) 또는 바이옵트론	• 피부 진정 및 재생 효과 (15~20분 적용)	
9	마무리 단계	아이젤 플러스 도포	• 소량의 제품을 이용하여 눈주위 흡수	
		올레오젤 플러스	• 스파츌러를 이용하여 올레오젤 플러스 소량(0.5ml)을 덜어 레이저 시술 부위 도포 • 손상된 피부에 보호막 형성 피부 재생 탁월 – 리포좀 콘센트레이트 플러스 효능 : 피지조절, 항염, 보습	
		더모 프로텍션 선 레스큐 크림	• 2ml 정도의 제품을 얼굴 전체 꼼꼼하게 도포(눈가, 입가 도포) – 외출 30분 전에 도포	
		더모 프로텍션 리바이벌 밤	• 수딩밤 시리즈 중 피부색에 맞는 것을 골라 두들기며 펴 바른다. → 피부 톤을 아름답게 정리	
		더모 프로텍션 리바이벌 쿠션		

참 고 ① 레이저 관리라 명명하였지만 모든 기계 시술 후 적용
폴라리스, IPL, 프락셀 , RF(시술 당일 & 재생 관리 프로그램에 모두 적용 가능)
② 일반 재생 관리 시에도 적용 가능

chapter 11 비만 관리

인류의 역사에 '비만'이 등장한 것은 언제부터일까?

현재까지 밝혀진 자료에 의하면 구석기 시대인 BC 2200년에 '월렌돌프'의 석상에서 비만인의 모습이 나타나고 있다고 하는데 이처럼 비만도 오랜 역사와 전통을 갖고 있다.

그러나 비만에 대한 대중적인 문제가 제기된 것은 긴 인류역사를 놓고 볼 때 극히 최근의 일이다. 음식이 귀하고 기본적인 의식주의 중요성이 컸던 20세기 초까지만 해도 서양에서조차 비만은 최상류층의 전유물이었고, 우리나라의 경우에서도 1970년대에 이르러 경제개발이 될 무렵 비만은 부와 권위의 상징이었다. 하지만 생활수준이 높아지고 많은 사람들이 의식주의 근심을 덜어버리게 된 오늘날 비만은 대중화되었고, 의학의 발달과 더불어 비만의 문제점들이 알려지면서 사회적으로 큰 문제로 대두되고 있다.

1990년대에 이르러 대중매체의 영향이 커지고 이로 인해 특히 외모를 중요시하는 풍토가 만연하면서 비만과 다이어트에 대한 관심이 증폭되었고, 많은 사람들이 모델처럼 날씬하고 균형 잡힌 몸매를 꿈꾸며 그렇게 되기 위해 노력하고 있다.

WHO의 국제 질병분류에서도 비만을 하나의 질병으로 인정하고 있으며 심지어 비만을 수많은 사람들의 삶과 건강에 나쁜 영향을 미치는 '세계적인 역병'으로까지 언급하고 있다.

비만은 만성 퇴행성질환과 같은 타 질병을 일으키며, 사망률을 증가시키는 것으로 밝혀져 보건당국뿐만 아니라 의료인, 심지어 일반인들도 이제는 비만을 단순한 미용상의 문제로만 인식하지 말고 건강을 위해서도 적극적으로 대처하려는 노력을 보여야 할 것이다. 비만은 정신적으로는 자아에 관한 불만족과 이에 따른 욕구 불만을 낳고 나아가서는 사람의 성격까지 변화시키며, 육체적으로는 각종 성인병과 여러 질환의 원인이 된다.

비만은 치료가 어렵다. 수많은 다이어트 방법이 있으나 그 어느 것 하나도 완벽한 것이 없으며, 각고의 노력 끝에 체중감량에 성공한다 하더라도 쉽게 재발하기 때문에 비만을 치료하기 위해서는 과학적인 계획과 체계적인 실천이 필요하다.

01 비만의 정의

Medical Skincare

비만증은 섭취한 열량 중에서 소모되고 남은 부분이 체내에 지방으로 축적되는 현상이다. 보통 비만이라고 하면 체중이 많이 나가는 것(과체중)이라고 단순하게 생각하는 사람들이 있지만 정확하게 비만증이란 체중에서 차지하는 체지방의 비율이 높은 것을 말한다.

즉, 신체활동에 의해서 소비된 칼로리보다 음식물로 섭취된 칼로리가 많을 경우 여분의 칼로리가 지방 조직으로 몸속에 축적되어 생기는 것이 비만증이다.

일반적으로 섭취한 에너지는 기초대사에 60~70%, 운동과 행동에 15~20%, 음식물의 소화 · 흡수 · 대사에 10% 정도가 소비된다. 이들 소비되는 에너지보다도 많은 에너지를 섭취하면 여분의 에너지는 중성지방으로 전환되어 지방조직에 축적되는 것이다.

비만 진단법(측정법) & 검진법

- 체질량지수 BMI : body mass index는 비만의 정도를 판단하는 데 사용되는 가장 일반적인 지표로, 체지방량이 얼마인지, 건강상 위험도가 어느 정도 되는지 판단할 수 있다.
- BMI = 체중 / 키의 제곱
- 환자에게 최상의 진료서비스를 제공하기 위해서는 비만에 관련된 각종 검진이 우선적으로 필요

저체중	18.5 미만
정 상	18.5 이상 - 23 미만
과체중	23 이상 - 25 미만

1차 검사	2차 검사
• 신체 계측 • 비만도 검사 • 체지방량 측정 • 신체발달 지수 측정 • 부종 검사 • 복부 비만형 검사 • 신체 영양도 평가 • 운동부하 검사 • 체질상태 파악	• 혈당검사 • 성장호르몬 수치 검사 • 고지혈증 검사 • 단백질, 비타민, 칼슘, 철분 등의 영양상태 검사 • 소변 검사 • 혈압 측정 • 심장, 신장, 간 등 성인병 검진

02 비만의 원인

Medical Skincare

1. 잘못된 식습관에 의한 비만

영양가가 높고 당분이 많은 음식 섭취는 기름기와 당이 체내에 축적되어 비만으로 전이

2. 유전적 소인(부모가 비만인 경우)에 의한 비만

- 부모가 둘 다 비만인 경우 80%가 비만
- 부모가 한쪽이 비만인 경우 41%가 비만
- 부모가 모두 정상일 경우 8%가 비만 가능성
- 부계(40%)보다 모계(60%)의 영향을 더 많이 받음

3. 질병에 의한 비만

갑상선 기능저하, 심부전증, 신부전증, 부신피질 호르몬 과다분비 등 생리적 이상으로 인한 비만

✲ 갑상선 기능 저하증

- 티록신 분비 기능 저하로 기초 대사율이 30~40% 정도 감소하여 나타나는 증세
- 피부가 건조하고 황달기가 있으며 대체로 작고 뚱뚱하며 둔함.

✲ 부신 피질 기능 항진증

- 복부, 목 뒤 지방이 집중적으로 축적되며 얼굴이 동그랗게 되며 사지가 가늘어짐
- 피부는 대체로 얇고 빛나며 붉어지고 여드름과 다모증이 오기 쉬움

4. 특정 약물에 의한 비만

관절염약, 비염약, 피임약, 신경안정제, 스테로이드제 등은 비정상적으로 식욕을 왕성하게 하는 부작용을 일으키기도 한다.

약물 복용 후 식사량이 늘었다면 약물에 의한 비만을 의심해 볼 수도 있다.

5. 심리적 원인으로 정서적인 우울상태나 스트레스의 지속에 의한 비만

외로움, 불안감, 좌절감 등 여러 원인으로 스트레스를 받으면 시상하부의 섭취중추를 자극하여 포만중추를 억제시킴으로써 음식물을 필요 이상 섭취하게 된다.

✲ 시상하부(hypothalamus)

체온조절, 음식물 섭취조절, 성 행동조절, 자율신경조절 기능, 정서반응에 관여하는 신체기관

6. 운동 부족으로 인한 비만

섭취한 열량보다 소비한 열량이 상대적으로 적을 때 잉여 열량이 지방으로 축적된다.

7. 불규칙한 식습관에 의한 비만

식사량이 부족하면 몸이 지방을 분해해서 이를 몸의 균형 유지에 사용하고, 식사의 섭취가 늘면 남은 칼로리를 지방으로 축적하게 되는데, 식사 시간이 불규칙하면 지방의 이동이 급격하게 이루어지므로 체중이 불안정하게 된다.

8. 기타

그 외 환경적 요인에 의한 비만, 출산 후 비만, 갱년기 비만, 지방대사장애 비만 등이 비만의 원인이 될 수 있다.

03 셀룰라이트란?

세포의 영양장애라고 표현할 수 있으며 체액의 배액이 원활치 못해 나타나는 조직액의 이상 정체현상으로 노폐물이 체내에 축적되어 독성물질이 쌓인 상태이다. 셀룰라이트는 특히 여성에게만 일어나는 현상으로 사춘기, 임신 또는 생리기간 등과 같은 호르몬 체계가 변화하는 시기에 흔히 일어난다.

1. 셀룰라이트의 종류

① 단단한 형태

- 단단하고 작은 덩어리로 뭉쳐진 셀룰라이트
- 운동선수나 마르고 단단한 체격을 가진 젊은 여성에게서 잘 나타남.

② 부드러운 형태

- 두부처럼 부드럽고 넓은 부위에 나타나는 셀룰라이트
- 운동하다가 중단한 여성, 급격한 다이어트를 하는 여성에게서 잘 나타남.

2. 셀룰라이트의 발전과정

① 정상상태 : 혈관을 둘러싼 지방세포가 정상을 유지하는 상태

② 1단계 : 정맥울혈

- 지방세포가 비만해지고 형태가 바뀌고 수분과 지방이 뭉쳐짐.
- 간질 조직의 울혈과 지방세포의 분리가 일어남.
- 혈관벽(정맥)이 눌리고 좁아짐 – 혈액순환 및 림프순환 장애 시작

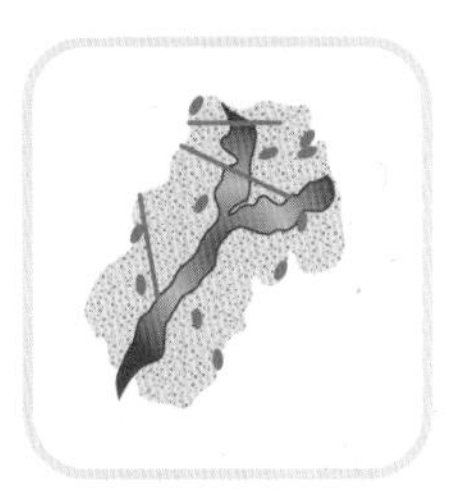

③ 2단계 : 지방세포의 비대화와 섬유질 이동 – 촘촘한 셀룰라이트

- 지방세포가 더욱 커지고 비만해짐. 혈관벽이 더욱 좁아져 혈액순환 및 림프순환 장애가 심해짐에 따라 대사의 잔여물들이 간질에 쌓여 콜라겐 섬유질이 혈관과 각각의 지방세포에 응집된다.

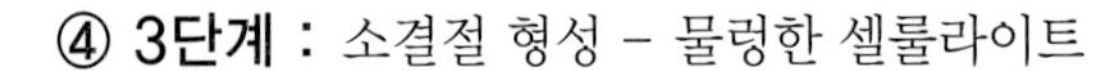

④ 3단계 : 소결절 형성 – 물렁한 셀룰라이트

- 하나의 지방세포가 부종으로 더욱 비만해지고 섬유질이 밖에 들러붙어 하나의 소결절이 형성되어 지방세포는 외부와의 교통이 차단되고 정맥이나 림프를 통한 배출이 차단된다. 즉 지방분해가 잘 안 된다.
- 허벅지 롤링 촉진 시 : 손가락 2개 정도로 만져지며 피부가 울퉁불퉁하고 오렌지모양 orang peel skin의 피부 형태를 보인다.

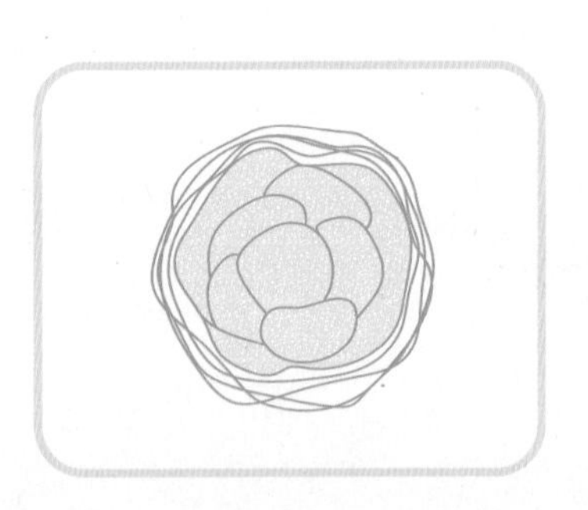

⑤ 4단계 : waffle state – 대결절의 형성 : 차가운 셀룰라이트

- 작은 소결절이 집합하여 섬유질을 둘러싸서 대결절이 형성되어 하나의 캡슐처럼 된다.
- 피하지방층에 있는 지방세포가 셀룰라이트가 진행되어 4단계에 이르러 대결절이 형성되면 진피층으로 밀려 올라와 피부를 잡지 않아도 울퉁불퉁하고 차가우며 만지면 아프다.

3. 셀룰라이트 분해에 필요한 영양소

① 포도씨 추출물

- 유해산소의 손상으로부터 모세혈관을 보호하여 정상적인 대사활동을 촉진한다.
- 결합조직의 성분인 콜라겐과 엘라스틴을 분해하는 효소의 활동을 억제한다.

② 은행잎 추출물

- 말초의 혈행을 개선하여 혈액순환을 정상화시킨다.
- 항산화성분인 플라보노이드를 함유하여 혈관의 산화 손상을 방지한다.

③ 클로버 추출물

- 주로 혈관을 강화시키는 작용을 한다.

④ 켈프 추출물

- 호르몬의 분비를 정상화시키고 염증을 예방한다.
- 결합조직을 강화한다.

⑤ 정제어유(EPA / DHA)

- 오메가3계 불포화지방산으로서 혈액의 점성을 저하시켜 혈액순환을 원활하게 한다.
- 지질대사를 개선한다.

⑥ 보라지 오일

- 오메가6계 필수지방산인 감마리놀렌산을 다량 함유하고 있어 지방의 대사를 개선한다.
- 호르몬 분비를 정상화시킨다.

⑦ 대두 레시틴

- 대두에서 추출한 인지질 성분으로서 지질 대사를 개선한다.
- 산화를 방지하는 작용을 한다.

4. 셀룰라이트 관리 방법

- 체내 노폐물 정체가 일어나는 원인을 찾아 해소하고 림프 시스템의 원활한 순환을 돕는다.
- 체내의 노폐물 제거, 신선한 산소공급, 적당한 운동, 휴식, 마사지 시술

5. 셀룰라이트와 비만(피하지방)과의 차이점

	셀룰라이트	비 만
정 의	지방과 노폐물, 체액이 혼합된 특수한 형태의 지방	단순지방의 축적, 지방세포가 많은 지방질
피부상태	오렌지 껍질같이 피부표면에 둥근 모양의 덩어리가 모여 있음	다른 부위의 피부와 차이가 없이 매끄럽고 두둑한 지방만 있음
발생원인	여성호르몬의 과잉분비, 외부의 물리적 자극이나 충격, 혈액순환계의 압박이나 수분폐색, 결체조직의 경질 등으로 발생	지방질 음식의 과다섭취 및 지질분해효소(리파제)의 작용 미비
발생시기	호르몬이 변화하는 사춘기, 피임약 복용, 임신, 폐경기	특정 발생시기 없이 언제든지 생길 수 있음
발생부위	배꼽 아래, 엉덩이, 허벅지, 무릎 안쪽, 팔 윗부분 등 특정 부위	신체 일부분, 신체 전반에 나타남
감 각	쉽게 피로하며 몸이 늘 무겁고 손, 발 등 말초부위가 차다 심하면 셀룰라이트 부위가 통증	비만에 의한 통증은 없으며 둔한 느낌
악화요인	호르몬제의 복용, 스트레스, 몸에 꽉 끼는 옷의 착용, 외과적 수술로 인한 림프관 절단 등	과다한 영양섭취, 운동부족 등
증 상	오렌지 껍질같이 피부 표면이 요철 모양으로 됨	피부가 번들거림
관리방법	림프드레나쥐, 냉동요법과 온열 요법을 통한 노폐물 독소의 배출, 충분한 미네랄 보충, 해초요법	다이어트, 운동요법, 혈액순환, 지방분해
다이어트	효과가 별로 없음	효과 있음

비만 치료 방법

04

Medical Skincare

1. 양방 비만 치료방법

1) 식이요법

- **식이요법은 비만 관리의 필수**
- **비만 정도에 따라 차이가 있을 수 있으나 1일 보통 1,200Kcal 정도 섭취**(최소 평소 섭취량보다 500~600Kcal 감량하여 섭취하도록 한다.)
- **주지사항**

- 저열량식 식단 제한 시 반드시 5군을 두루 섭취토록 주지시킨다.
  (총열량에 탄수화물 60~50%, 지방 20~25%, 단백질 15~20% 정도 권고)
- 생활습관과 식품에 대한 선호도를 고려한다.
- 식사 내용의 갑작스런 변화는 공복감을 심화시키므로 폭식할 수 있다.
- 불필요한 간식을 줄이도록 한다.

① 체중조절 식사법

- 적절한 양의 음식을 맛있게, 즐겁게 먹는다.
- 천천히 중간에 쉬면서 먹는다.
- 음식을 먹으며 TV, 신문, 잡지 등을 보는 등 다른 행동을 하지 않는다.
- 작은 식기류를 사용한다.
- 음식을 먹고 난 후 바로 식탁에서 일어난다.
- 먹을 양만 덜고 나머지 음식은 보이지 않는 곳으로 치운다.
- 인스턴트식품, 배달 음식은 삼가야 한다.
- 배가 고플 때 음식점이나 시장에 가지 않는다.
- 외식은 하루 한 번 이하로 한다.
- 하루 8컵 정도의 물을 마신다.

- 간식과 술은 반드시 제한한다.

② 식사요법의 5W1H

- When : 항상 일정한 시간에 먹고 절대로 식사를 거르지 않는다.
- Where : 음식은 반드시 식탁에서만 먹는다(TV나 신문을 보면서 무의식적으로 먹는 습관을 개선).
- Who : 가족이나 친구들과 함께 식사한다(혼자 식사하게 되면 조절하기 어려울 수도 있음).
- What : 고지방, 고칼로리 식사는 피하고 신선한 과일이나 야채를 많이 먹는다.
- Why : 무언가 먹고 싶다면 왜 그런 생각이 들었는지 곰곰이 따져보고 정말로 배가 고픈 것이 아니라면 과감하게 음식을 거부한다.
- How : 천천히 여유 있게 먹는다. 급하게 음식을 먹으면 뇌에서 포만감을 느끼기도 전에 너무 많은 칼로리를 섭취하게 된다.

③ 식사요법에 도움이 되는 조리법

- 식품재료의 종류, 부위에 따른 성분을 고려한다(육류를 먹을 때는 기름이 많은 부위를 제거하고 먹음).
- 튀김요리를 할 때는 껍질을 얇게 입힌다. 중국요리나 튀김보다는 백반 및 구이, 찜 등을 선택한다.
- 구미가 당기지 않도록 향신료, 조미료는 제한한다.
- 수분이 많은 조리를 해서 만족감을 느끼게 한다(국, 죽).
- 잡곡밥 위주의 섬유질이 많은 음식을 먹도록 한다.
- 가공된 식품보다는 직접 조리한 것이나 신선한 식품을 먹는다.
- 약간의 지방은 포만감을 유지하는 데 도움이 되기 때문에, 지방을 극단적으로 제한할 필요는 없다.
- 단백질은 육류보다는 생선으로 섭취하고 튀긴 것보다는 석쇠에 굽도록 한다.
- 소금 섭취를 줄인다.
- 커피, 홍차에도 설탕을 넣지 않는다.

2) 운동 요법

- 활동량을 증가시켜 섭취된 음식뿐만 아니라 지방 형태로 저장된 에너지까지 소비한다.
- 운동은 체중감소보다는 체중증가를 예방하거나 내려간 체중을 유지하는 데 효과적이다.
- 주 3~4일 하루 1시간 이내로 운동을 하는 것이 바람직하다.
- 근육과 뼈를 증강시키고 지방을 연소시킨다.
- 운동 후에는 기초대사율이 증가되어 같은 양의 음식을 먹어도 에너지 축적이 덜 된다.

① 운동 횟수와 강도

- 본인의 체중에 적합한 가벼운 운동을 꾸준히 하는 것이 중요하다.
- 체지방을 연소시키기 위해서는 낮은 강도의 유산소 운동부터 시작하는 것이 바람직하다.
- 요일을 정해두고 일주일에 3번은 규칙적으로 운동한다.
- 운동의 강도는 온몸이 땀으로 촉촉이 젖고, 호흡곤란을 느끼지 않으면서 옆 사람과 대화를 할 수 있는 정도가 적당하다. 이러한 강도는 심장에 적당한 자극을 주어 유산소운동 능력 향상에 도움을 주고 체지방을 연소시킴으로써 체중감량에 효과적이다.

② 운동하기 좋은 시간

- 자신이 여유를 가지고 운동을 할 수 있는 시간이 가장 좋은 시간이다(단, 적어도 잠들기 2시간 전에는 운동을 마침).

※ 잠자기 직전의 운동은 교감신경을 자극하여 수면을 방해할 수 있다.

- 아침운동은 심장박동을 촉진시키고 맑은 정신으로 하루를 준비할 수 있도록 돕는다(단, 아침에는 체온이 낮으므로 근육의 유연성이 저하될 수 있음).
- 부상 예방을 위해, 운동 전에는 근육 준비운동을 충분히 한다.

③ 내게 맞는 운동

- 비만의 정도가 심하지 않을 경우는 특별한 운동의 제한은 없으나 비만한 사

람의 경우 유산소 운동을 하되, 관절이나 골격에 무리가 가지 않는 운동을 택하도록 한다.

④ 안전하고 즐거운 운동을 위한 6가지

- 지나친 운동은 금물 : 피로를 가중시키고 부상을 유발할 수 있다.
- 준비운동과 정리운동을 잊지 않는다 : 준비운동은 근육을 풀어주고 부상을 방지하며 정리운동은 피로해진 근육을 풀어준다.
- 주치의 및 전문가의 조언을 받는다 : 운동은 약과 같다. 자신에게 적합한 운동을 찾아야 한다.
- 현재 시행되는 운동이 지루하게 느껴진다면 새로운 운동을 찾는다 : 흥미가 있어야 운동의 효과도 배가된다.
- 즐겁게 운동하라 : 즐겁지 않으면 운동이 아니다. 다만 노동일뿐이다.
- 운동일지를 기록한다 : 운동의 진행상황을 확인할 수 있어 스스로 운동에 대한 동기를 부여한다.

⑤ 잘못 알고 있는 운동상식

- 조깅은 몸을 날씬하게 만들 수 있는 가장 빠른 방법이다. - No!
  무리한 운동과 다이어트는 병을 얻을 뿐이다. 운동은 반드시 자신의 호감도와 건강상태를 고려해서 선택해야 한다. 살을 빼야 한다는 강박관념으로 무리해선 안 된다.
- 운동을 하다 그만두면 근육이 다시 지방으로 변한다? - No!
  운동을 하면 체지방이 빠지고 근육이 만들어진다. 일단 만들어진 근육이 다시 체지방으로 변하지는 않는다. 단지 운동을 중단하면 새로운 체지방이 축적되므로 살이 찌는 것처럼 보이는 것이다.
- 하루에 한 시간씩 주5일 운동을 해야 건강해진다. - No!
  아주 작은 양의 운동으로도 우리 몸은 건강해진다. 연구에 의하면 주3일 이상, 하루 30분 이상 걷기를 하면 심장발작의 위험이 줄어들고, 혈압이 낮아지며, 스트레스가 줄고 에너지와 면역체계를 증가시킨다고 한다.
- 조심하기만 하면 운동 전 준비운동은 필요하지 않다. - No!
  운동 전 스트레칭과 워밍업은 다양한 스포츠부상을 예방하는 데 있어서 필수이다.

- 격렬한 운동을 하기 전에는 근육을 만들어주는 고단백질 식품을 먹는다. - No!

  고단백 식품의 과다섭취는 오히려 비만이 될 기회를 높이는 일이다. 격렬한 운동을 하기 전에 가장 이상적인 음식은 탄수화물이 주성분인 음식들이다. 탄수화물은 에너지로 전환하기에 가장 좋은 영양소이다.

- 운동 중 수분섭취는 복통을 일으킨다. - No!

  운동을 하는 중엔 수분이 필요하다. 만약 운동을 하면서 충분한 수분섭취가 이루어지지 않으면 두통 및 복통, 피로함을 느끼게 된다.

✲ 유산소 운동

- 에너지 대사에 산소를 필요로 하는 운동으로 주 에너지로 지방 사용

✲ 무산소 운동

- 단시간 내에 큰 힘을 요구하는 운동으로 에너지 대사에 산소가 관여치 않는다.
- 주 에너지로 탄수화물을 사용하며 체중감량보다는 근육을 단련시키는 데 효과적
- 근육이 많아지면 기초대사량 또한 높아지므로 칼로리를 소모하는 데 도움이 된다.

3) 약물 요법

약물치료는 행동수정치료, 식이치료, 운동치료만으로 적절한 체중감량이 되지 않을 경우 단기간 동안 보조요법으로 사용될 수 있으며 엄격한 의학적 검사와 진찰을 통해서 개개인에게 맞도록 안전하게 처방되어야 한다. 따라서 약물에 의한 단기간의 체중 감량효과만 기대하기보다는 식이요법과 운동을 통해 장기적인 관리를 해주어야만 감량체중을 유지할 수 있다. 중요한 것은 약물치료는 결코 환상적인 치료방법이 아니라는 사실이다.

✲ 비만치료제로 적합하지 않은 약제

Fenfluramine/Dexfenfluramine, Thyroid hormone, Digoxin, Diuretics Laxatives, Ephedrine, Topiramate, Aminophylline, Isoproterenol

음식 섭취를 적게 하는 약	시부트라민 (sibutramin, 리덕틸)	세로토닌과 노르아드레날린 재흡수 억제제
	플루오세틴 (fluoxetine, 푸로작)	선택적인 세로토닌 재흡수 억제제로서 본래는 항우울제
	위장팽만제 (bulk forminf agent)	포만감을 일으켜 식욕을 억제
	시메티딘 (cimetidine)	종래의 삼환계 항우울제
섭취된 음식의 체내 흡수를 차단하는 약	오를리스타트 (orlistat, 제니칼)	췌장 및 위의 리파제(lipase, 지방분해효소)를 억제하여 섭취한 지방의 분해를 억제 흡수된 열량을 소모시키는 약
흡수된 열량을 소모시키는 약	에페드린과 잔틴	에페드린과 카페인 등의 잔틴 유도체는 대사를 항진

① 비만 약물치료의 원칙

- 식사요법, 운동요법 및 행동요법과 병행할 때 가장 효과가 크다.
- 약물치료만으로는 현재까지 비만을 완치할 수 없다.
- 장기간 약물치료를 할 때는 개인의 특성을 고려해야 한다.
- 약물치료를 지속할 때는 약물의 안전성과 효과를 고려해야 한다.

② 비만 치료제의 적용기준

WHO 기준

- BMI가 30 이상
- 비만 관련 위험인자나 질환(고혈압, 당뇨, 고지혈증)을 가진 사람으로 BMI가 27 이상인 환자

아시아 기준

- BMI가 25 이상
- BMI 23 이상이면서 동반 질환(고혈압, 당뇨, 고지혈증)이 있는 경우

③ 현재 시행되지 않는 방법들

- 아미노필린(천식 치료제) 주사
- 간질약 처방
- 갑상선 호르몬제 처방
- 이뇨제 처방
- 당뇨병 치료제 처방
- 마약류 처방이나 주사
- 향정신성 각성제(암페타민)
- 펜플루라민(중국산 체중감량제인 '페페'의 주성분)
- 덱스펜플루라민
- 페닐프로파놀아민(뇌출혈 유발 감기약의 성분)
- 향정신성 신경 안정제(바리움)
- 기타 암유발이나 기형 유발 가능 억제

4) 행동수정요법

비만은 잘못된 생활 습관으로 인해 발생되는 것이 대부분이다. 행동요법은 개인의 상황에 따라 일상의 습관 또는 행동의 변화 등을 고려해 체중 감소를 유도하여 먹게 되는 동기, 태도, 행위, 영양, 운동 등 체중과 관련된 모든 것을 포함하여 관리하게 되는 것이다. 또한 행동요법 시에는 감정적인 면을 고려하여 우울, 불안, 과민반응 등의 치료도 적절하게 해주어야 한다.

자극조절	음식 구입 시	장을 볼 때는 식사 후에 할 것 미리 목록을 정해서 살 것 인스턴트식품은 사지 말 것
	일상생활	음식을 보이지 않는 곳에 저장할 것 한 끼에 먹을 수 있는 만큼만 만들 것 정해진 시간과 장소에서만 식사할 것 작은 용기를 사용할 것 식사 후 곧바로 식탁을 떠날 것 타인의 권유에 의한 음식을 거절할 것 불안하거나 우울할 때는 식사를 피할 것

식사습관		먹을 만큼의 양만 담아서 먹을 것 천천히 식사할 것 그릇을 비우려고 애쓰지 말 것 음식이 아깝다고 먹지 말 것 책을 보거나 TV를 볼 때 먹지 말 것
영양교육		음식물의 열량에 대해 알도록 할 것 실천 가능하게 열량 섭취를 줄일 것
신체활동	비정규적 활동	많이 걷도록 할 것 계단을 이용할 것
	규칙적인 운동	중등도의 운동요법을 시작할 것 규칙적인 운동 프로그램에 참여할 것
자기관찰	식사 행동	먹는 시간, 장소, 종류, 양, 기분 등 기록할 것
	활동량과 운동	시간, 종류, 힘든 정도 등을 기록할 것
포상계획		가족이나 친구들은 칭찬을 해줄 것 구체적인 포상을 해줄 것
인식의 재구성		합리적인 목포를 세울 것 결과보다 과정을 생각할 것 자신감을 갖고 어려움을 극복할 것

5) 지방 흡입 수술

지방흡입술의 원리는 지방이 많이 축적된 부위에서 혈관, 신경, 림프관에 손상을 최소화하면서 지방을 응압으로 미세한 진동을 통해 지방 세포만을 파괴한 후 흡입되도록 하여 몸매를 가다듬어 주는 것이다.

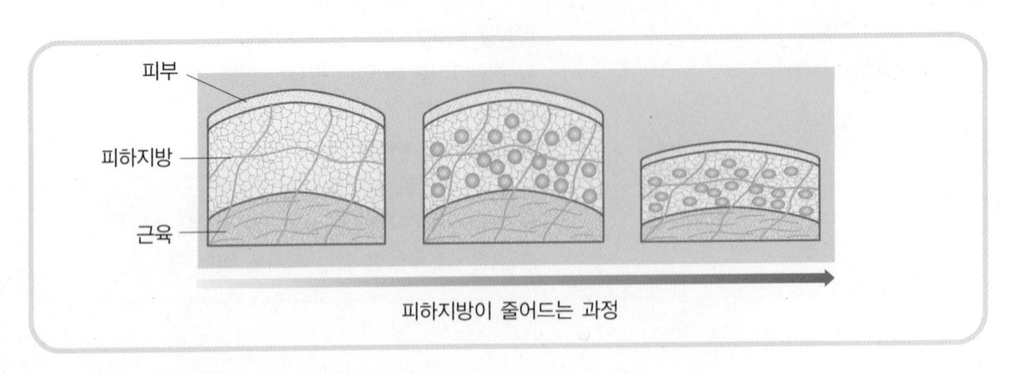

피하지방이 줄어드는 과정

① 자동지방흡입술의 장점

- 수술시간이 짧다.
- 출혈이 적어 많은 양의 지방을 안전하게 제거
- 부분 또는 국소 마취로 시술이 가능
- 수술 후 통증, 멍, 부기가 적다.
- 합병증이나 부작용이 적다.

② 수술 방법

- 5cm의 절개를 부위당 한 군데씩 가한 후 3~4mm의 흡입봉을 삽입하고 생리식염수와 지혈제를 혼합한 용액을 지방 내에 침투시킨 후 흡입한 절개 부위선은 봉합한다.
- 수술 부위는 압박 붕대를 감아서 부종을 예방

③ 수술 후 관리

- 수술 후 부종 완화를 위해 압박성 코르셋이나 스타킹의 착용을 권한다.
- 3~4개월 동안은 계속 착용하기를 권하며, 그 후에는 밤에만 착용하여 6개월 이상 지속해야만 효과를 볼 수 있다.

6) 기타 치료방법

① 바이오덤 지방제거술(국소지방제거술)

- 몸에 무해한 성분(비타민, 미네랄)을 주성분으로 하여 생물학적으로 안전하며 줄이고자 하는 부위에 지방분해 약물을 주사한 후 30분 정도 경과 후 분해된 지방을 빼내주는 방법으로 지방 및 주위 지방조직을 용해하는 방법이다.

② 메조테라피

- 1954년 프랑스 의사인 피스토 Dr. Pistor가 창안한 시술법으로 1987년 프랑스 의학에서 전통의학이 아닌 '대체의학'의 한 분야로 인정받아 시행하게 되었으며 메조테라피는 지방분해 특성을 가진 약물, 미세혈액순환을 증가시키는 약물, 지방의 대사를 증가키는 약물 등의 복합 주사를 말한다.

- 여러 가지 약물 중에서 환자의 상태나 치료하고자 하는 부위 등의 조건에 따라서 몇 가지 약물을 선택, 사용하며 지방분해주사보다 얕은 피부조직하층 또는 피부층에 주사를 하는데, 아주 극소량의 약물을 여러 번에 나눠서 주입한다.

③ 카복시테라피

- 카복시테라피는 '카복시 주사' 라고 불리기는 하나 약물주사 치료는 아니다.
- 카복시테라피는 인체에 무해한 가스를 아주 짧고 가는 바늘을 통해서 피부 밑 지방층에 주입하는 치료방법이다.
- 주입된 가스는 세포 중 일부를 파괴하고, 지방이 단단하게 축적된 셀룰라이트 부위는 지방조직을 느슨하게 풀어주며, 그 부위의 미세혈액순환을 증가시켜서 자연스럽게 지방의 대사와 분해를 촉진시키는 시술이다.

2. 한방에서의 비만

비만의 비 肥 는 '살이 쪘다' 는 말이고, 만 滿 이란 '넉넉하다, 풍족하다, 번민하다' 의 뜻이다.

즉, 비만 肥滿 이란 느긋하게 만족하다가 뚱뚱해져서 번민하게 되는 것을 말한다. 한의학에서는 체내의 비기 脾氣-소화기능 가 저하되어 비습 肥濕-지방과 수분 이 정체되거나 혹은 기혈순환이 잘 되지 않아 몸안의 노폐물인 담음 痰飮, 어혈 瘀血, 식적 食積 등이 몸 밖으로 배출되지 않고 쌓이면서 비만이 발생한다고 본다.

같은 양의 음식을 먹어도 체질에 따라 살이 찌는 사람이 있고, 그렇지 않은 사람이 있는 것은 몸안의 소화흡수 능력과 신진대사 작용이 다르기 때문이다.

1) 한방 비만 치료방법

① 한방처방

한약 체질과 건강 상태에 맞는 한약을 처방하여 식욕을 억제하고 공복감을 해소하며 신진대사를 촉진시켜 지방을 소모한다. 한약은 체질, 진행상태, 다른 질병의 유무에 따라 처방이 달라지는 것이 보통이지만 주로 의이인, 방기, 황기, 택사, 저령 등의 약재가 쓰인다.

한방에서는 습濕·담痰·화火가 체내에서 밖으로 빠져나오지 않고 오랜 시간 축적으로 인해 비만이 생긴다고 보는데, '습'이란 수분이 많은 것이고, '담'은 습으로 인해 몸안의 불필요한 수분이 오래 쌓이는 것을 말한다. '화'는 일반적으로 감기 걸렸을 때 나는 열熱과는 다른 체질적인 열로 생각하면 쉽다.

따라서 수분을 제거하고 열을 내리는 한약을 투여함으로써 체지방의 감소를 유발하는 것이다.

② 간해독 요법

현대인은 술이나 가공식품, 영양과다, 음식물의 중금속오염, 대기오염으로 많이 중독되어 있는데 이것을 해독시키는 주 장기가 간이다. 이런 독소가 많이 쌓이면 간의 해독능력이 떨어져 만성피로, 고지혈증, 지방간 담석증, 중풍, 심장병 등 성인병이 유발될 뿐만 아니라 나아가 복부나 장기에 지방을 축적시킨다.

심한 변비로 인해 장의 소통이 원활하지 못해지면 몸에 군살이 붙거나 아랫배가 나오게 되고 악화되면 부종도 곁들여져 비만 아닌 비만으로 전락하는 경우도 종종 있다. 이런 증상이 계속되면 여성의 경우 생리가 불순해지며 만성적인 피로를 느끼게 된다. 또 소화 불량으로 습관성 변비나 설사도 생길 수 있으며, 복부에 늘 가스가 차 있어 하복부 통증을 호소하기도 한다. 이런 과정이 진행되다 보면 결국은 신경이 날카롭게 되고, 만성적인 대장염이나 심하면 대장암, 직장암 등의 큰 병으로 발전한다.

③ 장 세척 방법

장 세척은 1~2cm 정도 깊이의 호스를 항문에 끼워 장에 남아 있는 찌꺼기를 없애는 방법이다. 따라서 비만과는 관계가 없는 건강한 사람이라도 1년에 한두 번 정도 장세척을 하고 나면 건강 유지에 큰 도움을 준다. 비만 환자들 역시 장세척을 실시하고 나면 장 안에 있는 노폐물이 말끔히 제거돼 피부가 깨끗해지고, 노화도 방지할 수 있다.

만성 소화불량인 사람이나 구취, 두통, 만성피로를 느끼는 사람들에게는 꼭 필요한 요법이며 환자의 몸 상태에 따라 장세척으로 치료하면 몸무게가 줄어든다.

이는 장에 있는 오래된 음식물 찌꺼기나 노폐물 등이 제거되기 때문이다. 이 밖에도 피부미용, 알레르기성 질환, 체질 개선이나 성인병 예방에도 도움을 준다.

장세척을 한 뒤 주의할 점으로는 식사량을 갑자기 늘리지 않는 것이 좋으며, 위의 부담을 줄이기 위해 매운 음식을 삼가고, 짠 음식은 붓게 하므로 삼가는 것이 좋다. 식사는 서서히 아기들에게 이유식 하듯 소화가 잘 되는 것부터 섭취하고, 과일이나 야채도 적당량을 넘어서는 것은 좋지 않다.

④ 지방 분해침

저주파의 영향을 받아 온도가 상승하면 체세포가 죽게 되는데 체세포가 죽지 않게 하기 위해, 활동에너지를 주변에 있는 지방을 끌어당겨서 에너지원으로 사용하도록 한다.

지방층을 따라서 침을 놓고 적절한 주파수를 보내면 침이 들어간 체세포 내에 열이 발생하여 주변의 지방이 물과 이산화탄소, 에너지로 분해된다.

지방분해 침 치료 후에는 반드시 30분 정도 체조를 하여 전기침으로 분해된 지방이 혈액에 쌓이지 않고 곧바로 산화되도록 한다. 지방분해 침을 맞을 수 있는 부위는 얼굴, 목, 등, 가슴, 아랫배, 윗배, 옆구리, 허리, 엉덩이 등 다양하게 시술할 수 있다.

2) 한방으로 본 비만의 유형

살이 찌는 원인은 한방적으로 들여다보면 유형별로 일정한 장기의 기능이 좋지 않아 몸의 신진대사율이 떨어져 있거나 항진되어 있는 것을 알 수 있다.

이것은 기혈의 정상적인 순환을 방해하고 바로 정상적인 노폐물 배설이 제대로 되지 않아 누구도 원치 않은 비만으로 향하게 만든다.

① 식적형

식적食積이란 음식으로 생긴 모든 병을 일컫는 말로 소화장애, 비장과 위장의 기능이 저하되어 음식물의 소화흡수에 장애가 생겨 비만이 오게 된다.

② 담음형

담음痰飮이란 우리 몸안에 있는 진액이 체열에 의해 걸쭉하고 탁해져서 뭉친 정상적인 노폐물이다. 체내의 진액이 탁해져서 생긴 담음은 심장, 혈관, 경락 등에 쌓이고 흐름을 막게 하여 기의 순환장애가 생겨 각종 질환을 유발한다.

③ 기체형

과도한 스트레스로 기 흐름의 장애가 생기게 되면 혈액순환과 지방대사 저하로 인한 순환이 정체된다.

④ 어혈형

어혈 瘀血 은 말하자면 죽은 피가 뭉친 것으로 피가 몸안의 일정한 곳에 머물러 뭉쳐서 생기는 것이 원인이다.

⑤ 기허형

기허형은 말 그대로 몸을 움직이는 근본적 에너지인 기가 빠져서 오는 비만 유형이다. 몸집이 크더라도 기운이 부족하면 몸안에 노폐물이 쌓여 체내의 신진대사가 잘 이루어지지 않고 지방대사의 기능도 떨어져서 비만을 유발하게 된다. 기가 허해지면 몸안에 일어나는 소화 흡수작용이나 배설 기능이 떨어져서 음식물을 소화 흡수시키고 운반하는 대소변이나 땀을 처리하는 능력이 점점 떨어진다.

⑥ 칠정형

감정의 기복이나 스트레스가 비만을 일으키는 유형으로 칠정 七情 이란 기쁨, 노화, 근심, 생각, 슬픔, 공포, 놀람 등의 인간의 7가지 감정 상태를 말한다.

3. 메디컬에서의 비만관리

1) 베이저 컨투어

특수하게 고안된 베이저의 초음파 에너지는 주변 조직에 골고루 분산되어 신경, 혈관의 손상을 최소화하며 지방세포만을 선택적으로 제거하는 신개념 초음파 지방 흡입술이다. 마취 후 초음파 캐뉼라(길고 가느다란 금속관)를 이용하여 지방을 분해, 녹인 지방을 바로 흡수하게 된다. 베이저 시술의 장점은 중요한 혈관이나 신경손상이 없으며, 통증이 없고 최소 절개로 거의 흉터가 남지 않으며 멍을 최소화하여 빠른 회복을 촉진하며 지방 제거후 피부표면이 울퉁불퉁하거나 처지는 현상이 없으며 피부탄력을 증가시켜 준다. 신체의 모든 부위의 지방제거가 가능하여 처진 얼굴피부와 늘어진 볼살, 이중 턱, 복부, 팔뚝, 엉덩이, 허벅지, 종아리 등의 지방제거가 가능하다.

2) 컨투어 체외충격파 지방세포 파괴술

초음파를 이용하여 발생된 모든 물리적 에너지를 파괴하고자 하는 부위에 집중시켜 지방세포만을 파괴하는 비만치료법이다. 열에너지와 달리 초음파 집중장치를 통해 혈관, 림프관, 피부조직 등에 아무런 영향 없이 지방세포만 선택적으로 파괴가 가능하다. 시술 1주일 후에 효과 확인이 가능하며 4주차 시 가장 좋은 효과를 볼 수 있다. 무절개, 무흉터, 무통증의 특징을 가지고 있으며 원하는 부위의 지방세포의 완전 제거와 파괴된 지방은 인체 생리과정을 거쳐 체외로 배출된다. 또한 시술 시 TV 시청이 가능할 정도로 편하고 안전하며 한 달에 한 번씩 같은 부위의 반복시술이 가능하며 시술 후 운동과 다이어트를 병행하면 시술효과는 극대화된다. 비교적 넓은 부위인 복부, 허벅지, 옆구리, 엉덩이 등에 효과적이다.

3) 스마트리포 레이저

스마트리포 레이저 빛을 지방세포에 직접 쪼여 불필요한 지방조직을 제거하는 지방 용해술이다. 지방세포의 파괴로 살이 빠질 뿐만 아니라 진피층에도 자극을 주어 콜라겐의 재생을 유도하므로 시술 후에 생기는 살 처짐이 없고 오히려 처진 부분의 탄력을 되찾게 해주는 특징을 가지고 있다. 1mm의 작은 관을 이용하여 시술하므로 팔, 허벅지, 종아리뿐만 아니라 지방흡입으로 시술이 어려웠던 이중 턱, 종아리, 겨드랑이 뒷부분, 무릎 윗부분 등에 효과적이며 통증이나 흉터가 거의 없어 사회생활을 하는 여성들에게 적합한 시술이다.

4) 그 외 맞춤체형관리

셀룰라이트를 녹이는 초음파와 레이저시술, 비만침 치료, 중저주파, 지방분해 주사와 함께 직접적으로 지방분해를 시키는 레이저 지방 용해술까지 함께 시술

함으로써 빠른 시간 내에 원하는 만큼의 지방분해 효과를 볼 수 있는 새로운 체형관리 시스템이다. 셀룰라이트와 함께 지방세포까지 함께 제거되며 요요현상이 거의 없고 시술 후 통증이나 흉터 없이 빠른 회복력으로 바로 일상생활이 가능하다. 레이저 지방용해술의 병행으로 빠른 시간 내에 원하는 만큼의 지방분해효과와 기존의 지방흡입으로는 시술이 어려웠던 부위도 가능해져 일주일에 2회씩 총 4주 동안 8회 정도의 시술로 원하는 만큼의 효과를 볼 수 있는 것이 맞춤형 관리이다.

1. 스킨 토닉

- 체형관리 및 체지방 감소
- 지방 흡입 수술 전 · 후 사용 시 지방 흡입술의 극대화
- 피부 상태의 개선 및 노화 방지
- 화상 자국의 치료
- 흉터의 개선
- 분만 후 튼살 및 피부의 처짐을 방지 및 개선

2. 초음파

- 지방세포 분해
- 온열 효과와 신진대사 촉진 등의 효과

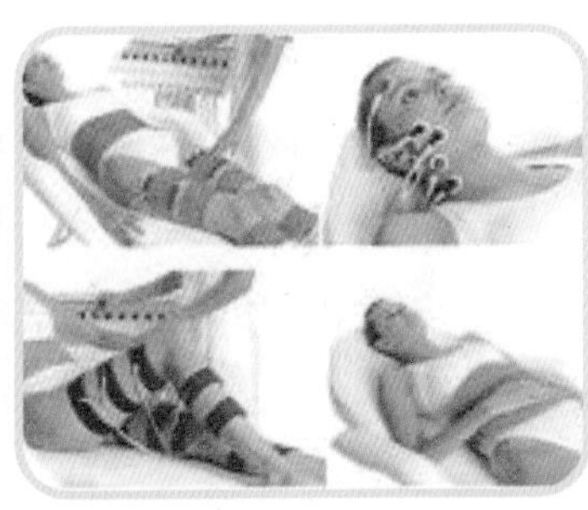

3. 저주파

- 미세 전기를 이용한 근육 마사지
- 신경을 진정시키고 혈액 촉진

4. 엔더몰러지

진공음압에 의해 피부조직을 당겨주고, 특수 제작된 롤러가 지방세포와 주변 결체조직에 지속적인 수축이완작용을 가해 지방의 연소를 도와주고, 피부의 탄력 섬유를 재배치시켜 피부 탄력 증가

- 지방을 둘러싸고 있는 섬유질 분해
- 막힌 혈관계를 원활
- 각 지방끼리의 연결고리를 끊어줌으로써 지방을 분해
- 충분히 분해된 지방을 림프와 혈관으로 배출
- 지방이 배출되어 피부가 이완되므로 피부에 탄력을 더해주는 토닝 작업을 병행

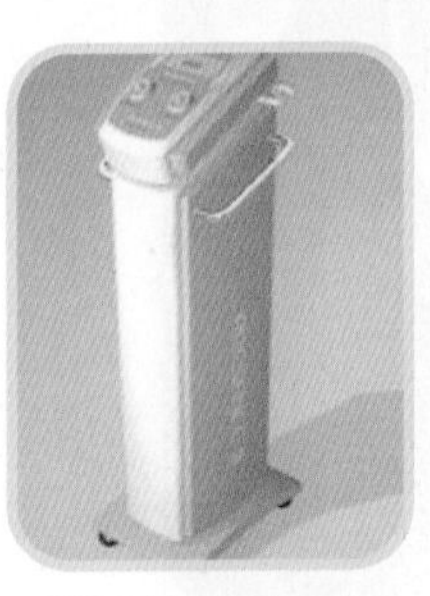

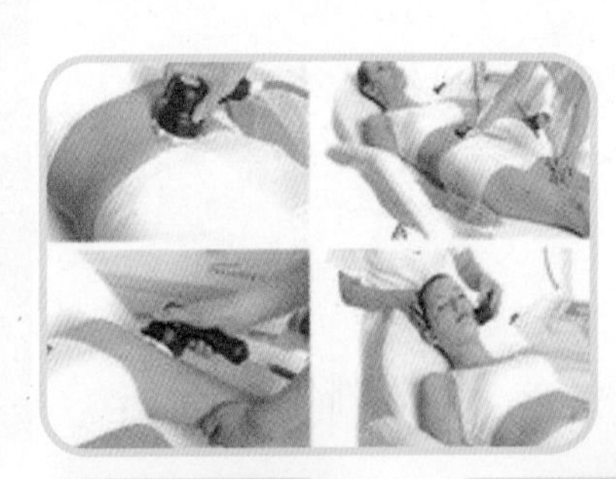

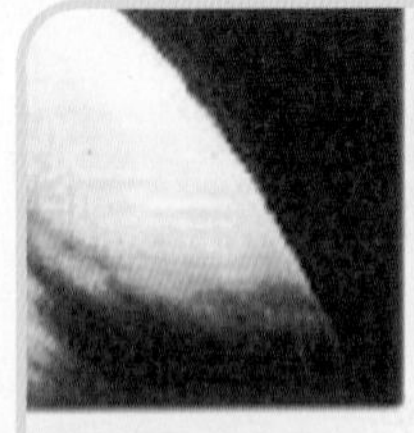

▲ 엔더몰러지 시술

비만으로 인한 질병들

06

Medical Skincare

체중이 늘면 필요로 하는 혈액 공급량도 많아지게 되므로 비만한 사람의 심장은 항상 과로하게 된다. 또한 심장의 혈액 공급 능력에 여유가 별로 없기 때문에 조금만 무리해도 금방 숨이 차고 피로해진다.

① 고혈압
② 고지혈증
③ 심장병(협심증, 심근경색증)
④ 동맥 경화
⑤ 당뇨병

소화기 질환

- 지방간
- 기능성 위장 장애

그 밖의 질환

- 퇴행성 관절염
- 산부인과 질환
- 암 질환
- 호흡기 질환
- 심리적 질환

chapter 12 호르몬과 메조테라피

여성호르몬과 피부

01

Medical Skincare

인체에서 만들어내는 호르몬은 섭취된 영양분으로부터 효소의 도움을 받아 만들어지고 이렇게 만들어진 호르몬의 분비와 역할은 신체상의 뚜렷한 변화뿐만 아니라 질병과도 매우 밀접한 연관성이 있다. 특히 인간의 노화나 피부와도 관련이 있는 호르몬은 뇌의 시상하부와 인체 사이의 정보 전달망에 의하여 분비되거나 조절되어 균형을 이루게 된다.

여성의 노화와 피부에 직접적인 영향력을 가진 호르몬은 에스트로겐 estrogen과 프로게스테론 progesteron으로 피부를 아름답게 유지하는 데 가장 중요한 역할을 한다.

1. 에스트로겐(estrogen)

인체에서 분비되는 가장 강력한 호르몬 중의 하나로 생리에서부터 폐경까지 여성의 일생을 조절하여 신체상의 뚜렷한 변화가 나타나게 한다. 세포막의 표면이나 세포질 내에 있는 호르몬을 받아들이는 피부 수용기에 의해 여러 작용을 하게 된다. 피부의 신진대사의 활성화로 피부의 부드러움과 유연함, 수화도를 높이는 기능을 하고 에스트로겐을 포함한 것으로 알려져 있는 섬유아세포 fibroblast를 자극하여 콜라겐과 엘라스틴, 기질의 생산량을 높여준다. 폐경기 여성의 치료제로 복용하며, 강력한 산화물질로 항노화 효과를 가지며, 심장질환의 위험성을 감소시키며, 치매와 골다공증과 대장암을 예방한다. 또한 남성호르몬을 견제하여 피지분비를 억제하므로 피부의 남성화나 여드름 악화 등을 방지하게 한다.

에스트로겐은 에스트론 estrone, 에스트라디올 estradiol, 에스트리올 estriol의 세 가지 형태로 인체에 존재한다.

에스트로겐(estrogen)의 작용

- 사춘기 이후의 2차성징
- 피부의 부드러움과 유연성
- 남성 호르몬의 분비억제로 피지선 활동 감소
- 콜라겐, 엘라스틴의 합성 증가
- 기질의 활성화로 수화도를 높임

2. 프로게스테론(progesteron)

황체호르몬으로 불리는 프로게스테론은 수용기들이 유방의 피부 부위에 훨씬 많이 몰려 있어 임신을 준비하고 유지하는 데 필요한 호르몬이며 피부에 있는 에스트로겐 수용기의 작용을 차단한다는 보고가 있는데, 배란 직후에 에스트로겐이 차단되는 최고 절정의 시기이고 이때 피부는 가장 불안한 상태가 된다. 에스트로겐과 상반된 기능인 남성호르몬과 비슷한 역할을 하며 자궁암과 뼈의 손실을 예방하고 천연의 기분상승제 기능을 가지고 있다.

프로게스테론(progesteron)의 작용

- 신체 온도 상승으로 피지선의 활성화
- 자궁내막과 임신 중 안정감
- 에스트로겐과 테스토스테론을 억제
- 우울증과 피부의 불안정

02 호르몬과 폐경기

Medical Skincare

여성에게 일어나는 일생동안의 신체적인 변화는 난소의 기능에서부터 시작하고 끝난다고 해도 과언이 아니다. 사춘기에 발달과정이 완성되어 임신과 더불어 여성다움 등은 모두 난소에서 분비되는 호르몬의 결과물이고 45~55세에는 서서히 퇴화되고 더불어 에스트로겐의 생산 감소로 인해 폐경기를 맞이하게 된다. 에스트로겐이 감소되면 이때부터 난소자극 호르몬(FSH)의 생산이 증가되고 프로게스테론의 활동이 왕성해져 균형이 깨지기 시작하며 월경도 불규칙해지고 얼굴이 화끈거리며 열이 나다가 붉어지기도 하고 불면증에 시달리는 등의 증상과 유방도 줄어들고 질과 음문도 축소되며 뼈의 신진대사 작용에 관한 변화도 뚜렷하게 나타난다.

또한 피부는 급격한 노화의 징후를 보이는데 피부 안에서의 에스트로겐 결핍은 진피를 채우고 있는 체액인 글리코아미노글리칸 glycosoaminoglycan의 감소를 가져와 진피의 부피와 탱탱함이 감소되고 피부의 매끄러움은 덜하지만 힘이 없이 부드러움은 남아 있고, 햇빛에 대한 반사작용도 감소하여 생기가 없으며 건조해 보인다.

따라서 잔주름은 물론 진피 내의 콜라겐과 엘라스틴 및 지질 등의 감소로 탄력과 수화능력이 떨어져 피부조직이 늘어지는 현상과 굵고 깊은 주름이 늘어나기 시작한다. 또한 멜라닌의 기능 이상으로 피부에 다양한 색소 침착과 검버섯, 노인성 반점 등의 피부질환이 발생한다. 에스트로겐 감소현상은 테스토스테론의 활동을 증가시켜 여성스러움이 사라지고 피지분비량이 늘어나 모공이 넓어지거나 처지고 여드름이 다시 생기는 등의 현상이 일어나게 되거나 각질층이 두터워져 각질이 쌓이게 되며 비만증상도 현저하게 나타난다.

03 호르몬과 대체요법

Medical Skincare

에스트로겐의 감소로 발생된 폐경기 증상을 완화하기 위해 사용되고 있는 호르몬 대체요법은 인공약제와 식물성 호르몬제로 구분되는데, 인공약제는 부작용과 위험이 심하여 사용자체가 문제시되고 있으며 이에 대한 보완책으로 식물성 호르몬의 사용을 권장하고 있다.

1. 호르몬 약제

인공적으로 합성한 호르몬제는 인체에 천연적으로 존재해 있는 에스트로겐과는 약간의 차이가 있다. 프레마린 premarin 등 시중에서 유통되는 인공 호르몬제들은 임신한 말의 소변에서 추출되어 인공적으로 합성된 대부분의 약제로 자궁이나 난소가 없는 여성, 폐경기가 가깝거나 폐경기에 이른 여성들에게 처방된다. 그러나 인체에 천연으로 존재하는 에스트로겐과는 구성성분과 함유량의 차이로 많은 부작용이 초래되고 있으며 유방암이나 자궁암으로의 발전 가능성도 배제할 수 없는 실정이다.

정상적인 체내 환경에서 호르몬의 분비량은 월경주기의 단계에 따라 다양하게 변하지만 에스트라디올 estradiol이 대략적으로 10~20% 정도, 에스트론 estrone이 10~20% 정도, 에스트리올 estriol이 60~80% 정도로 인체에 존재해 있다. 그러나 합성된 인공약제 중 말의 소변에서 추출한 프레마린premarin의 경우 인체에 없는 이퀼린 equilin이라는 호르몬이 섞여 있고 각 구성성분에도 상당한 비율적 차이가 있는 것으로 나타난다.

이러한 호르몬 약제는 경구용, 패치용, 질정제, 주사제 등으로 적용할 수 있다.

2. 식물성 호르몬(phytoestrogen)

식물에서 추출한 에스트로겐 전구체로 생화학적인 구조와 작용이 인체의 에스트로겐과 유사한 호르몬으로 인공 호르몬 약제에 비해 부작용이나 위험도가 거의 없으며 효능도 에스트로겐과 흡사하게 작용한다. 이러한 식물성 호르몬의 작용은 여러 호르몬의 균형을 이루며 여성과 남성의 생식기능 강화와 항암, 항염작용, 폐경기 증상완화, 골다공증 완화, 면역시스템 조절 등이며 식물성 호르몬은 특히 콩류에 많이 함유되어 있고 그 외에도 인삼이나 감초, 곡류(씨앗), 식물성 스테롤이 존재해 있는 식물 등에 존재하는 것으로 알려져 있다.

04 메조테라피

1952년 프랑스의 피스토 Dr. Pistor에 의해 '메조테라피'가 창안되었으며 '메조 meso-'의 접두어는 여러 의미를 담고 있다고 한다.

메조는 '가운데, 중심 milieu'을 의미하여 정확한 지점을 치료해야 함과 '중간 medium'의 의미로 대증요법과 동종요법의 중간 용량의 약물을 투여하는 것을 의미하기도 한다.

지방층과 연결 조직인 피부 밑의 섬유조직, 피하지방조직, 지방조직, 근육조직, 연골조직 등의 메조덤 mesoderm 부위에 소량의 필요한 약물과 복합물질을 미세주사기를 이용하여 다발적으로 주입하는 방법으로 전신 약물투여에서처럼 발생될 수 있는 부담감과 위험을 최소화하면서 원하는 국소부위에만 제한하여 약물 전달을 직접적으로 해줄 수 있어 현재 시술되는 지방분해 요법 중 가장 효과가 좋으며 부작용도 거의 없다고 알려져 있다. 프랑스에서 시작하여 전 세계적으로 퍼져 나간 메조테라피는 다양한 질환의 치료목적으로 사용되어 왔으며 특히 비만

치료나 피부관리 등의 미용분야에도 유용하게 쓰이고 있다.

1. 메조테라피의 특징

- "소량을, 드물게, 적재적소에"라는 원칙 하에 사용한다.
- 경구 용량의 1/10~1/60 정도의 매우 적은 양의 약물사용
- 사용횟수는 1~2주에 한번 정도이고, 시술 받으면 1~2주간 효과가 유지
- 통증이 없는 주사 주입법
- 피부작용을 강화시켜줄 수 있는 비타민, 미네랄, 아미노산 등의 복합물
- 짧은 길이의 주사바늘(4~10mm의 주사바늘 이용)을 이용, 소량의 약물사용으로 경제적이며 전신부작용이 없다.
- 초음파 등의 특수치료 장비와 병행하여 사용

2. 메조테라피의 부작용 및 주의사항

- 약물에 의한 부작용
- 투약방법에 의한 부작용
- 피부를 바늘로 찌르는 데서 오는 부작용
- 그 외 홍조, 감염, 흉터, 화상 등의 부작용
- 임신, 인슐린복용 당뇨환자, 뇌졸중, 암환자, 혈액응고 환자, 심장질환이 있는 경우 메조테라피를 시행하지 않는다.

3. 메조테라피의 적응증

- 관절통, 근육경련증, 근육이완증, 섬유근통증, 수근골증, 골관절염
- 만성감염증, 여드름, 기관지염, 천식
- 스트레스, 불면증, 금연

- 비만관리 : 셀룰라이트, 국소비만
- 노화관리 : 메조리프트, 메조보톡스, 메조필
- 탈모, 흉터

4. 메조테라피의 적용

1) 메조리프트(Mesolift)

피부재생과 주름개선 및 노화를 지연시켜 줄 수 있는 활성 성분들인 비타민과 미네랄 등이나 보습성분인 히아루론산을 적당히 혼합하여 수술 없이 피부에 직접 주사함으로써 리프팅 효과와 탄력 및 윤곽을 잡아주는 방법이다. 대표적인 효능으로 피부결 개선과 콜라겐의 증가로 인한 주름감소, 노화방지와 외피세포의 교체 증가, 모공관리, 안면이 어려 보이는 효과를 줄 수 있다.

기존의 히아루로닉산 베이스 필러 filler들을 소량으로 복합치료하거나 플라센타를 첨가하여 사용하기도 한다.

2) 메조보톡스(Mesobotox)

메조테라피와 보톡스의 합성어로 보톡스에 소량의 약물을 첨가하여 주입하므로 피부에 탄력을 주는 메조리프트와 표정 주름에 효과가 있는 보톡스를 동시에 시술하여 주름이 약간 펴지는 듯하며 주변의 근육들의 움직임이 자유로워 보톡스를 사용하였을 때의 단점을 보완하고 리프팅 효과와 주름제거 효과를 동시에 얻을 수 있는 장점이 있다.

3) 메조페시아(Mesopecia)

메조테라피와 탈모를 합성한 말로 두피에 직접 약물을 주입하여 모낭의 기능을 자극시키는 혈액순환 촉진제와 모발 생성에 필요한 각종 영양성분들을 공급시켜 주어 남녀 모두 탈모증에 효과가 있는 것으로 알려져 있다.

5. 메조테라피의 관리

No	관리 순서	적용 제품	사용 방법	시간	용량
1	P/M	더모 에센셜 아이리무버	• 화장솜에 묻혀 사용	1분	1ml
	안면 클렌징	DMS® 크린싱 밀크			2ml
	딥 클렌징	DMS® 필링 크림	• 2g정도 유리볼에 덜어 젖은 팩브러시로 도포 • 5~10분 경과 후 -러빙하여 해면정리	5~10분	2ml
2	준비단계		• 피부 습기를 완전히 제거		
3	시술	메조테라피	• 원장 시술		
4	토너	쥬스문® 로션 N	• 피부에 직접 분사		0.5ml
5	1차마스크	거즈마스크(1회 분량) – DMS® 베이스 크림 하이클래식 – 에키나세아 익스트랙트 – CM 글루칸 – 히아루론산 콘센트레이트 – 훼이스 토닉	• 비커에 각 분량에 맞게 혼합 후 젖은 거즈를 넣어 흡수시킴 • 성분이 흡수된 거즈를 얼굴에 맞게 밀착		2ml 0.3ml 0.3ml 0.4ml 5ml
6	컬러테라피	BTT, Dermalight	5~10분간 조사		
7	2차마스크	더모 센스티브 보타민 모델링 마스크	• 파우더 30ml + 정제수 50cc • 거즈마스크 위에 균일하게 도포		30ml
8	재생크림	올레오젤 플러스	• 소량 얼굴에 얇게 도포		0.5ml
	자외선 차단	더모 프로텍션 선 레스큐 크림	• 자외선 A, B부터 보호		0.5ml
	피부정리	더모 프로텍션 리바이벌 밤 더모 프로텍션 리바이벌 쿠션	• 피부톤을 깨끗하게 정리		

참 고 메조테라피란?
극소량의 약물을 혼합하여 피부의 각 층에 일정한 간격과 깊이로 주입시켜 피부문제를 개선하고자 하는 시술.

chapter 13 메디컬 에스테틱을 위한 실무

1 메디컬 스킨케어 리스트가 갖춰야 할 자세
2 피부관리를 위한 정확한 피부진단
3 피부관리 실무
4 메디컬 피부 장비
5 피부관리 테크닉

메디컬 스킨케어 리스트가 갖춰야 할 자세 01

Medical Skincare

불과 몇 년 전부터 인기직종으로 떠오르고 있는 메디컬 스킨케어 리스트, 병원 코디네이터, 비만 관리사 등의 직업은 매우 높은 인기를 끌며 유망직종으로 떠오르고 있다.

이렇듯 인기가 좋은 만큼 매년 학교와 전문교육기관에서는 유사한 학과를 신설하여 수많은 사람들을 배출해 내고 있다.

하지만 수요와 공급의 비율이 아직 시기상조이거나 정착 단계라 국가자격 등 신설문제 등이 미비한 실정이고 관리사들의 책임의식과 꾸준한 자기관리, 병원에 맞는 의료지식과 관리 노하우가 요구되고 있다.

남과는 다른 차별적인 프로그램을 가지고 노력하는 사람만이 뛰어난 메디컬 스킨케어 리스트가 될 것이다.

- 구취, 몸 냄새가 나지 않도록 항상 유의한다. 손톱은 짧게 하며 청결하도록 한다.
- 짙은 화장은 거부감을 주므로 가벼운 화장과 특히 피부는 전문가답게 가꾸고 깨끗이 유지하며 관리 전 · 후 손을 깨끗이 씻고 손을 관리한다. 업무에 지장을 주는 액세서리는 피하고 전문적 지식과 기술향상을 위해 항상 노력한다. 친절한 서비스 정신을 갖추며 상담 시 고객의 의견을 충분히 경청하고 고객의 요구를 정확히 파악한다. 피부미용상의 문제점들에 대해서는 해결방안을 상세히 제시한다(신뢰감과 설득력 있는 상담 유도).
- 관리에 들어가기 전에는 그 방법과 절차에 대해 충분한 설명과 고객의 피부미용 효과를 높이는 동시에 관리실의 수입 창출을 위해 제품판매를 하며 제품에 대한 충분한 지식을 갖추어 전문성과 신뢰성을 겸비한다. 기초 피부관리 이론과 다양한 의학적 지식을 겸비한다.
- 여러 종류의 피부병, 수술, 치료환자의 대처방법을 모색한다.
- 환자들의 심리적 변화에 대처한다.

- 메디컬 스킨케어 리스트로서의 관련된 공부 또한 끊임없이 해야 된다.
- 메디컬 스킨케어는 관리보다는 치료의 효과를 증대하기 위한 여러 가지 방법들 중 하나이다.

02 피부관리를 위한 정확한 피부 진단

Medical Skincare

1. 피부 진단(diagnosis)

에스테티션은 고객의 피부상태를 파악하기 위해서는 피부뿐만 아니라 대상자의 전체적인 신체상태를 파악해야 한다. 이는 심리적 상태를 포함한다.

에스테티션은 고객의 피부유형을 정확하게 판독하지 않으면 알맞은 피부관리를 적용할 수 없다.

피부타입은 피부의 보습 정도, 피지 분비 정도, 혈액순환 상태, 피부의 두께, 피부색들에 의해 결정된다. 그러나 피부타입은 환경과 개인의 신체 상태에 따라 수없이 많은 변화 요인을 갖고 있다.

즉 개인의 정신, 심리적 요인, 생리적 노화 진행정도, 유전적 소인, 영양상태, 운동량, 질병, 생활습관, 생활환경 등이 영향을 미친다.

피부 타입의 분류는 일반적으로 아래와 같이 나뉜다.

- 정상 피부 Normal skin
- 건성 피부 Dry skin, Dehydrated skin
- 지성 피부 Oily skin
- 예민 피부 Sensitive skin
- 복합성 피부 Combination skin

- 모세혈관 확장 피부 Telangiectasia skin
- 알레르기성 피부 Allergic skin
- 과색소 침착 피부 Hyperpigmentation skin
- 색소 결핍 피부 Hypopigmentation skin
- 노화 피부 Aging skin

2. 피부유형 진단 카드

체 형	메마른형 (Leptosome)	스포츠형 (Athletiker)	여성형 (Pykniker)
피부 상태	기능 저하	정상 기능	기능 증가
피지 함유량	건조함	윤기가 남	과 지방분비
수분 보유량	까칠까칠 함	정상 습도	끈적거림
각질 상태	양피지 형상	정 상	비늘 모양
모공의 크기	미세함	정 상	눈에 띄게 두드러짐
피부의 두께	얇음	정 상	눈에 띄게 두터움
탄력 상태	약화된 긴장도	탄력 있음	긴장감 있음
예민 상태	무감각함	정 상	과 예민
기타 증상	한관종/ 면포/ 모세혈관 확장/ 주근깨/ 흉터/ 다한증/ 비립종/ 구진 / 주사/ 기미/ 켈로이드/ 다모증/ 농포 결절/ 낭종/ 백반증		
종합적인 피부분석	• 정상 피부 (Normal skin) • 건성 피부 (Dry skin, Dehydrated skin) • 지성 피부 (Oily skin) • 예민 피부 (Sensitive skin) • 복합성 피부 (Combination skin) • 모세혈관 확장 피부 (Telangiectasia) • 알레르기성 피부 (Allergic skin) • 노화 피부 (Aging skin)		

3. 피부 유형별의 특성

1) 정상 피부(Normal skin)

- 피부조직의 생리 활동 정상적
- 외관상으로 윤기 있고 고른 피부결, 촉촉하고 부드러운 피부
- 피부 탄력성과 유 · 수분의 함유가 적정한 피부
- 자외선 중화 능력이 좋고, 잔주름이 없다.
- 세안 후 땅기지 않는다.

▶ 가장 이상적인 피부 형태로 현대생활에서는 찾아보기 어려우며, 개인에 따라 얼마 동안 정상 피부 상태에 있다가도 신체, 정신적 조건에 따라 쉽게 변화

2) 건성 피부(Dry skin, Dehydrated skin)

- 세안 후 피부 땅김이 있고 오랫동안 지속
- 피부 표면이 거칠거나 각질 들뜸.
- 피부 표면이 촉촉해 보이지 않고 윤기가 없다.
- 잔주름
- 피부 색소 침착
- 화장이 잘 받지 않는다.
- 피부 탄력성이 없으며 화장품의 흡수가 빠르다.

▶ 건성피부는 표피성 건성피부 superficial dehydrated skin와 진피성 건성피부 deep dehydrated skin로 나눌 수 있다.

3) 지성 피부(Oily skin)

- 피부 조직이 두껍다.
- 피부 표면이 피지 분비 과다로 인하여 번들거리며 끈적거린다.
- 모공이 크다.
- 피부 표면이 무거워 보이고 탁하다.
- 자외선에 의한 피부 색소 침착이 빠르다.
- 표피의 산성 균형이 깨져 알칼리성 피부로 변화될 수 있다.

- 피부 조직이 두꺼워지며 투명감이 없다.
- 피부 염증이 잘 일어난다.
- 특히 T존 부위에 유분이 많다.
- 모낭벽의 각화 과정이 빠르게 촉진되어 모낭 내에 쌓이거나 부풀어 오른다.

▶ 지성 피부는 피부 상태에 따라 코메도 피부, 지루성 피부, 여드름 피부로 나눌 수 있다.

4) 복합성 피부(Combination skin)

- T존 부위의 피지 분비가 많은 반면 볼 주위, 눈 주위가 건성화
- 세안 후 심하게 땅겨 대상자가 느끼는 피부 상태는 건성 피부 유형과 비슷한 느낌을 갖는다.
- 광대 부위가 민감하고 색소
- 피부조직이 전체적으로 고르지 않다.
- 눈가의 잔주름 많다.
- 이마, 코 주위에 여드름이 발생되었거나, 번들거림.
- 화장이 잘 받지 않으며, 잘 맞는 화장품을 발견하기 쉽지 않다.

5) 예민성 피부(Sensitive skin)

① 정의

예민성 피부는 피부 상태가 정상 피부에 비해 조절기능 또는 면역기능이 극히 저하되어 사소한 자극에도 예민하게 반응을 나타내는 피부를 말한다.

② 피부 조직학적 원인에 따른 분석

선척적 원인

- 피부 조직이 얇고 섬세한 피부를 지닌 경우
- 정서적 스트레스 위장과 간 기능 및 난소의 이상
- 내분비 이상 등의 문제

후천적 원인

- 다양한 외적, 내적 자극으로 피부 조직에 이상이 생겨 다른 피부 유형에서 변화되어 발생하는 경우
- 유해물질 및 박테리아 감염

③ 피부 예민도 측정

객관적 측정 방법

- 스파츌러를 이용하여 고객의 이마, 볼 부위의 피부를 그어 보는 물리적 자극 방법

④ 예민 가능한 증상

- 발열감
- 소양감
- 피부 혈관의 국부적인 충혈(홍반)
- 지속되는 홍조, 모세혈관 확장
- 수포, 염증 형성
- 피부 각질의 과 각질화
- 습진

⑤ 예민 피부 특징

- 냉, 열, 햇빛, 오염물질, 기후의 악조건 등에 의해 가렵고 붉은 반점
- 화장품 교체 시 예민 반응
- 표피 수분 부족 현상이 쉽게 나타나며 피부 땅김 현상
- 홍반이 발생되는 부위, 피부 층이 얇은 부위에 색소 침착 형성

6) 알레르기성 피부(Allergic skin)

① 정 의

알레르기란 어떤 특정 물질이 일부 사람에게 국한되어 정상적이 아닌 병적인

예민 반응을 일으키는 피부 증상(생체 내의 항원 · 항체 반응)

② 항원의 종류

- 음식물을 통하는 것 : 딸기, 우유, 단백질
- 호흡기를 통하는 것 : 꽃가루, 먼지, 카펫 진드기
- 물리적 항원 : 자외선
- 접촉성 항원 : 라놀린, 색소, 향료, 방부제, 머리 염색약
- 금속성 항원 : 시계, 반지, 귀걸이, 니켈, 크롬, 수은 …
- 기타 항원 : 은행나무, 옻나무, 합성수지고무(고무장갑, 팬티 고무줄)

③ 요인 및 소질

- 유전적으로 알레르기 체질과 예민 성향을 가진 사람
- 자율신경계가 불안정할 때
- 내분비 기능이 불안정한 시기인 사춘기와 갱년기
- 계절적으로 봄과 가을

④ 증 상

- 초기 증상 : 열이 나며 타는 듯이 가려우면서 붉어지는 발진, 홍반 현상
- 중기 증상 : 피부가 부풀어 오르면서(부종), 구진성 소수포가 발생하고 후에 터진다.
- 말기 증상 : 혈청이 피부에서 나와 습진이 되고 혈청은 노란 가피를 형성, 최종적으로 인설의 건성 습진

7) 모세혈관 확장증(Telangiectasia)

① 증 상

반복적 모세혈관 확장으로 각 혈관들은 지류를 형성하게 되며 이때 혈관벽의 탄력성은 혈액의 높아진 투과성에 비해 많이 감소한다.

② 원 인

- 지성, 여드름 피부가 장기적으로 지속되는 경우 모세혈관의 약화로 모세혈관 확장증까지 생기는 경우가 많다.
- 정신적 스트레스, 흥분, 분노 등 격한 감정의 반복
- 부신피질 호르몬제인 코티손 연고의 장기간 사용
- 자극을 주는 강한 마사지
- 반복적 필링
- 강한 햇빛, 춥고 더운 온도의 급격한 변화

8) 노화 피부(Ageing)

노화란 나이가 들면서 점진적으로 일어나는 퇴행성 변화로 기능적, 구조적 변화가 일어나며 외부 환경에 대해 반응능력이 떨어지는 현상을 말한다.

① 노화의 원인설

- DNA설
- 스트레스설
- 혈행 장애설
- 독소설
- 프리라디칼설
- 면역설

② 노화의 형태

생리적 노화

- 표피, 진피 모두 얇아짐.
- 각질층이 차지하는 비율이 높아져 외부로부터 영양 흡수력 감소
- 기저세포의 생성기능 저하 - 세포의 산소 함유량 저하
- 신진대사 저하 - 모근의 탄력 감소
- 멜라닌 세포수의 감소와 기능 약화로 색소 침착 불균형
- 피부의 감각 기능 저하

환경적 노화

- 노폐물 축적으로 표피가 두꺼워짐.
- 피부 악 건성화, 민감화, 모세혈관 확장

- 멜라닌 과립이 확대되거나 서로 엉켜 얼굴, 가슴, 손에 다수의 노화반점, 주근깨 등의 색소 침착 생성
- 자외선에 의해 DNA 파괴

조기 노화란?

조기 노화란 젊은 나이에 비해 겉늙어 보이는 노화 현상으로, 피부상태는 일반적인 노화 피부와 똑같은 양상을 띠며 단지 그 원인이 연령에 의한 생물학적인 피부변화에 의한 것이 아니라 후천적 요인에 있다.

- 영양 결핍, 햇빛에 과도한 피부노출, 잘못된 일상 생활습관, 내장 장애, 정신적 스트레스

4. 상태별 특성

1) **피부의 보습 상태**(skin hydration status)

- 피부 유형을 결정짓는 중요 요인

① 표피 수분부족 건성 피부(superficial dehydrated skin)

- 일반 건성 피부와 유사
- 자외선, 찬바람, 냉난방 등의 환경과 부적절한 피부 관리 습관
- 화장품 사용
- 피부 조직에 표피성 잔주름 형성

② 진피 수분부족 건성 피부(deep dehydrated skin)

- 피부 땅김이 내부에서부터 심하게 느껴짐.
- 눈 밑, 입가, 뺨, 턱 부위에 늘어짐.
- 굵은 주름 형성
- 색소 침착이 발생하기 쉽다.

2) 피지 분비 상태(sebaceous secretion status)

① 지루 피부(seborrhea Oleisa)

- 피부 번들거림 심함.
- 피부가 거칠고 모공이 넓으며 피부 표면 귤껍질처럼 보인다.
- 화장이 잘 받지 않는다.
- 햇빛에 의한 색소 침착이 빠르다.

② 건성 지루 피부(seborrhea sicca)

- 피부 표면이 건조하고 각질이 일어난다.
- 지루성 피부에 비해 예민하고 자극받기 쉬워 쉽게 붉어짐.
- 여드름 발생 시 치유하는 데 시일이 걸림.

3) 혈액순환의 상태(capillary status)

① 예민 피부(sensitive skin)

- 피부 조직이 섬세하고, 얇고 투명하다.
- 얼굴 표면에 모세혈관이 드러나 보인다.
- 약품이나 화장품 사용 시 부작용이 잘 일어난다.
- 각종 피부 자극에 민감하다.
- 피부 색소가 잘 나타난다.
- 피부 가려움(소양감) 잦다.

▶ 예민 피부는 피부의 잦은 자극, 피부조직이 비정상적으로 각화과정이 빠를 때 유전적 요인 등에 기인

② 모세혈관 확장 피부(telangiectasia skin)

- 피부 표면의 모세혈관이 확장되어 실핏줄이 그대로 드러나 보이는 피부 형태
- 예민, 맑고 투명하며 피부 표면에 각질이 없다.

- 피부 표면이 발적 redness, 주변의 환경 변화에 민감한 반응
- 확장된 실핏줄이 그대로 탄력성을 상실한 채 이완되어 있는 상태
- 양 볼과 뼈 주위에 많고 콧방울에도 생긴다.

③ 알레르기성 피부(allergic skin)

- 항원이 인체에 민감하게 작용되어 알레르기 반응을 일으키는 피부
- 피부 반응 : 가려움증, 습진 eczema, 두드러기 urticaria, 햇빛에 의한 알레르기 증상으로 피부 발진이나 두드러기 등이 있다.

④ 노화 피부(aging skin)

- 피부가 늘어지고 주름이 생긴다.
- 피부의 함몰현상이 보이고 위축되어 보인다.
- 피부의 건성이 심하고 세안 후 땅김이 심하다.
- 탄력성 저하, 피부 보습력 저하로 거칠어 보임.
- 피부 각질이 두껍고, 피부색이 탁하다.
- 피부의 부드러움과 윤기가 없다.
- 만져보면 비정상적으로 물렁한 느낌
- 눈가, 입가, 눈 밑, 목 등에 주름살이 많다.
- 피부 색소가 많다.

5. 피부 상태를 변화시키는 요인

- 연령
- 기후, 계절 등 외부 환경
- 수면, 화장품 사용, 식생활 등 일상생활 습관
- 스트레스 등 정신적 요인
- 피부병과 내과적 건강 장애

6. 고객 피부 분석내용과 판독법

1) 고객 차트 작성법

고객 차트 기재를 통해 고객의 관리 내용과 피부 상태의 변화 등을 파악하며, 지속적이고 효과적인 관리를 위한 자료로 이용한다.

2) 고객 신상 작성

고객 신상 작성 시 성명, 성별, 생년월일, 주소, 전화번호, 직장 및 기타사항을 기재한다.

3) 기타사항 체크 요건

- 직업
- 알레르기
- 피부병력
- 질병
- 의약품
- 식생활
- 기호식품
- 정서상태, 스트레스
- 화장품 사용과 피부 관리 습관
- 일광노출 상태와 일광 예민 상태

4) 고객의 피부 관리표 작성

우선 관리한 날짜를 기입한 후 관리의 순서에 따라 사용한 제품명과 기기, 관리내용을 기입하고 판매했거나 추천할 홈케어 제품, 조언들을 기록한다.

5) 피부 분석과 판독

① **문 진 :** 고객에게 질문을 하여 답변에 의해 자료를 얻어서 판독하는 방법. 고객의 직업, 알레르기 유무, 질병, 사용약제, 제품과 피부 관리 습관, 식생활 스트레스 등에 대해 파악하여 피부 유형과 상태와의 관련성을 진단한다.

② **견 진 :** 육안으로 직접 보거나 확대경, 우드램프 등을 통하여 피부를 판독하는 방법. 피부의 유분 함유량, 모공의 크기, 예민 상태, 혈액순환 상태 등 각종 피부 문제 증상의 판독이 가능하다.

③ **촉 진 :** 피부를 만져 보거나 짚어 보고 판독하는 방법으로 피부의 수분 보유량, 각질화 상태, 탄력성 등을 파악한다.

6) 피부 분석 내용과 판독법

① **유분 함유량 :** 유분 함유량은 피지분비의 과잉, 부족, 적당량으로 파악한다.

- 육안으로 판독 시 피부 전체에 피지가 분포된 피부는 유성 지루성 피부
- 표면적으로 수분이 부족하고 건조한 면포, 여드름성 요소 등이 있는 피부는 건성 지루성 피부

② **수분 보유량**

③ **각질화 상태 :** 손으로 만졌을 때 느낌이 부드럽거나 거친 느낌 또는 표면이 일정치 않거나 일정하게 매끄러운 느낌으로 알 수 있다.

④ **모공의 크기**

⑤ **탄력성**(긴장도)

⑥ **예민 상태**

⑦ **혈액순환 상태**

⑧ **각종 피부이상 증상들**

- 면포, 구진, 농포, 결절, 낭종
- 주근깨, 기미, 노화반점, 백반증, 오타씨 반점, 모세혈관 확장증
- 주사, 비립종, 한관종
- 홍반, 수포, 습진, 가피, 켈로이드, 인설, 태선화

7. 고객 차트 작성

환자 신상	문진 내용
성 명 : 심청 성 별 : 여 생년월일 : 1970. 2. 6 주 소 : 서초구 방배동 ○○○ 직 업 : 유치원 교사 전화번호 : 02-○○○-○○○○	• 알레르기 : 꽃, 고양이 털 알레르기 • 피부병력 : 갑상선 항진 수술 받은 바 있음 • 질 병 : 무 • 의 약 품 : 알레르기 관련 연고 사용 • 수 술 : 무 • 식 생 활 : 매운 음식 선호 • 기호식품 : 커피 즐겨 마심 • 운 동 : 집에서 약 30분 정도 요가 • 정서상태/스트레스 : 말이 빠르며 감정의 변화가 심함 • 일광 노출상태 및 일광 예민상태 : 자외선에 의해 홍반 반응이 빠르게 나타남
피부진단에 맞는 관리 프로그램 설정	**홈케어 제품 관리**
다양한 프로그램 중 선택하여 적용 • 일반 피부관리 1 • 일반 피부관리 2 • 여드름 관리 1 • 필링 + 이온관리 + 재생관리 프로그램 • 노화 관리 • 스케일링 관리	• 아침 : DMS® 크린싱 밀크 → 토너(훼이스 토닉) → 에센스(에키나세아 익스트랙트) → DMS® 베이스 크림 하이클래식 → 더모 프로텍션 선 레스큐 크림 → 더모 프로텍션 리바이벌 밤 → 파우더 화장 • 저녁 : DMS® 크린싱 밀크 → 토너(훼이스 토닉) → 비타민 E 나노파티클스 → 나노파티클스 → DMS® 베이스 크림 하이클래식(3일에 한 번 정도 DMS® 비타민 마스크)

1. 피부관리 시 준비물

- 화장티슈(곽 티슈 : 무향, 무색)
- 면 봉(아이 리무버, 여드름 면포 추출)
- 화 장 솜(4장)
- 해 면(4장)
- 해 면 볼
- 작은 타월(2장)
- 큰 타 월(1장)
- 비 커(1개)
- 막대 스파츌러(1개)
- 팩 브러시(천연모로 부드러운 소재)
- 팩 볼(소 : 팩 / 대 : 마스크)
- 스파츌러
- 여드름 압출용 기구
- 정 리 대

2. 관리 시 절차

1) 상담이 끝나면 고객의 의상과 액세서리 등 귀중품을 보관장에 보관
2) 터번을 사용하여 머리카락이 흘러내리지 않도록 한다.
   계절에 맞게 담요나 큰 타월 등을 덮어 편안하게 하고 콘택트렌즈 착용자의 경우 렌즈를 빼게 하여 잘 보관한다.
3) 우선 눈 부위와 입술의 색조화장을 메이크업 리무버를 젖은 탈지솜에 묻혀 가볍게 닦는다.

- DMS® 크린싱 젤 : 눈가 알러지
- 더모 에센셜 아이리무버 : 전용 리무버

4) 고객의 피부 유형에 맞는 클렌징 제품 선정

- DMS® 크린싱 밀크 : 민감, 알러지, 건조 피부
- DMS® 크린싱 젤 : 지성, 여드름, 성형수술, 박피 후
- 더모 퓨어 클렌징 폼 : 심한 여드름 세안제

5) 해면 → 토닉

- 해면 : 물기 양, 강도 체크

(해면은 반드시 자외선 살균기로 소독하여 청결토록 한다.)

- 훼이스 토닉 : pH 밸런스, 수분 공급, 청정감 부여

6) 클렌징 후 고객의 피부를 다시 체크하여 고객 카드에 기록하도록 한다.

<적용할 수 있는 기계 - 우드램프, 확대경 ‥>

7) 피부 판독 후 고객 피부 상태에 맞는 관리 프로그램을 설정하여 진행토록 한다.

8) 피부 상태에 맞는 딥클렌징 제품 선별

- DMS® 필링 크림 : 모든 피부, 예민, 알러지 피부
- 더모 브라이트 라이트닝 옥시필 : 기미, 노화, 각화 주기가 일정치 못한 피부
- 더모 퓨어 클리어링 베타필 : 각질 정리, 면포 추출 용이

<적용할 수 있는 기계 - 베이퍼라이저(스티머), 초음파(스크러버)>

9) 피부 유형에 맞는 팩을 선택하여 팩 도포

- DMS® 거즈 마스크
- DMS® 비타민 마스크

<적용할 수 있는 기계 - 초음파 기계, HE-NE, 바이옵트론>

10) 마무리 크림 도포

아이젤 플러스 → DMS® 베이스 크림 하이클래식 → 더모 프로텍션 선 레스큐 크림 → 더모 프로텍션 리바이벌 밤

3. 메디컬 스킨케어 관리순서 기록 요령

Date	Treatment	Remark
06.07.01 A	p.c/ cl.(m)/ dc.(pc W'steamer 5')/ ion+(vit C,e,na) 거즈M-h.c+M.oil(0.3ml)+vit E(0.4ml)+D-p(0.3ml)+toner W'초음파(5')/ vitamin M w'velvet M/ HE-NE(5')/ 마무리	담당자 사 인
B	1. 메이크업 리무버 : 더모 에센셜 아이리무버 2. 안면 클렌징 : DMS® 크린싱 밀크 딥 클렌징 : DMS® 필링크림 3. 이온관리 : 비타민 C 리포좀 콘센트레이트 + 에키나세아 익스트랙트 + 프라임 로즈 오일 나노파티클스(토너 1:1) 4. 피부상태별 적용 거즈마스크 : DMS® 베이스 크림 하이클래식(2ml) + 훼이스 토닉(5ml) [마카다미아너트 오일(0.3ml) + 비타민 E 나노파티클스(0.4ml) + D-판테놀(0.3ml)] (거즈마스크 시 초음파 5분 적용) 5. DMS® 비타민 마스크 소량 도포 후 벨벳마스크(30분) - 바이옵트론 10분 조사 6. He-Ne 5분 조사 후 마무리 (차단제→밤)	
C	이온관리(더모 브라이트 이온토 앰플) / 거즈 거즈마스크(마카다미아너트 오일(0.3ml) + 비타민 A 나노파티클스(0.4ml) + D-판테놀(0.3ml) 벨벳마스크(DMS® 비타민 마스크) / HE-NE / 마무리	

4. 메디컬 스킨케어 차트 작성
(DMS® Medical Skin Care Chart)

No. 1	Date of visit 2017. 07. 01
Name : * * *	Date of birth : * * . * * (-)
Address : 서초구 방배동 880-5	Job : * * * *
Tel : 02-ㅇㅇㅇ-ㅇㅇㅇㅇ	Married Status : Sex : F
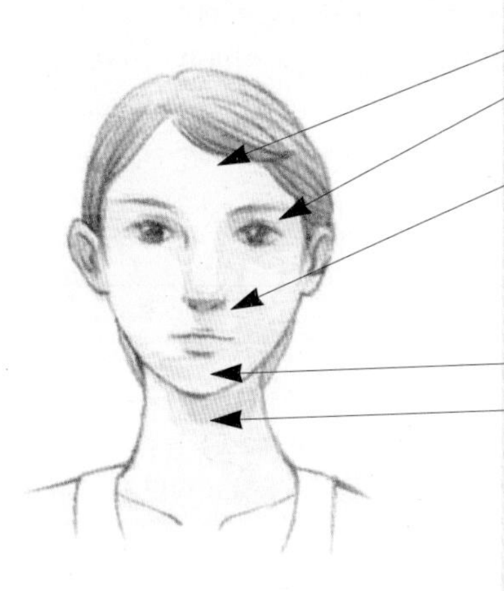	① 앞머리로 인해 자주 좁쌀 여드름 생성 ② 아이 메이크업과 자체적인 건조함으로 인한 잔주름 형성 ③ 코 옆 라인 습관적 자극으로 모세혈관 확장 코볼 주변 블랙헤드 형성 ④ 이전에 여드름 피부로 강한 세안에 의한 예민화 ⑤ 턱 주변 반복적 여드름 형성(여드름 자국) ⑥ 목 건조함으로 가려움 느낌 ☞사춘기 때 여드름이 많았던 피부 여드름이 생길 소지가 있는 피부로 지속적인 피지 조절과 현재 건조한 피부가 동시에 관리되어야 함

- No. 총 관리 인원을 알기 위함.
- Date of visit : 첫 방문 날짜 기록
- 생일&주소 : 고객 관리차원(기념일, 병원 내 행사 및 신년 인사 등을 위한 우편 발송)
- Married Status : 결혼 유무는 스트레스 정도, 약물 복용 등을 알기 위함.
- Sex : 남자와 여자의 피부상태의 차이, 메이크업, 운동 등 성향을 알기 위함.

Sensitivity
□ allergy (알러지)
□ atopy (아토피) : 목 라인 아토피 성향이 있음
□ couperose (쿠퍼로제) : 코 측면 라인
□ rosacea (로사시아)

- allergy : 항원항체반응에 의하여 생체 내에 생기는 급격한 반응능력의 변화로서 알러지는 외부 이물질에 대한 인체의 방어시스템의 반응으로 알러지를 유발시키는 원인 물질을 항원allergen이라 하며 원인 물질은 독성과는 관계가 없고, 대다수의 사람들에게는 아무런 문제가 없는데 소수의 특정적인 사람들에게만 이상 반응인 알러지를 일으킴.

- atopy : '이상한' 또는 : '부적절한' 이란 뜻. 흔히 태열이라고 불리기도 하며 알러지 반응에 의한 염증 Inflammation 과정에서 발생.
- couperose : 만성적으로 혈관이 손상되고 이완되어 있거나 혹은 혈관 손상은 눈에 띄지 않아도 어느 특정 부위가 항상 붉어 있거나 혹은 얼굴 전체가 일시적으로 자주 붉어졌다 사라지는 피부 증세들을 총칭
- rosacea : 혈관 확장증세와 여드름을 같이 동반

Pigmentation
□ hyperpig (과색소) : 눈밑 광대 라인 상층부 쪽에 소량의 색소 분포
□ spotpig (점)
□ freckling (주근깨)

- freckling : 대략 지름이 1~3mm 정도 되는 크기의 갈색 반점으로 색소가 밀집, 경계면 뚜렷함, 어린 시절에 가장 많이 나타났다가 사춘기가 지나 어른이 되면 많이 사라짐, 백인피부, 붉은 머리, 적갈색을 가진 인종에게 많이 나타남.

acne
□ pustule (구진) : 입술 밑 라인 구진 형성
□ nodule (농포)
□ acne scars (여드름 흉터) : 턱 라인 손톱 자극으로 인한 형성

- pustule : 모공 안에 화이트 헤드 여드름 덩어리가 갇혀 모공 밖으로 돌출되지 못하고 박테리아의 작용에 의해 염증으로 진행된 상태, 염증 초기 단계 - 빨갛고 딱딱하게 부어 있고 통증 동반
- nodule : 손으로 잡으면 딱딱한 것이 잡혀지고 그 부분이 빨갛게 부어 있고, 통증 동반. 구진과 유사해 보이나 크기가 훨씬 크고 보다 깊숙이 자리한 염증이 진행되는 시간 동안 모공 속안의 모공벽은 점점 심각하게 파열 흉터로 전이될 우려 있음.

specialty
□ roaccutane
□ retine-A
□ birthcontrol pill
□ chemical peel : 2017.10월 TCA 20% 시술받은 바 있으며, 약 2개월 단위로 G.A시술
□ laser
□ dermabrasion

- roaccutane : 로아큐탄은 비타민 A 합성 유도체로 피지 분비를 감소시키고 모공의 비정상적인 각질화를 정상화시켜 여드름균에 대한 항염작용을 위한 치료제
- retine-A : 모공을 막는 각질을 제거하여 피부 표면으로 피지를 자연스럽게 배출시키는 작용, 햇빛에 민감해지는 광 과민 의약품에 속하므로 사용 시에는 직사광선을 피한다.

04 메디컬 피부장비
Medical Skincare

1. 기계 사용 전 알아두어야 할 사항

인간의 피부는 화학적인 구성성분들로 이루어져 있다. 피부관리 기기는 물리적 자극을 주는 개념으로 고객에게 과학적, 합리적으로 다양하고 신속한 피부 관리 프로그램을 제공하고 화장품이 보유한 활성물질의 깊숙한 침투와 효율적인 피부미용 효과의 극대화 및 시너지 효과를 위해서 매우 중요하다.

- 피부의 전문지식
- 피부에 대한 판독력과 치료방법
- 화장품의 종류 및 구성성분
- 기계의 기본 개념 원리
- 피부별 적용 가능 기계의 활용성

2. 피부 진단 장비

1) Wood Lamp

건성 정도와 피지량을 육안으로 색깔을 이용하여 피부 상태를 진단, 전문 피부과에서 의료보험 수가에 적용된다.

- 건조 피부 - 밝은 보라색
- 지성 피부 - 노란색
- 색소 기미 - 갈색
- 정상 피부 - 푸른빛의 흰색 형광

2) Micro Scope(=Video Scope)

모발 · 피부를 카메라를 이용하여 국소적 부분을 1, 10, 25, 50, 80, 100배 확대

하여 TV/Computer Monitor를 통하여 관찰, 저장, 출력 가능

3. 피부 관리 장비

1) 클렌징 기기

	스티머 (Vaporizer)	초음파 (스크러버)
적용단계	1. 클렌징 시 적용 2. 딥클렌징 시 적용 3. 마사지 시 적용 4. 효소 세안제 적용 시 온도와 습도가 적절해야 생물학적 촉매작용 촉진 *주의) 관리시작 5~10분전에 미리 예열 한다.	1. 클렌징 시 적용 2. 딥클렌징 시 적용 3. 스케일링 시 적용 단, 예민 피부는 적용을 삼가한다.
효 능	1. 세포의 신진대사 2. 각질 연화 작용 3. 혈액 순환 4. 피부를 이완시켜 노폐물 배설을 용이하게 하며 피부에 적정 수분을 공급한다.	1. 각질 연화 작용 2. 피지 제거(블랙헤드에 효과적)
주의사항	1. 피부상태에 따른 적용시기 ① 예민 3분 이내 ② 정상 5분 이내 ③ 노화 7분 이내 2. 분사방향- 머리에서 턱선 방향으로 3. 코, 입에 분사되지 않도록 주의 (→ 호흡장애 우려)	1. 건강한 피부라도 3~5분 정도 적용 2. 수분이 없을 때 통증과 붉음 유발 3. 강한 압력을 피한다. 4. 눈가, 입가 제외하고 적용
작 동 법	1. 물의 양을 확인한다. (1/2 이상 붉은선 이하) 2. 플러그를 꼽는다. 3. 전원을 켠다. 4. O_3(오존)을 상황에 따라 적용한다. -살균, 소독, 분사량 증가	1. 플러그를 꼽는다. 2. 전원을 켠다. 3. 적정모드를 선택한다. 4. 피부에 적용한다. 5. 피부결의 반대 방향으로 적용한다(각질 제거 용이).
정리정돈	1. 전원을 끄고 연결선을 깨끗이 정리하여 다음 관리 시에 사용하도록 한다. 2. 온도가 높은 경우 물의 온도가 내려간 것을 확인한 후 물기를 제거한다.	1. 팁에 있는 물기를 항상 마른 수건으로 정리하여 둔다. 2. 전원을 끄고 연결선을 깨끗이 정리한다.

	스티머 (Vaporizer)	초음파 (스크러버)
소 독	1. 식초 2~3방울을 첨가하여 스티머를 작동시킨 후 소독하여 물을 교체한다. 2. 일과가 마친 후 물기를 제거하여 자외선 소독시킨다.	1. 팁 부분을 알코올 솜을 이용하여 닦아낸다.

2) 피부 침투용 기기

	초음파	이온토포레시스
적용단계	1. 영양 물질 침투(활성성분, 크림, 젤성분 피부 침투 용이) 2. 리프팅 관리	1. 영양 물질(활성성분 침투) 2. 리프팅 관리
효 능	1. 영양물질 침투로 인한 보습, 재생 2. 탄력증가, 안색 정화	1. 레이저 후, 기미, 색소, 멜라닌 색소 분해 작용 2. 잔주름 완화 3. 보습, 재생
주의사항	1. 피부상태에 따라 5~10분 정도 적용 2. 한 곳에 오래 머무르지 않도록 한다 3. 눈가, 입가 제외	1. 젖은 스펀지로 도체를 감싼다(전류의 흐름을 용이하게 하기 위해). 2. 천천히 적용한다.
작 동 법	1. 플러그를 꼽는다. 2. 전원을 켠다. 3. 적정모드를 선택한다. 4. 피부에 적용한다. 5. 초음파 기기의 핸드피스 정리	1. 플러그를 꼽는다. 2. 전원을 켠다. 3. 적정모드를 선택한다. 4. 피부에 적용한다. 5. 젖은 코튼 제거
정리정돈	1. 팁에 있는 물기를 항상 마른 수건으로 정리하여 둔다. 2. 전원을 끄고 연결선을 깨끗이 정리	1. 팁에 있는 물기를 항상 마른 수건으로 정리하여 둔다. 2. 핸드 피스를 진열대에 꽂는다. 3. 전원을 끄고 연결선을 깨끗이 정리한다.
소 독	1. 팁은 알코올 솜을 이용하여 소독 2. 마른 수건으로 물기 정리	1. 팁 부분을 알코올 솜을 이용하여 소독

	산소요법 (Oxygen Therapy)	
	스프레이건 사용 시	산소마스크 사용 시
적용단계	1. 산소 압력을 이용해 활성성분의 피부 흡수를 증진시키는 원리 2. 적용단계 : 스프레이건에 활성성분 1ml, 토닉 1ml 배합하여 적용	1. 산소와 함께 성분 흡수 배가
효 능	1. 세포의 신진대사 2. 혈액 순환 3. 진정, 노화 재생 4. 혈색 안정 5. 주름, 기미, 색소침착, 박피 후 재생 치료	1. 레이저 후, 기미, 색소 완화 2. 잔주름 제거 3. 보습, 재생
주의사항	1. 크림, 젤의 형태는 피하는 것이 좋다. 2. 스프레이건 사용 시 눈을 직접 분사하지 않도록 한다. 3. 스프레이건 사용 시 신경이 예민한 사람은 사용을 주의한다.	1. 폐쇄 공포증 또는 호흡이 곤란한 경우는 사용을 피한다.
작 동 법	1. 플러그를 꽂는다. 2. 전원을 켠다. 3. 산소 분사량 레벨을 조절한다. 4. 피부에 분사하여 침투를 적용한다. 5. 산소 레벨을 완전히 내린 후 전원을 끈다. 6. 스프레이건, 아로마 통을 정리한다.	1. 플러그를 꽂는다. 2. 전원을 켠다. 3. 거즈마스크 위에 산소마스크를 덮는다. 4. 10~15분 적용
정리정돈	1. 스프레이 건은 1번 사용 후 Irrigation하여 건조시켜 보관한다. 2. 하루에 1번 아로마 통을 정리한다.	1. 사용한 산소마스크를 알코올 솜을 이용하여 정리
소 독	1. 아로마 통은 하루에 1번 소독한다.	1. 자외선 살균기에 조사

3) 진정, 재생 기기

	HE-NE	Bioptron
적용단계	1. 마무리 단계나 여드름 추출 후 적용한다. 2. 아토피 피부염이나 대상포진, 화상 환자, 레이저 치료 환자도 적용한다. 3. 박피 환자일 경우엔 재생, 진정 단계에 적용한다.	1. 마무리 단계나 여드름 추출 후 적용한다. 2. 제품의 침투를 용이하게 하며 피부 순환을 촉진한다. 3. 피부마사지 후나 팩 사용 시 적용한다.
효 능	1. 소염, 재생작용, 진정작용 2. 대상 포진, 단순 포진 3. 피부 이완 작용	1. 항염, 소독, 살균, 재생 작용 2. Dry up 3. 피부 이완 작용
주의사항	1. 모든 피부에 적용이 가능하나 피부 상태에 맞는 모드와 시간을 선택하여 적용한다. 2. 빛이 강하므로 눈을 보호해 주는 전용 안경을 착용한다.	1. 피부에 열감이 있는 경우엔 사용을 금한다(미열로 인한 피부의 작열감 우려). 2. 빛이 강하므로 눈을 보호해 주는 전용 안경을 착용한다.
작 동 법	1. 플러그를 꽂는다. 2. 전원을 켠다. 3. 시간, 모드를 선택한다. 4. 피부에 조사 한다(5~10분). ☞ 5~10분 정도 적용하며 상황에 따라 추가 적용 가능	1. 플러그를 꽂는다. 2. 전원을 켠다. 3. 시간을 조절한다. 4. 피부에 조사한다. ☞ 5~10분 정도 적용하며 상황에 따라 추가 적용가능
정리정돈	1. 전원을 끈다. 2. 플러그를 뽑는다. 3. 연결선을 정리한다.	1. 전원을 끈다. 2. 플러그를 뽑는다. 3. 연결선을 정리한다.
소 독	소독할 필요 없다.	소독할 필요 없다.

1. 클렌징 테크닉

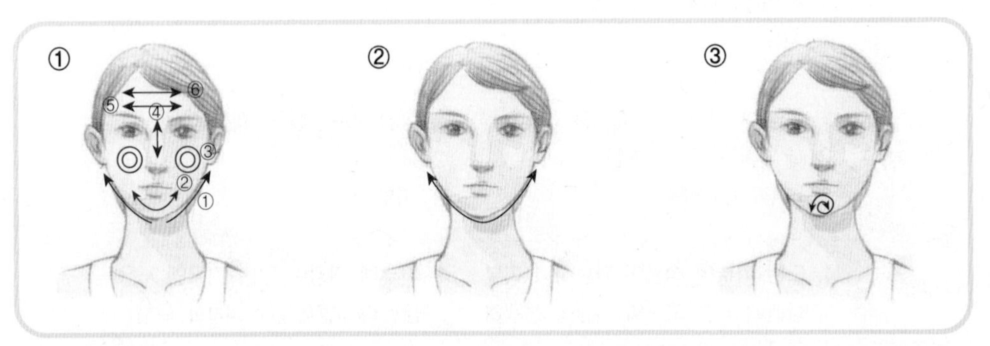

❶ **클렌징 제품 도포 :** 턱선 → 턱 → 볼 → 콧등 → 콧볼 → 이마(2등분)
❷ **턱선 쓸어주기 :** 양 손바닥을 턱선에 밀착하여 왼쪽 → 오른쪽, 오른쪽 → 왼쪽으로 번갈아 쓸어주기
❸ **턱 문지르기 :** 턱라인을 양손의 2, 3, 4지를 이용하여 가볍게 문지르기

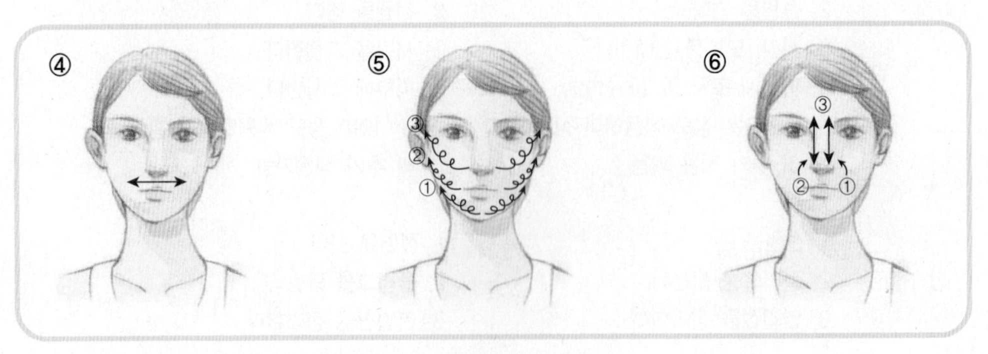

❹ **코 밑 쓸어주기 :** 엄지손가락을 이용하여 코 밑라인 쓸어주기
❺ **볼 3등분 문지르기 :** (1)턱 중앙에서 귀 끝 (2)입꼬리에서 귀 중앙 (3)코 옆에서 귀 윗부분
❻ **코 동작 :** (1)코 측면 반원으로 쓸어주기 (2)콧볼 3, 4지로 문질러주기 (3)콧등 아래 → 위로 쓸어주기

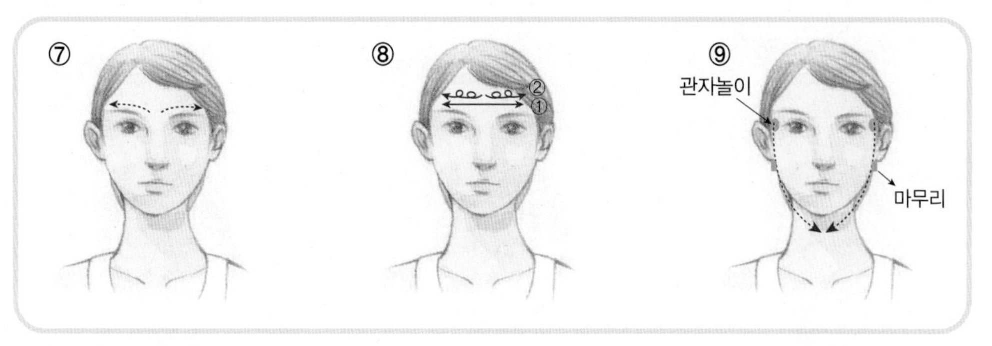

⑦ **눈 밑라인 쓸어주기 :** 눈썹 → 얼굴 옆 라인 스치며 2, 3, 4지 턱선에 위치, 엄지손가락 면을 이용하여 가볍게 눈 밑 쓸어주기
⑧ **이마 동작 :** (1)이마 길게 왼쪽 → 오른쪽으로 반복 쓸어주기 (2)이마 중앙에서 양방향으로 가볍게 문질러주기
⑨ **마무리 동작 :** 관자놀이 → 얼굴 옆 라인, 턱 중앙에서 깍지 끼고 턱 중앙에서 귀 뒤에 위치

2. 토닉 도포 동작

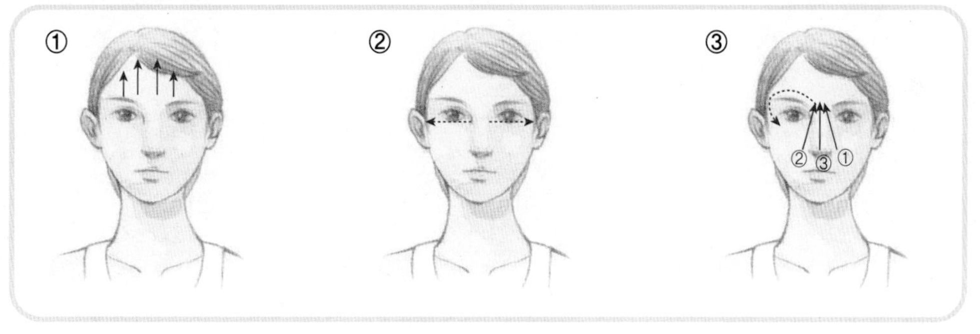

① **이마 쓸어주기 :** 이마를 아래 → 위로 가볍게 닦아준다.
② **눈 쓸어주기 :** 눈 앞머리 → 눈꼬리로(안 → 밖)
③ **코 쓸어주기 :** 오른쪽 코 측면 → 왼쪽 코 측면 → 코 중앙

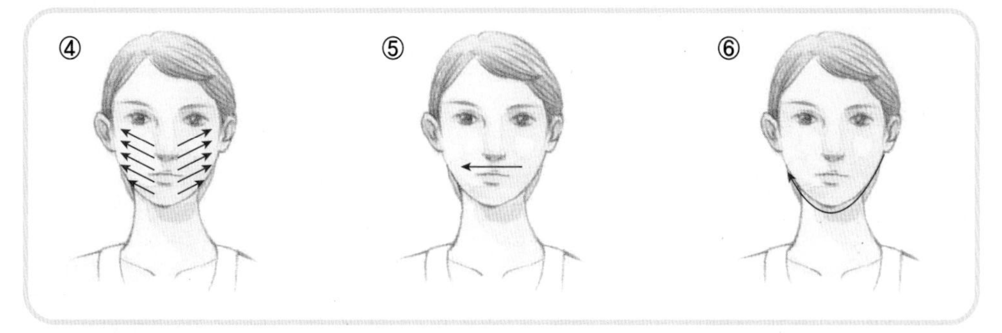

④ 볼 쓸어주기 : 볼 5등분으로 나눠 쓸어주기
⑤ 코 밑 쓸어주기 : 왼쪽 → 오른쪽
⑥ 턱 밑 쓸어주기 : 왼쪽 → 오른쪽

3. 해면 동작

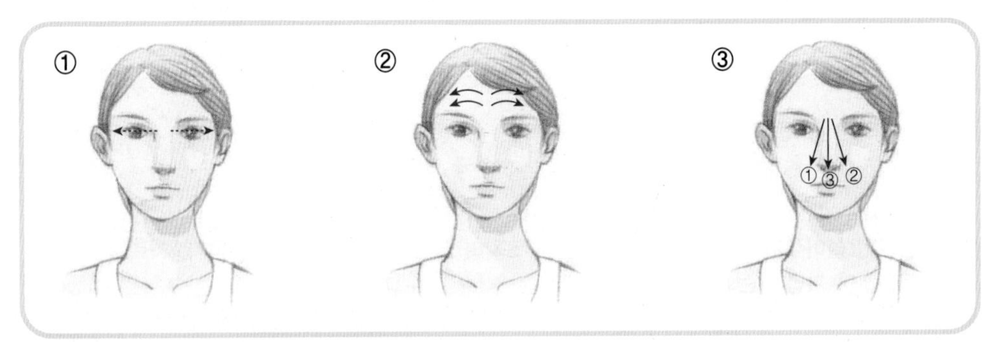

❶ 눈 동작 : (1)눈두덩 쓸어주기 (2)속눈썹 라인 쓸어주기
❷ 이마 동작 : 이마 양쪽으로 2등분하여 쓸어주기
❸ 코 동작 : (1)오른쪽 코 측면(위 → 아래) (2)왼쪽 코 측면(위 → 아래) (3)콧등(위 → 아래)

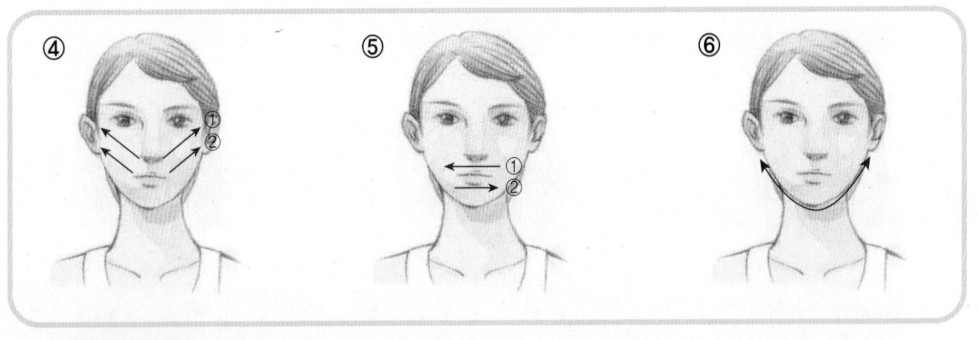

❹ 볼 동작 : (1)코 옆 → 귀 윗부분
❺ 입술 밑 라인 동작(코밑 라인) : (1)(오른손)왼쪽 → 오른쪽으로 코 밑 라인 쓸어주기 (2)(오른손)오른쪽 → 왼쪽으로 입술 밑 라인 쓸어주기
❻ 턱 밑 라인 쓸어주기 : 양손 좌우로 쓸어주기

❼ 헤어 라인 쓸어주기 : 해면의 뒷면에 2번째 손가락을 이용하여 꼼꼼하게 닦아주기, 얼굴 라인 연결하여 귀 뒤에서 마무리

4. 문제성 피부를 위한 림프 마사지 테크닉(기초과정)

사전 체크 사항

- 주변 정리 정돈
- 상체 속옷은 풀도록 한다.
- 조명은 간접 조명
- 조용한 음악
- 저혈압의 경우는 목 타월 준비

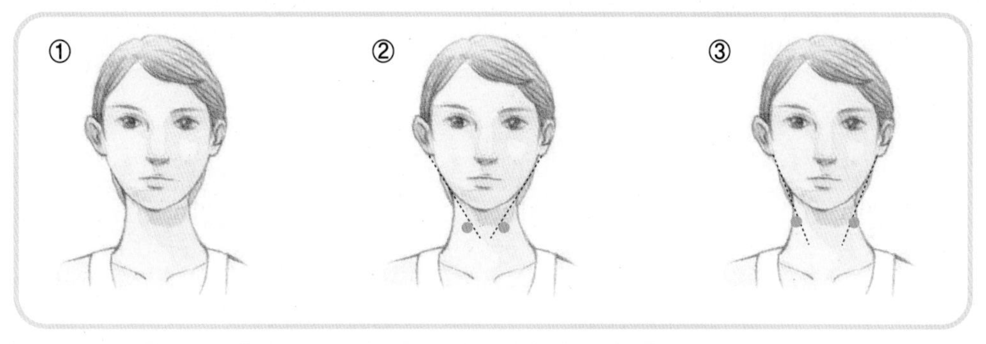

❶ 호흡 동작 : 흉선 부위에 양손을 포개 고객과 함께 심호흡 한다
❷ 터미누스 펌핑 동작 : 2, 3, 4지 Y중앙에 위치 3지를 안에서 밖으로 펌핑
❸ 흉쇄 유돌근 중앙 펌핑작용 : 2, 3, 4지를 이용하여 500원 동전 크기로 원동작

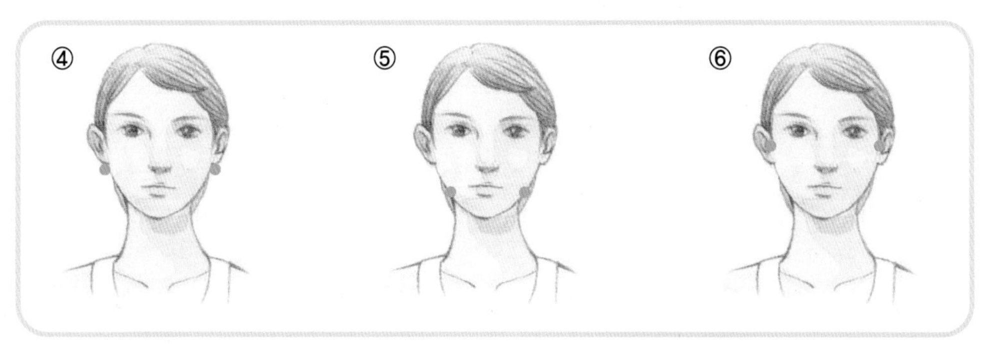

❹ 프로푼두스 원 동작 : 귀 뒤쪽(예풍라인) 500원 짜리 동전 크기로 원 동작(내려갈 때 : 강, 올라올 때: 약)
❺ 앵글루스 원 동작 : 턱선에서 가장 각진 부위에 위치(내려갈 때:강, 올라올 때 : 약)
❻ 파로티스 원 동작 : 귀 중앙 부위(내려갈 때:강, 올라올 때:약)

⑦

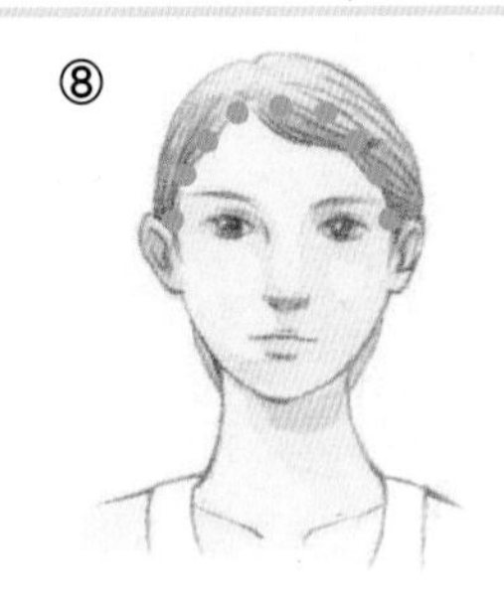

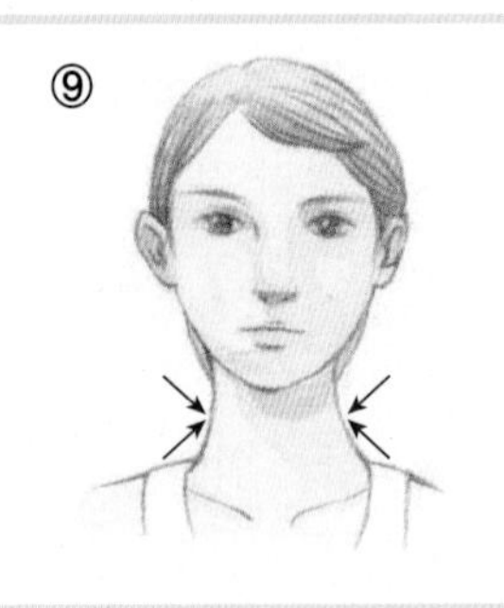

⑦ 템포랄리스 원 동작 : (내려갈 때:강, 올라올 때 : 약)
⑧ 헤어라인 원 동작 : (내려갈 때:강, 올라올 때 : 약)
⑨ 목라인 가볍게 풀어주기

부 록

화장품 주요작용 성분

✜ 감마리놀렌산
(γ-Linolren Acid)

- 체내에서 합성이 불가능한 불포화지방산
- 인체를 유지하는 데 필수적인 물질로서 인체 내에서 프로스타글란딘이라는 생리 활성물질의 모체
- 피부 탄력성 유지, 아토피성 피부염이나 천식 예방 치료

✜ 그린티(Green tea)

- 카페인, 플라보노이드, 탄닌 성분 함유
- 카테킨 Catechin 함유하며 항산화제로 작용, 박테리아 성장 억제
- 부종완화
- 여드름 흉터 예방

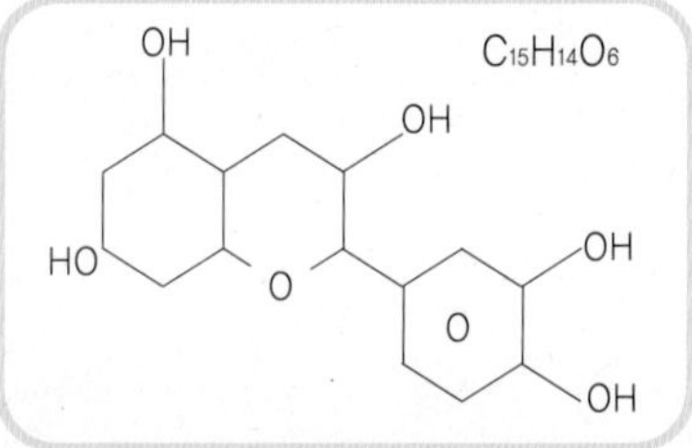

✜ 달맞이꽃 오일
(Evening Primrose Oil)

- 다량의 감마리놀렌산과 비타민F 함유
- 손상된 피부 보호벽의 회복력 강화

✜ 레시틴(Lecithin)

- 천연유화제
- 항산화제 분산제인 레시틴 친수성 성분으로 수분을 끌어당기며 보습제로 작용
- 일반적으로 계란, 콩에서 추출

✜ 리포좀(Liposome)

- 리포좀의 연구

리포좀에 관한 설명은 아직도 충분하지 못하고 미흡하여 끊임없는 연구가 진행되고 있다. 최근 리포좀을 이용한 새로운 생체 활성제품은 현 피부관리와 화장품의 업계에 큰 획을 그으며 관심받고 있다.

■ DMS® 리포좀의 특징

리포좀은 여러 종류의 피부병리학적 성분 또는 화장품의 유효 성분을 실어 나르는 전형적인 운송수단으로 사용된다. 리포좀의 전형적인 특징은 피부의 지질에서 볼 수 있는 것처럼 이중 멤브란으로 이루어져 있으며 리포좀 내부는 수용성으로 수용성 성분을 실을 수 있으며 구형의 미립자이다. 다층 리포좀을 하루에 두 번 사용하면 짧은 기간 내에 피부의 수분을 크게 증가시킬 수 있다.

리포좀의 이중막은 세포막을 이루는 인지질 성분인 포스파티딜콜린을 이용하며 세포에 이동 도달의 임무를 수행하고 있다.

■ 활성성분의 운송자 리포좀

리포좀은 피부성분과 같은 물질로 피부를 촉촉하게 해주는 특별한 역할을 할 뿐 아니라, 중요한 운반기능을 한다. 리포좀은 비타민C, B군, NMF 같은 활동적이고 피부 친화적인 물질들이 피부 속으로 빠르게 스며들게 도와 준다.

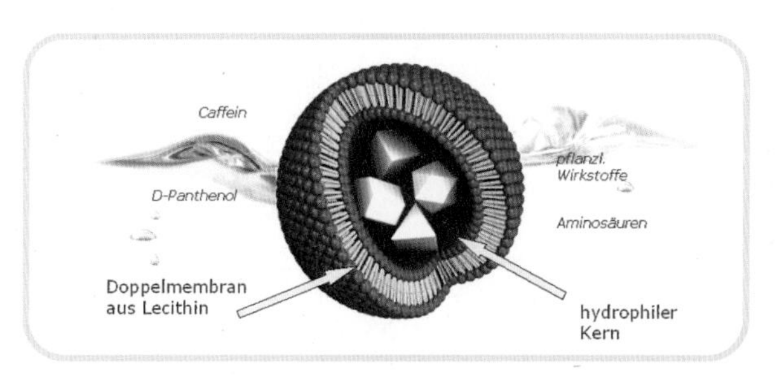

✠ Na-no particles

20세기에 100만분의 1, 즉 '마이크로'라는 작은 세계를 탐구하던 과학은, 이제 10억분의 1 '나노'의 감동을 선보이고 있다. '나노'는 10억분의 1을 뜻하는 접두사로, 난쟁이를 의미하는 그리스어 '나노스'에서

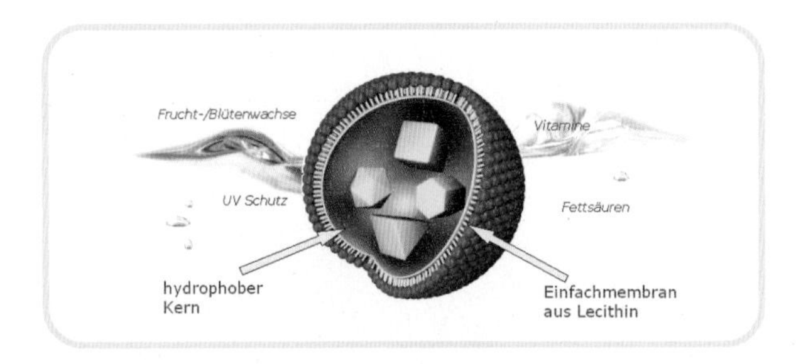

따온 말이다.

1nm(나노미터)는 원자 3~4개를 붙여놓은 정도의 크기다. 원자를 10억배 확대하면 포도알 크기가 되고, 야구공을 10억배 확대하면 지구 크기가 된다. 나노미터 크기의 물질을 제어하는 기술을 적용하면 기존의 물질로 불가능한 새로운 물리적 성질이 나타난다.

■ DMS® NA-NO의 특징

- 10^9의 초미립자
- 인체의 세포막과 동일한 인지질로 만들어진 극미립자 캡슐로서 그 내부에 유효 성분들을 가득 넣어 피부 깊숙이 안전하게 전달되도록 한 새로운 전달 시스템
- 투명한 액상의 표피의 인지질과 동일한 구조를 갖는 천연 성분 어떠한 잔재물이나 유도체도 함유되어 있지 않음
- 많은 양의 활성물질을 그 캡슐 안에 안정하게 넣을 수 있으며 피부에서 수화작용이 우수하여 전달시스템으로서만이 아니라 그 스스로 노화를 방지해 주는 효능을 갖고 있으며 외부자극으로부터 피부를 보호 강화
- 크기는 반지름 50~80nm로 기존의 다층구조 리포좀보다 훨씬 미세함(세포 사이 침투 가능)

화장품으로서의 NA-NO

- 신속한 침투기능 : 빠르고 안전하게 피부속 깊이 전달함(세포막과의 친화력이 뛰어남)
- 효과지속 기능 : 피부 깊숙이 적재적소 침투되었다가 가장 필요한 부분부터 보충이 됨
- 재생효과 : DMS® 나노 캡슐의 단일막을 이루는 포스파티딜콜린은 풍부한 리놀산의 함유로 손상된 피부재생에 효과적이다(표피의 수분방출 조절, 천연 피지막 강화).
- 비타민의 운반체 : DMS® 나노 캡슐은 피부 작용 성분을 안정적으로 전달하므로 미세한 주름을 완화하여 피부에 생기와 활력을 준다

마카다미아너트 오일(Macadamia oil)

- 운반체, 유연제로서 우수한 퍼짐성과 침투성 지방산 조성, 피부지질의 구조와 매우 유사, 피부 수분 장벽 기능 유지
- 눈에 자극적이지 않으며 부작용이 없다.

밀배아 오일(Wheat germ oil)

- 밀의 씨눈에서 추출
- 콜라겐과 엘라스틴을 형성하고 섬유아세포 촉진, 멜라노좀 내에서 티로시나아제 활성 억제
- 건성, 피부노화의 세포 재생

비타민 A

- 세포 성장효소(항각질제)
- 콜라겐 생성을 촉진하여 표피를 건강하게 한다.
- 수분 방법 성질 개선

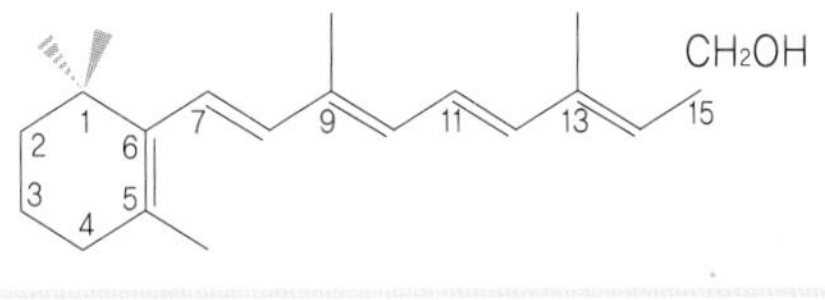

CH_2OH 1 2 3 4 5 6 7 9 11 13 15

- 모든 질병의 감염에 견딜 수 있게 저항력 강화

✖ 비타민 C

- 멜라닌 생성억제로 기미, 주근깨 등의 색소침착 방지
- 항바이러스
- 비타민E와 함께 사용 시 유해산소로부터 방어
- 결합조직, 뼈 연골, 치아 등의 콜라겐, 무코다당체의 생성 유지에 중요

$C_{22}H_{38}O_7$

OH — O — CH_2OCO — $(CH_2)_{14}$ — CH_3

✖ 비타민 B_5

- 인체의 모든 기능에 관여하여 부신을 자극하여 코티솔과 부신호르몬 분비 촉진
- 민감, 홍반 완화
- 만성 피로의 원임과 병에 대한 저항력이 떨어져 쉽게 감염되기 쉬움

✖ 비타민 E

- 가장 뛰어난 항산화제(한 분자당 50개의 자유 전자기를 제거하는 능력)
- 미백효과
- 보습효과

α -Tocopherol

- 피부의 수분결합 능력 개선
- 결절성 홍반, 광 과민증

✤ 비타민 F(리놀산+리놀렌산+아라키돈산)

- 체내에서 생성되는 속도가 매우 느려 필수적으로 외부에서 섭취하여야 하는 리놀산 Linoleic, 리놀렌산 Linolenic, 아라키돈산 Arachidontc Acid 등 3개의 불포화지방산
- 피부와 점막 조직의 건강 유지
- 건성, 습진 피부

✤ 비타민 K

- 혈액응고 물질인 프로트롬빈의 생성 도움
- 피부의 충혈완화, 모세혈관 확장증, 붉음증 완화

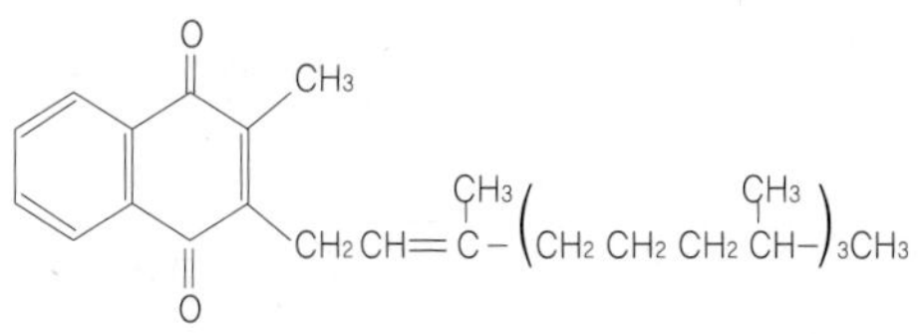

✤ 세라마이드 (Ceramide)

- 세포 결합력 강화
- 피부 저항력 부여
- 수분 방출 조절
- 천연 피지막 강화(각질층의 주요 성분으로 세포와 세포 사이에 존재하는 세포간 지질 40% 차지)

✤ 셀레니움 (Selenium = Se)

- 산화 방지제
- 면역기능 향상
- 노화 지연

✤ 솔비톨(Sorbitol)

- 사과, 복숭아, 마가목 등의 과즙에 함유된 당알콜
- 의약에서 비타민C의 합성원료로 중요

- 크림 및 로션에 효과적인 습윤제

✱ 스쿠알렌(Squalane)

- 훌륭한 보습제, 유연제
- 스쿠알렌은 인체의 피지 중에도 약 5% 정도 함유
- 장시간 노출 시 산패되므로 수소 첨가한 스쿠알란을 주로 사용
- 안정성이 높고 화학적으로 불활성의 원료
- 피부 침투력이 좋음.

✱ 아보카도 오일 (Avocado oil)

- 월계수과에 속함.
- 미국의 캘리포니아, 플로리다 및 아프리카 등지에서 재배
- 비타민A, D, E 풍부
- 천연 오일에 수소를 첨가시키는 반응을 통해 얻어짐
- 거칠고 탄력 없는 피부 조직을 피토스테롤의 작용으로 연화

✱ 애프리코트 오일 (Apricot oil)

- 트리글리세라이드 주성분
- 끈적임 적은 오일류로 피부 퍼짐성이 좋음
- 피부에 빠르게 흡수하며 많은 양의 비타민 E를 다량 함유
- 피부 탄력, 청결, 윤기 부여

✱ 알겐(Algan)

- 여러 종류의 당, 단백질, 아미노산, 식물 호르몬, 풍부한 미네랄 성분, 미량원소 함유
- 피부활력 부여
- 항염증
- 모공확장 피부의 재생
- 항박테리아 성장 억제

✤ 알로에 베라(Aloe vera)
- 수분을 조절
- 자외선 흡수
- 피부에 약간의 이완 효과
- 상처 후 재생
- 항염증, 모공확장, 피부재생, 항박테리아 성장억제

✤ 에키나세아(Echinacea)
- 피부 상처
- 항 가려움
- 진정작용

✤ 우레아(Urea)
- 다른 활성성분의 흡수 증가
- 가려움을 줄이며 피부 유연화
- 항미생물
- 항염증, 방부, 방취,
- 광 알레르기, 광독성을 일으키지 않음

✤ 젖산 나트륨(Sodium lacate)
- 다가 알코올류에 비해 높은 보습력

✤ 젠탄검(Xanthan gum)
- 조성제, 겔 형성제(화장품에 사용되어 제품을 안정시키고 점도 형성)
- 넓은 pH 영역에서 안정하고 다당류 사용감이 좋음

✤ 징크(Zinc stearate)
- 화장품에 흡착성질을 증가시키기 위해 사용(색소제)

✤ 카렌듈라(Calendula)
- 유연제로 치료, 진정, 방부
- 항 가려움증
- 항염증 성질
- 지성, 민감성, 여드름 피부의 경우 효과적

✖ 카프릭(Capryic)	▪ 좋은 퍼짐성을 가진 유연제 ▪ 침투를 촉진하여 피부에 끈적이는 잔여물을 남기지 않는다.
✖ 코엔자임 큐텐 (Coenzyme Q10)	▪ 강력한 항산 작용(비타민E 40배) ▪ 미백효과 ▪ 비타민A, E 상승효과 ▪ 체내에서 합성되는 조효소이나 노화되면서 감소 ▪ 미토콘드리아에서 에너지를 만드는데 반드시 필요한 조효소
✖ 트리글리세라이드 (Triglyceride)	▪ 주성분을 지방과 오일, 카프릭, 라우릭 같은 지방산들을 글리세린과 반응하여 만든다.
✖ 포스파티딜콜린 (Phosphatidylcholin)	▪ 콩 레시틴에서 추출 ▪ 다량의 리놀산 함유
✖ 프로필렌 글리콜 (Propylene glycol)	▪ 물 다음으로 흔히 사용하는 수분 운반체 ▪ 글리세린보다 피부 흡수력이 좋으며 끈적임이 덜함 ▪ 알코올과 같은 정도로 발효억제 작용
✖ 히아루로닉 애시드 (Hyaluronic acid)	▪ 무코 다당류의 일종 ▪ 자신 무게(파우더 기준)의 80배의 수분흡수
✖ 조조바 오일 (Jojoba oil)	▪ 조조바 관목은 아리조나, 멕시코, 이스라엘 등지에서 재배 ▪ 조조바 관목의 종자에서 추출하는 액상성 왁스 ▪ 비타민C, E, 구연산, 트리글리세라이드 함유 ▪ 피지성분과 유사하여 피부 보호막 형성 ▪ 원주민에게 피부치료 및 약물 목적으로 사용

햇빛 차단과 선크림 그 함수 관계에 대하여

햇빛은 신체와 정신적 안정을 위해 중요한 역할을 한다. 햇빛은 눈을 통과한 뒤 시신경을 자극해서 뇌에서 세로토닌 serotonin 을 분배하게 함으로써 신체 근육을 이완시키고 긴장을 풀어주는 역할을 하며, 간접적으로는 햇빛은 기쁨을 느낄 수 있는 호르몬을 분비해 주기도 한다. 또한 UV-B가 너무 부족하면 피부에 비타민D 부족현상이 생기는가 하면 UV-B 부족으로 인해 소아일 경우 뼈가 제대로 성장하지 못하는 경우도 있다. 한마디로 적당한 햇빛은 인간에게 쾌적한 느낌을 줄 뿐만 아니라, 피부 · 신체 건강 측면에서도 중요한 것이다.

반면에 심한 햇빛은 피부에 손상을 주기 때문에 피해야 할 필요가 있다. 높은 수치의 UV-B는 피부 화상 light-Erythem 을 일으키는 요인이 되며 피부암의 원인이 되기도 한다. UV-A는 UV-B로 인한 화상을 더 강화시키는 역할을 하며 피부조직으로 스며들어 콜라겐을 변화시키고 피부의 조기 노화현상을 일으키는가 하면, 기미를 만들기도 한다.

최근 조사 결과에 의하면 적어도 80%의 피부 조기 노화 현상이 UV 광선에 기인한다는 것이 밝혀졌다(UV 광선과 Infrared 광선의 합작). 따라서 UV 광선이 강한 여름철에는 장시간 햇빛에 피부를 노출시키지 않는 것이 좋고 햇빛을 막아주는 피부 고유 기능만으로는 부족하기 때문에 광선을 차단시켜주는 제품이 필요하다. 이때 UV-A(파장길이 약 320-400nm)와 UV-B(약 290-320nm) 두 광선을 다 차단시킬 수 있는 제품이 좋다.

햇빛으로부터 피부를 최적으로 보호하는 데는 단지 높은 SPF 수치가 전부는 아니다. 아무리 SPF 수치가 높다 해도 광선을 100% 다 차단할 수는 없으며 햇빛을 전부 차단하는 것은 건강상에도 바람직하지 않다. 따라서 선크림을 선택할 때에는 피부와 신체 보호를 위해서 햇빛 광선을 잘 컨트롤 할 수 있게 만들어진 제품이 좋다. SPF가 너무 낮거나 너무 높은 것은 피하는 것이 좋고 SPF 수치가 15에서 20(유럽수치) 사이가 적당하다. 독일의 일부 학자는 SPF 수치는 10~15 사이가 최적이고, 산화작용으로 인한 스트레스를 막아주어 피부조기노화를 방지해 주기 위해 추가로 비타민 제품의 사용을 권하기도 한다.

SPF 수치가 높다 해도 광선을 차단하는 데는 그 높은 수치에 비례하는 큰 차이는 없다. 일반적으로 SPF 수치가 18(유럽수치 기준)일 때 태양광선을 약 90% 정도 차단해 주는데, 두 배의 수치인 36일 때는 최고 95% 정도를 차단해 주고, 수치가

100, 200이 될 때도 광선 차단은 약 0.5% 정도의 차이를 보일 뿐이다.

역으로 SPF 수치가 너무 높은 제품은 고농도의 필터 성분으로 인해 피부가 부담을 가지게 되고, 햇빛을 보호해 주는 피부 고유의 기능을 잃어버리게 될 수도 있고, 장시간 햇빛 아래 있게 되면 Infrared 광선의 영향을 더 받게 되어 피부 조기 노화현상을 심하게 야기시키기도 한다. 높은 SPF 제품은 일광욕을 해서 몸을 갈색으로 태우고 싶을 때 사용하면 좋다. 하지만 일단 일광욕이 끝난 뒤에는 반드시 낮은 SPF 수치의 피부보호 선크림을 사용해 줘야만 피부 손상을 막을 수 있다.

햇빛으로부터의 피부 보호를 위해서는 SPF 수치 외에도 제품사용법이나 추가 중요한 요인이 있다. 일반적으로 선크림은 햇빛으로 나가기 15~30분 전에 발라 주는 것이 좋은데 이는 크림이 피부 속으로 스며드는 시간이 필요하기 때문이다. 피부를 전체적으로 고르게 덮어 주어야만 할 뿐 아니라, 땀이나 물과의 접촉으로 인해 크림 성분이 씻겨 내리는 것을 방지하기 위해 혹은 선크림의 효능을 지속적으로 유지하기 위해 적당한 시간이 지나 다시 발라주는 것도 중요하다. 또한 여름철에는 온도 상승에 의해 표피층의 수화 작용 hydration 이 감소되는데 이로 인해 피부 고유의 수분이 급격히 감소하여 마른 잔주름이 생기기도 하고, 방어벽의 기능 장애가 일어나기도 한다.

따라서 최적의 선크림을 선택할 때는, 햇빛을 장시간 효과적으로 차단해 줄 뿐만 아니라 햇빛으로 인해 생길 수 있는 피부 이상을 막아주고 동시에 수분을 공급해 줌으로써 피부 노화현상을 막을 수 있는 제품이 바람직하다 하겠다.

유화제가 들어있지 않은 선크림은 피부속으로 쉽게 스며들 뿐만 아니라 물이나 땀으로 인해 크림 성분이 씻겨지는 경우가 적으므로 좋다. 특히 햇빛에 민감한 피부나 햇빛 알레르기 경향이 있는 피부는 유화제가 들어있지 않은 제품을 선택하는 것이 바람직하다. 또한 여름철에는 온도 상승에 의해 표피층의 수화작용 hydration 이 감소되는데 이로 인해 피부 고유의 수분이 급격히 감소하여 마른 잔주름이 생기기도 하고, 방어벽의 기능 장애가 일어나기도 한다.

참고문헌

■ 국내

『실무를 위한 메디컬스킨케어』DMS® 교육부, 디엠에스인터내셔날. 2005

『활성산소(유해산소)가 질병의 원인이었다』오유진, 이화문화출판사.

『미용성형외과학』 이윤호, 군자출판사.

『노화되지 않는 프로그램』 조재곤, 행림출판.

『화장과 화장품』 김덕록, 도서출판 .

『기능성 화장품』 하병조, 신광출판사.

『개정3판 피부과학』 대한피부과학회 교과서 편찬위원회.

『개정4판 피부과학』 대한피부과학회 교과서 편찬위원회.

『안면색소질환 치료』 강원형, 고려의학 .

『피부관리학』김명숙, 현문사.

『피부과학』고재숙, 하병조, 강승주, 고혜정, 장경자 수문사. 2000

『메조테라피』대한메조테라피의학회, 군자출판사. 2005

『피부과학』제일의학. 1991

『피부과 의사 전우형의 탱탱피부 만들기』전우형,

『피부와 피부 미용』최광호, 신원문화사.

『천연재료로 손쉽게 하는 나만의 스킨케어』사토우 마미, 삼호미디어. 2005

『피부미학 』안성구, 이승헌, 고려의학. 2002

『피부과학』대한피부과학회 간행위원회, 여문각. 1994

『피부미용치료 심포지움 자료집』대한피부과개원의협의회. 제1회-제6회

『대한코스메틱피부과학회학술대회 자료집』대한코스메틱피부과학회. 제1차-제4차

『한국인에서 경도 및 중등도의 여드름에 대한 경구 Istretinoin의 유효성 및 안전성 평가』최응호, 황상민, 서대헌, 성경제, 이승헌, 대피지 2000

『민감성 피부』김도원, 한국피부장벽학회지. 2003

『보튤리눔 독소 A 주사요법을 이용한 저작근 축소법』유정환, 이호정, 이훈, 정예리, 이남호, 이상주, 박욱화, 대피지 2002

『기미에서 glycolic acid 화학박피술과 비타민 C 이온영동법의 치료 효과에 대한 비교 연구』 김산, 오승열, 이승헌, 대피지 2001

■ 국외

『Medical Skin Care』 여문각. 2005
『Atlas of skin Disease』 강원형, 고려의학.
『Cosmetic Skin Care』AVI SHAL HOWARD, MAIBACH ROBERT BARAN, MARTN DUNITZ.
『Bio Kosmetik』Dr. R. A. Eckstein, Aus Forschung und Praxis.
『The journal of Skin Care Barrier Research』Volume 6, Number 1.
『Skin Barrier(피부장벽)』이승헌 , 안성구 , 정세규, 여문각.
『Standard Textbook for Professional Estheticians(표준피부관리학)』정담미디어.
『Medical Skin Care & SPA』김영미, 도서출판 임송.
『Medical Skin Care I 』김영미, 도서출판 임송. 2003
『Medical Skin Care』이승헌, 안성구, 이상주, 이해광, 여문각. 2004
『Medical Skin Care』이정옥, 김문주, 윤동화, 채수형, 황금순, 훈민사. 2005
『Skin Care』박남선, 장향란, IP 빛과향기. 2004
『Yang's Standard Textbook for Professional Aestheticians』양일훈에스테틱아카데미
『www.beautyforever.co.kr 』 고운세상 피부과
『Handbook of Cosmetic Skin Care』Shai A, Maibach H, London.Martin Dunitz. 2001
『Manual of Chemical Peels』Rubin MG, Philadelphia. Lippincott company. 1995
『Skin Resurfacing』Lawrence N,Coleman WP III, Baltimore. Willians&Wikins. 1998
『Estheticians in dermatology』Warfield SS, Dermatologic therapy 2001

「Cosmetics in adjunctive therapy in dermatology」Humbert P, La Roche-Posay 자료집

「Topical therapies for melasma and dixorders of hy-perpigmentation」Jimbow K, Minamitsuji, Dermatologic therapy 2001

「Chemical peeling and aging skin」Glogau RM, J Geriatr Dermatol 1991

「Treatment of the aging face」Roengk HH Hr, Dermatologic therapy 2000

「Sensitive skin」Simion FA, Cosmet Toilet 1994

「Cosmetic selection in the sensitive-skin patient」Draelos ZD, Dermatologic therapy 2001

「Laser therapy for cutaneous hyperpigmentation and pigmented lesions」Alster TS, Lupton JR, Dermatologic therapy 2001

「Laser treatment of acquired vascular lesions」West TB, Dermatologic therapy 2000

「Dermal filler materials and botulim toxin」Naoum C, Dasiou-Plakida D, Int J Dermatol 2001

「Microdermabrasion」Beran SJ, Bernard RW, Aesthetic Surg J 2000

찾아보기

Index

ㅇ

ㅈ

ㅊ

ㅋ

ㅌ

ㅍ

저·자·프·로·필

■ 표영희
건국대학교 이학박사
현재 오산대학교 뷰티디자인과 교수

■ 박은경
숭실대학교 중소기업대학원 뷰티산업학과 석사
현재 주)디엠에스 인터내셔날 부사장

■ 이혜영
건국대학교 응용생물학과 졸업 이학박사
현재 삼육보건대학교 피부건강관리과 교수
대한메디컬스킨케어학회 회장

■ 이은주
중앙대학교 약학대학 약학박사
현재 연성대학교 뷰티스타일리스트과 교수

■ 감수 이순복
고려대학교 의과대학 의학박사
전 고려대학교 의과대학 피부과 외래교수

메디컬 스킨케어

2018년 4월 15일 초판 인쇄
2018년 4월 20일 초판 발행

지은이 | 표영희 · 박은경 · 이혜영 · 이은주
발행인 | 유제구
발행처 | 파워북
주 소 | 경기도 고양시 일산동구 호수로 358-25
동문타워2차 529호
전 화 | (02) 730-1412
FAX | (031) 908-1410
등 록 | 1997년 1월 31일 제 2014-000067호

정 가 24,000원
ISBN 978-89-8160-351-9 (93590)